GÜNTER KEHRER

EINFÜHRUNG IN DIE RELIGIONSSOZIOLOGIE

DIE THEOLOGIE

Einführungen in Gegenstand, Methoden und Ergebnisse
ihrer Disziplinen und Nachbarwissenschaften

WISSENSCHAFTLICHE BUCHGESELLSCHAFT
DARMSTADT

GÜNTER KEHRER

EINFÜHRUNG
IN DIE
RELIGIONSSOZIOLOGIE

WISSENSCHAFTLICHE BUCHGESELLSCHAFT
DARMSTADT

CIP-Titelaufnahme der Deutschen Bibliothek

Kehrer, Günter:
Einführung in die Religionssoziologie / Günter
Kehrer. – Darmstadt: Wiss. Buchges., 1988
(Die Theologie)
ISBN 3-534-07511-0

 Bestellnummer 07511-0

© 1988 by Wissenschaftliche Buchgesellschaft, Darmstadt
Satz: Maschinensetzerei Janß, Pfungstadt
Druck und Einband: Wissenschaftliche Buchgesellschaft, Darmstadt
Printed in Germany
Schrift: Linotype Garamond, 10/11

ISSN 0174-1047
ISBN 3-534-07511-0

INHALT

I. Die Religionssoziologie als wissenschaftliche Disziplin   1
  1. Wissenschaftstheoretischer Standort   1
  2. Religionssoziologie im Kontext der Wissenschaften
     von der Religion   4
  3. Religionssoziologie in Lehre und Forschung . .   8
  4. Gegenstand und Methoden der Religionssoziologie   10

II. Soziologische Definition von Religion   13
  1. Die Relevanz der Frage nach der Definition von
     Religion   13
  2. Die wichtigsten Strukturen der Definitionsproble-
     matik   15

III. Religion und die Integration der Gesellschaft . . .   28
  1. Religion und Gesellschaft und die religionssoziolo-
     gische Thematik   28
  2. Durkheims soziologische Theorie der Religion . .   31

IV. Religion und sozialer Wandel   41
  1. Max Weber und das Verhältnis von Religion und
     sozialem Wandel   42
  2. Religion und sozialer Wandel in der religionssozio-
     logischen Forschung   51

V. Religion und Gesellschaft   55
  1. Theoretische Vorüberlegungen   55
  2. Religion und politisches System   63
     a) Religion und Politik in vorstaatlichen Gesell-
        schaften   67
     b) Religion bei der Herausbildung staatlicher Herr-
        schaft   71
     c) Religion und Herrschaft vormoderner staatlich
        organisierter Gesellschaften   75
     d) Religion und Politik im europäischen Mittel-
        alter   83

e) Religion und Politik in der modernen Gesellschaft   86
f) Religion und Krieg   91
g) Schlußbetrachtung   92
3. Religion und Wirtschaft   94
a) Religion und Produktionsweise   96
b) Die ökonomische Realisierung von Religion . 104
c) Religion und Wirtschaftsmentalität 108
4. Religion und soziale Schichtung 112
a) Begriff der sozialen Schichtung 112
b) Religion als Kriterium der sozialen Ungleichheit 114
c) Schichtspezifische Religiosität 117
d) Soziale Schichtung und religiöser Pluralismus . 120
e) Religiöse Sanktionierung des Schichtungssystems 124
f) Soziale Mobilität und Religion 127
5. Religion und Familie 130
a) Formen der Familie 130
b) Familie als sozioreligiöse Einheit 132
c) Normierung der Familie durch die Religion(en) 139

VI. Organisierte Religion 143
1. Die soziale Gestaltung von Religion 143
2. Religiöse Arbeitsteilung und Hierarchiebildung . . 147
3. Entstehung und Geschichte der religiösen Organisationen 152
4. Die Kirche-Sekte-Dichotomie 158
5. Typologie religiöser Organisationen 162
6. Nichtorganisierte Religion in der modernen Gesellschaft 167

VII. Evolution und Zukunft der Religion 170
1. Evolution und Religion 170
2. Die Zukunft der Religion 175

Register. Zusammengestellt von Renate Falgner 181
Namen 181
Sachen 185

I. DIE RELIGIONSSOZIOLOGIE
ALS WISSENSCHAFTLICHE DISZIPLIN

1. Wissenschaftstheoretischer Standort

Schon der Begriff 'Religionssoziologie' weist darauf hin, daß diese Wissenschaft ein Teilgebiet der Soziologie ist, das sich allerdings mit einem Gegenstand beschäftigt, der auch zum Forschungsbereich anderer wissenschaftlicher Disziplinen zählt. Dies ist auch bei anderen 'Bindestrichsoziologien' der Fall und begründet somit keine Sonderstellung der Religionssoziologie im Rahmen der Sozialwissenschaften. Das zusammengesetzte Substantiv 'Religionssoziologie' meint dem üblichen Sprachgebrauch nach, daß die Soziologie Perspektive und Methode dieser Wissenschaft vorgibt und daß es die ,Religion' ist, die Gegenstand der soziologischen Untersuchung wird. Die europäischen Wissenschaftssprachen haben ähnliche Wortverbindungen geschaffen: 'sociology of religion', 'sociologie des religions' oder 'sociologie de la religion', 'soziologija religii'. In früheren Jahren konnte man vor allem im romanischen Sprachbereich die Begriffe 'sociologie religieuse'[1] und 'sociologia religiosa'[2] vorfinden, die jedoch heute zu Recht weitgehend verschwunden sind, weil sie – manchmal beabsichtigt – den Eindruck einer auf religiöser Grundlage forschenden Soziologie hervorrufen konnten.[3] – Der Gegenstand der Religionssoziologie ist im Laufe der okzidentalen Geschichte zu einer emotional und politisch aufgeladenen Größe geworden, so daß seine Erforschung mit Schwierigkeiten konfrontiert ist, wie sie in anderen soziologischen Teildisziplinen nicht von vornherein zu erwarten sind. Es liegt nicht im 'Wesen' der Religion begründet, daß es anscheinend

---

[1] R. Bastide, Eléments de Sociologie religieuse, 1937, ²1947. – G. Le Bras, Etudes de Sociologie religieuse, 2 Bde., 1955/56. – F. Boulard, Premiers itinéraires en Sociologie religieuse, 1954.

[2] J. Iribarren, Introducción a la Sociologia Religiosa, 1955.

[3] Allerdings nicht alle Publikationen, die diese und ähnliche mißverständliche Titel aufweisen, sind kirchlich gebundene Arbeiten. So ist Roger Bastides Einführung in die Religionssoziologie völlig frei von allen kirchlich-religiösen Einflüssen.

besonders schwierig ist, dieser ohne Zorn und Eifer zu begegnen, sondern die für die europäische Religionsgeschichte typische Konzentration auf bekenntnishafte Entscheidung läßt alle Erfahrungswissenschaften von Religion als problematische und u. U. sogar unmögliche Unterfangen erscheinen.

Zwei Gefahrenquellen bedrohen eine wissenschaftliche Religionssoziologie: die kämpferisch gläubige und die kämpferisch ungläubige Haltung. Die Gefahr der gläubigen Haltung besteht darin, daß der Forscher aus der Scheu vor dem vermeintlich heiligen Kern der Religion sich nicht getraut, alle religiösen Phänomene ohne Rest als rein weltliche Phänomene zu verstehen. Die Gefahr der ungläubigen Haltung besteht darin, daß der Forscher seine Forschung zum Kampf gegen die Religion benutzt und damit, vielleicht unbewußt, seine wissenschaftliche Arbeit beeinflussen läßt. Während in den westlichen Ländern sich der Religionssoziologe vor allem gegen kirchliche Vereinnahmungen zur Wehr setzen muß, ist in den östlichen Ländern das Staatsziel der atheistischen Erziehung[4] ein mögliches Hindernis auf dem Weg einer freien Religionssoziologie. In den 50er und 60er Jahren war die Religionssoziologie in Westeuropa manchmal in der Gefahr, der völligen Indienstnahme durch kirchliche Auftraggeber zu erliegen.[5] Der Protest gegen diese Entwicklung war erfolgreich,[6] zwar gibt es heute immer noch kirchliche Sozialforschungsinstitute, die oft von Soziologen

[4] Nicht in allen sozialistischen Staaten ist die atheistische Erziehung erklärtes Ziel; so wird man in der DDR und in der VR Polen kaum entsprechende Hinweise finden, während in der UdSSR eine reiche Literatur dazu existiert. Siehe u. a.: A. Muchin und L. Fominzewa, Ateistitscheskoje Wospitanije Naselenija, 1973 (Bibliographie S. 108–111).

[5] Nur als kleine Auswahl seien für den deutschsprachigen Bereich folgende Titel genannt: J. Freytag, Die Kirchengemeinde in soziologischer Sicht, 1959. – R. Köster, Die Kirchentreuen, 1959. – N. Greinacher, Soziologie der Pfarrei, 1955. – O. Schreuder, Kirche im Vorort, 1962. Für den französischsprachigen Bereich seien erwähnt neben Le Bras und Boulard (s. Anm. 1): C. Leplae, Pratique religieuse et milieu sociaux, o. J.; sowie zahlreiche nur hektographiert veröffentlichte Untersuchungen zur religiösen Praxis.

[6] Es war zunächst T. Luckmann, der schon 1960 in einer Sammelbesprechung in der Kölner Zeitschrift für Soziologie und Sozialpsychologie (KZFSuS) auf die drohende Verengung der Religionssoziologie hinwies (KZFSuS 12 [1960], S. 315–326). Daneben hat auch – in derselben Zeitschrift – D. Savramis vor einer Konfessionalisierung der Religionssoziologie gewarnt. Siehe auch: D. Savramis, Religionssoziologie, 1968, S. 63–78.

geleitet werden, aber dies ist lediglich ein Schritt auf dem Weg zur Professionalisierung der Soziologie und bedeutet nicht, daß diese Institute den Gang der Religionssoziologie bestimmen. In den sozialistischen Ländern Europas sieht die Situation anders aus. Dort steht die Religionssoziologie im Kontext des wissenschaftlichen Atheismus. Einer der führenden sowjetischen Religionssoziologen drückte dies folgendermaßen aus: „Die Religionssoziologie erweist sich von unserem Standpunkt aus als Bestandteil des wissenschaftlichen Atheismus. Die soziologische Theorie der Religion kann sich fruchtbar in den verschiedenen Wissensgebieten über Religion und Atheismus entwickeln . . . Zur Bestimmung des Gegenstandes der Religionssoziologie ist es. . . unumgänglich, daß sie als Teil des wissenschaftlichen Atheismus gekennzeichnet ist. . ." [7] Der wissenschaftliche Atheismus wiederum legitimiert sich teilweise durch seine Funktion, „in der Phase des Aufbaus des Kommunismus an der Formung des neuen Menschen" mitzuwirken. [8]

Sofern diese Formulierungen mehr als Lippenbekenntnisse sind, besteht die Gefahr, daß die Religionssoziologie zur Hilfswissenschaft zur Erforschung der Möglichkeit der Austrocknung religiöser Restbestände in den sozialistischen Ländern degradiert wird, so wie sie in den 50er Jahren im Westen als Hilfsmittel der pastoralen Praxis benutzt wurde. Bedeutet dies, daß der Religionssoziologe ein religiöses Neutrum sein muß, damit er einigermaßen erfolgreich seine Wissenschaft betreiben kann? Diese Konsequenz braucht nicht gezogen zu werden. Es kommt aber alles darauf an, daß er seine eigene religiöse bzw. antireligiöse Überzeugung so kontrollieren kann, daß sie ihm nicht im Forschungsprozeß Methode und Interpretation beeinflußt. Es geht also um die anzustrebende Objektivität wissenschaftlichen Arbeitens oder um das Forschungsethos der Wissenschaftlers. [9] Die manchmal explizit geäußerte – häufig aber implizit vertretene – Meinung, daß eine irgendwie geartete Sympathie gegenüber dem Gegenstand der Wissenschaft dem Erkenntnisprozeß förderlich sei, ist unhaltbar. Religionssoziologie als Wissenschaft ist möglich, weil Religion als Gegenstand unabhängig davon, ob wir dies mögen oder nicht, in der Welt der

---

[7] I. N. Jablokow, Soziologija Religii, 1979, S. 12.
[8] Ebd., S. 3.
[9] Für mich ist bis heute die mir gültige Position in Max Weber, Wissenschaft als Beruf, in: ders., Gesammelte Aufsätze zur Wissenschaftslehre, ²1951, S. 566–597 beschrieben.

Dinge vorhanden ist. Alle anderen Fragen, etwa ob diese Existenz unausweichlich zum Wesen des Menschen gehöre oder zu einer bestimmten Phase seiner Entwicklung im historischen Sinne, sind Gegenstand der wissenschaftlichen Betrachtung selbst und in diesem Rahmen auch prinzipiell, wenn auch vielleicht nicht aktuell lösbar.

2. Religionssoziologie im Kontext der Wissenschaften von der Religion

Die Religionssoziologie hat keinen Monopolanspruch auf die wissenschaftliche Erforschung von Religion. Es ist deshalb notwendig, kurz darauf einzugehen, worin die Spezifizität der soziologischen Betrachtung von Religion liegt. Dazu ist eine kursorische Übersicht über die Disziplinen nützlich, die sich im Kontext des okzidentalen Wissenschaftsspektrums mit Religion beschäftigen. Wir unterscheiden dabei nach Methode und Gegenstandsverständnis folgende Wissenschaften:
– Wissenschaften, die ausschließlich Religion zum Gegenstand haben,
– Wissenschaften, die u. a. Religion zum Gegenstand haben.
    Zu der ersten Gruppe gehören: Religionswissenschaft, Religionsgeschichte, Theologie.
    Zur zweiten Gruppe: alle Wissenschaften, die sich mit dem Menschen und seiner Kultur beschäftigen, so z. B. alle Philologien, alle historischen Wissenschaften, alle Sozialwissenschaften. Es ist eine Frage wissenschaftshistorischer Spezifizierung, ob und bis zu welchem Grade in diesen Wissenschaften einzelne Teildisziplinen so weit ausdifferenziert wurden, daß sie zu selbständigen Wissenschaften der ersten Gruppe wurden. Für die Religionssoziologie könnte man diesen Prozeß unterstellen, für die Religionspsychologie[10], Religionsethnologie[11] und die Religionsgeographie[12] kann dies nicht gesagt werden.

---

[10] Als aktuellen Bericht über die Situation der Religionspsychologie s.: Die Psychologie des 20. Jahrhunderts, Bd. XV, 1979, S. 69–136.
[11] W. Dupré, Religion in Primitive Cultures, 1975 und A. de Waal Malefijt, Religion and Culture, 1968.
[12] M. Schwind (Hrsg.), Religionsgeographie (= Wege der Forschung, Bd. CCCXCVII), 1975.

Ein weiterer wichtiger Unterschied betrifft die Haltung des forschenden Subjekts gegenüber seinem Gegenstand:
- religiöse Bindung an den vorgegebenen Gegenstand,
- Neutralität gegenüber dem vorgegebenen Gegenstand.
Die Theologie bzw. der Theologe hat eine religiöse Bindung an den vorgegebenen Gegenstand: Gott, Offenbarung, Heil, Wort Gottes usw. – Religionswissenschaft, Religionsgeschichte, aber auch Religionssoziologie, Religionsethnologie usw. konstituieren zwar auch ihren Gegenstand nicht, stehen ihm aber neutral gegenüber. Zwischen diesen beiden Gruppen gibt es Zwittergestalten, die nicht recht zuzuordnen sind: so die Religionsphänomenologie.[13] Schematisch kann man die beiden Unterscheidungen in einer Vierfeldertafel verdeutlichen:

	ausschließlicher Gegenstand	ein Gegenstand neben anderen
religiöse Bindung	Theologie	Religionspädagogik
Neutralität	Religionsphänomenologie Religionswissenschaft Religionsgeschichte	Philologien Kulturwissenschaften Sozialwissenschaften
	Religionssoziologie	

Dieses Schema zeigt deutlich, daß die Bezugswissenschaften der Religionssoziologie, Religionswissenschaft und Religionsgeschichte auf der einen Seite und Philologien, Kultur- und Sozialwissenschaften auf der anderen Seite sind. Keinerlei Beziehungen bestehen zur Theologie und zu den aus ihr abgeleiteten Disziplinen. Dies bedeutet jedoch nicht, daß nicht in Einzelfällen von Ergebnissen theologischer Detailforschung sinnvoller Gebrauch gemacht werden kann, sofern diese Ergebnisse im Horizont erfahrungswissenschaftlichen Arbeitens rezipierbar sind, was praktisch für weite Bereiche der kirchengeschichtlichen und für einige Gebiete der exegetischen Forschung der Fall ist.

[13] Als Klassiker s. immer noch G. van der Leeuw, Phänomenologie der Religion, ²1956, besonders: Epilegomena (§ 109–§ 112), S. 768–798. Als Sekundärliteratur, kritisch und sympathisch zugleich: J. Waardenburg, Reflections on the Study of Religion, 1978, S. 185–247.

Die gegenseitige Fremdheit von Theologie und Religionssoziologie (sowie allen Wissenschaften, die ein neutrales Verhältnis zu Religion als ihrem Gegenstand haben) beruht auf dem Umstand, daß die Theologie als einzige im Bereich der Universität vertretene Disziplin mit der Wirklichkeit eines Gegenstandes rechnet, der sich – vorsichtig ausgedrückt – jedem menschlichen Zugriff entzieht.[14] – Gegenstand der Theologie ist Gott bzw. seine Selbstbekundung; Gegenstand der nichttheologischen Wissenschaften von der Religion sind Handlungen (unter Einschluß von Sätzen), die sich u. a. auf Gott (in der Vorstellung des Handelnden) und u. U. dessen Selbstbekundung beziehen. Der Unterschied mag auf den ersten Blick spitzfindig erscheinen, ist aber methodologisch entscheidend.

Die Trennung verläuft methodologisch zwischen Theologie und den nichttheologischen Wissenschaften. Alle wissenschaftlichen Versuche, mit Begriffen wie 'heilig' oder 'Begegnung mit dem Heiligen' zu operieren, sind vom Standpunkt der Erfahrungswissenschaften abzulehnen, auch wenn sie eine Zeitlang im Gefolge von Rudolf Otto[15] in der Religionswissenschaft heimisch waren und heute noch etwa bei Mircea Eliade[16] vertreten werden.[17] Demgegenüber werden die Unterschiede zwischen Religionssoziologie und Religionswissenschaft bzw. Religionsgeschichte sowie zwischen Religionssoziologie und den nicht ausschließlich auf Religion spezialisierten Einzelwissenschaften sekundär. Man kann die Beziehung zwischen diesen Wissenschaften und der Religionssoziologie etwa auf folgenden Nenner bringen: Die Philologien und Kulturwissenschaften liefern in vielen Fällen, vor allem immer dann, wenn wir es mit 'toten' oder remoten Religionen zu tun

[14] Zwar gab es von seiten der Theologie Versuche, einen an den Erfahrungswissenschaften angelehnten Begriff von ihrer Wissenschaft zu entwickeln, aber selbst dort, wo dieser Ansatz bis an die äußersten Grenzen getrieben wurde, zeigten sich Grundprobleme sehr schnell. Vgl. W. Pannenberg, Wissenschaftstheorie und Theologie, 1977, S. 299–348, besonders S. 302.

[15] R. Otto, Das Heilige, 1917 (seither über 30 Neuauflagen).

[16] Einfach greifbar und als pars pro toto: M. Eliade, Das Heilige und das Profane, 1957, S. 8 ff.

[17] Joachim Matthes hat in seiner ansonsten sehr nützlichen Einführung in die Religionssoziologie leider die allgemeine Religionswissenschaft auf diese Ansätze eingeengt; eine Perspektive, die selbst in Deutschland so nie zu halten war. J. Matthes, Religion und Gesellschaft, 1967, S. 12.

haben, das Material für die religionssoziologische Analyse. Die Sozialwissenschaften insgesamt und die Soziologie im besonderen stellen Theorie und Methode des religionssoziologischen Arbeitens bereit.

Das Verhältnis von Religionssoziologie zur Religionswissenschaft ist komplexer. Zunächst ist auffallend, daß es eine nicht geringe Zahl von Religionswissenschaftlern gab, die zugleich auch als Religionssoziologen hervortraten.[18] Außerdem ist es in der heutigen Religionswissenschaft unumstritten, daß zu den wissenschaftlichen Ansätzen in dieser Disziplin die soziologischen unbedingt dazugehören.[19] Dennoch gibt es Unterschiede, die jedoch weniger wissenschaftssystematischer als wissenschaftshistorischer Natur sind. Die Religionswissenschaft entwickelte sich im 19. Jahrhundert vor allem als eine Wissenschaft, die auf historisch-philologischer Grundlage nicht-okzidentale Religionen darstellte und in ihrer Substanz zu deuten versuchte,[20] während die Religionssoziologie, sich aus der Sozialphilosophie und aus den Anfängen der allgemeinen Soziologie im 19. Jahrhundert entwickelnd, sich zunächst Fragen nach Ursprung und Funktion der Religion im allgemeinen und speziell der Bedeutung der christlichen Religion für die Entstehung der modernen Gesellschaft zuwandte. Natürlich ist diese Unterscheidung nicht absolut zu verstehen, so hat die französische Religionssoziologie der Durkheim-Schule immer starke religionshistorische und religionsethnologische Interessen gehabt.[21] Bei dem obwaltenden Interesse der Religionswissenschaft standen jedoch Texte und damit Glaubenssysteme stark im Vordergrund. Selbst

[18] Im französischen Sprachraum wäre vor allem die Durkheim-Schule zu nennen und hier besonders Marcel Mauss (1873–1950), der sowohl Soziologe als auch Religionswissenschaftler war. Vgl. vor allem seine ›Esquisse d'une théorie générale de la magie‹ (zusammen mit H. Hubert), 1898/9; dt.: M. Mauss, Soziologie und Anthropologie, Bd. 1, 1978, S. 43–179. – Im deutschen Sprachraum: J. Wach, Sociology of Religion, 1944; dt.: Religionssoziologie, 1951 und schon 1931: Religionssoziologie, in: A. Vierkandt (Hrsg.), Handwörterbuch der Religionssoziologie, S. 479–494. – G. Mensching, Soziologie der Religion, 1947, ²1968.
[19] Vgl.: F. Whaling (Hrsg.), Contemporary Approaches to the Study of Religion, Vol. II; The Social Science, 1985.
[20] Einen guten Überblick über die Geschichte der Religionswissenschaft liefert: E. J. Sharpe, Comparative Religion, 1975.
[21] Siehe Anm. 18 und E. Durkheim, Les formes élémentaires de la vie religieuse, 1912; dt. Übersetzung (nicht empfehlenswert!).

wo der Vorrang des Ritus gegenüber dem Mythos betont wurde, war eine gewisse idealistische Betrachtungsweise unverkennbar. Man könnte auch sagen, daß die Religionswissenschaft insgesamt eher die Tendenz hatte, die religiöse Natur des Menschen zu betonen und in den einzelnen Religionen nur die Manifestationen dieser religiösen Natur zu sehen. Dazu paßt es auch, daß herkömmlicherweise die Religionswissenschaftler ihre Wissenschaft gern mit Hegel und Schleiermacher beginnen lassen,[22] während die Religionssoziologen doch in der Religionskritik der französischen Enzyklopädisten zumindest Vorläufer ihrer Disziplin sehen.[23] Obwohl heute diese Differenzen weitgehend eingeebnet sind, kann man gelegentlich immer noch eine größere 'Anfälligkeit' der Religionswissenschaftler gegenüber theologisierenden Konzepten erkennen. – Unter Absehung von diesen historischen Reminiszensen stellt sich die Situation heute so dar, daß der Religionswissenschaftler meistens neben seiner allgemeinen Ausbildung eine Spezialausbildung auf einem besonderen religionshistorischen Gebiet hat, wozu vor allem die sprachliche Kompetenz gehört, während der Religionssoziologe meistens ausgebildeter Soziologe ist und in der Regel eine sprachliche und historische Kompetenz im Bereich der jüdisch-christlichen Religionsgeschichte aufweist, was noch durch den Umstand verstärkt wird, daß nur in modernen okzidentalen Gesellschaften exaktere Methoden der empirischen Sozialforschung möglich sind. So ist in vielen Fällen von einer unbewußten Arbeitsteilung zwischen Religionswissenschaft und Religionssoziologie auszugehen, wobei es bis heute nur in den seltensten Fällen zu einer institutionalisierten Kooperation kam.

3. Religionssoziologie in Lehre und Forschung

Die Soziologie ist erst gegen Ende des 19. Jahrhunderts und in vielen Ländern sogar erst nach 1918 zu einem anerkannten Fach in der akademischen Welt geworden. Ihren heute selbstverständlichen Platz an allen Universitäten hat sie überhaupt erst nach dem Zweiten Weltkrieg errungen. Was für die Soziologie im allgemeinen gilt, gilt auch für die Religionssoziologie im besonderen, wobei noch zu

[22] So G. Mensching, Geschichte der Religionswissenschaft, 1948, S. 48f.
[23] J. Matthes, a. a. O., S. 32–51.

berücksichtigen ist, daß die Religionssoziologie als Teildisziplin der Soziologie m. W. so gut wie nirgends institutionell an den Universitäten vertreten ist. Zwar gibt es an vielen Hochschulen Soziologen und (seltener) Religionswissenschaftler, die sich auf Religionssoziologie spezialisiert haben, aber dies ist eine faktische, letztlich kontingente Spezialisierung, die nicht durch Lehrpläne, Stellenbeschreibungen usw. zwingend gefordert würde. Allerdings ist diese Situation nicht einzigartig, sondern typisch für alle sog. Bindestrich-Soziologien.

Neben dieser organisatorischen Situation der Religionssoziologie stellt sich die Frage, welche Relevanz ihr im Gesamt der Wissenschaften vom sozialen Leben zukommt. Hier ist zunächst auffällig, daß viele der großen Soziologen der eigentlichen Gründergeneration mit religionssoziologischen Arbeiten, auf die an anderer Stelle einzugehen sein wird,[24] hervorgetreten sind. Sowohl Emile Durkheim (1858–1917) als auch Max Weber (1864–1920) und Bronislaw Malinowski (1884–1942) schrieben bedeutende Beiträge zur Religionssoziologie, ja, werden von vielen als die eigentlichen Begründer der 'klassischen' Religionssoziologie wie der Soziologie betrachtet.[25] Der Grund für diese Tatsache ist vor allem darin zu sehen, daß der Paradigmenwechsel in der Soziologie, die Aufgabe evolutionistischer, rationalistischer Modelle zugunsten stärker handlungsorientierter Ansätze besonders deutlich an der Analyse religiöser Phänomene demonstriert werden konnte. Deshalb ist es nicht weiter erstaunlich, daß bis heute eine gewisse Kenntnis der religionssoziologischen Klassiker zum Minimumstandard jeder soziologischen Ausbildung gehört. – Eine weitere Vertiefung in die Religionssoziologie ist für den Studierenden der Soziologie jedoch fakultativ und hängt von den spezifischen Interessen und der Anlage des Studiums ab. Die soziologischen Einzeldisziplinen unterliegen in ihrer Bedeutung Trendveränderungen, die nur ex post feststellbar und auch dann kaum interpretierbar sind.

Bezogen auf Europa, war die 'große' Zeit der Religionssoziologie eigentlich mit dem Ersten Weltkrieg abgeschlossen. Die Blüte in

[24] Aus Gründen der didaktischen Komposition folgt diese ›Einführung in die Religionssoziologie‹ nicht dem Schema, das in extenso die Geschichte der Religionssoziologie darstellt, sondern behandelt die 'Klassiker' unter der jeweils entsprechenden Thematik.

[25] Vgl. dazu den schon 1944 verfaßten Aufsatz von T. Parsons, The Theoretical Development of the Sociology of Religion, in: T. Parsons, Essays in Sociological Theory, rev. ed. 1964, S. 197–211.

den 50er Jahren und frühen 60er Jahren verdankte sie der damaligen Klerikalisierung der Gesellschaft und der weitgehend freiwilligen Limitierung des religionssoziologischen Ansatzes auf kirchensoziologische Forschungsstrategien. Die Dominanz makrosoziologischer Themen in der Zeit von etwa 1965 bis Ende der 70er Jahre ließ die Religionssoziologie als akademische Disziplin wieder in den Hintergrund treten, und erst mit einem erneuten Interesse etwa an Max Weber werden religionssoziologische Themen auf einem anspruchsvollen theoretischen Niveau wieder aktueller. – Diese Skizze deutet natürlich nur die Bedeutung der Religionssoziologie im Feld der Soziologie an, so wie sie sich aus der Vogelperspektive darstellt, ohne zu berücksichtigen, daß es immer Forscher gab, die kontinuierlich an religionssoziologischen Themen arbeiteten. Diese Arbeiten werden die Grundlage der gesamten Einführung bilden.

4. Gegenstand und Methoden der Religionssoziologie

Schon oben wurde als selbstverständlich vorausgesetzt, daß der Gegenstand der Religionssoziologie Religion sei. Erst im nächsten Kapitel soll auf die Frage nach der Definition von Religion eingegangen werden, aber schon in diesem Paragraphen muß kurz diskutiert werden, inwiefern Religion Gegenstand der Soziologie sein kann. Zurückzuweisen ist die Vorstellung, die Religionssoziologie befasse sich sozusagen nur mit der Außenseite der Religion. Eine platonisch-idealistische Sichtweise, wie sie 1931 J. Wach vertrat, wenn er betonte, daß „jedenfalls. . . alle religionssoziologische Forschung zu berücksichtigen haben (wird), daß in den soziologischen Bezügen, in die die Religion eingeht, von ihrem eigentlichen Wesen, ihrer Idee und Intention jeweils nur ein bestimmtes Maß leben kann" [26], wird dem radikal szientistischen Ansatz der Soziologie nicht gerecht. Daß die Verengung, wie sie J. Wach vornimmt, nicht völlig der Vergangenheit angehört, kann an einem Aufsatz von T. O'Dea aus dem Jahre 1961 gezeigt werden, wo er betont, daß die Tatsache der Symbolisation des Transzendenten das unvermeidliche Risiko des Verlustes des Kontaktes zu diesem Transzendenten bedeutet. [27] Zum Gegenstandsbereich der Religionssoziologie

[26] J. Wach, Religionssoziologie, 1931 (s. Anm. 18).
[27] T. O'Dea, Five Dilemmas in the Institutionalization of Religion (zuerst 1961), in: T. O'Dea, Sociology and the Study of Religion, 1970, S. 247.

– wie zu dem jeder anderen empirischen Wissenschaft vom Menschen – kann nur das beobachtbare Verhalten von Menschen im weitesten Sinne zählen. Dazu gehört Handeln, Sprechen, Unterlassen von Handeln, Schweigen usw. Natürlich bedeutet die Beschränkung auf beobachtbares Verhalten nicht, daß die nichtmenschlichen Komponenten menschlichen Verhaltens außerhalb der Betrachtung blieben. Klima, geographische Ursachen usw. gehören zu den Faktoren, die gegebenenfalls alle Wissenschaften, die sich mit Religion beschäftigen, berücksichtigen müssen.

Völlig ausgeblendet wird dagegen der Gegenstand, auf den sich religiöses Verhalten zu beziehen scheint: Gott, Transzendenz u. ä. Wie jede Wissenschaft geht auch die Religionssoziologie von einem methodologischen Atheismus aus; sie bildet ihre Theorien und Hypothesen „etsi deus non daretur".

Wir können jetzt schärfer formulieren: Gegenstand der Religionssoziologie ist beobachtbares Verhalten des Menschen, sofern es (1) auf religiöse Phänomene bezogen ist und (2) als soziales Verhalten zu bezeichnen ist. Während die erste Qualifizierung den Religionsbegriff betrifft, der im nächsten Kapitel diskutiert werden soll, bezieht sich die zweite Qualifizierung auf die soziologische Begrifflichkeit selbst und muß deshalb etwas näher untersucht werden. Allgemein kann man feststellen, daß in bezug auf die Sozialität die Religionssoziologie keine andere Begrifflichkeit benötigt als die allgemeine Soziologie. Der 'Gegenstand der Soziologie' ist in den ersten Generationen seit A. Comte (1798–1857), der dieses Wort bildete, eine ständige Quelle von Versuchen geblieben, klar und deutlich die Grenzen der Soziologie gegenüber anderen Fächern zu bestimmen. Es ist dies ein typisches Merkmal von Wissenschaften, die um ihre gesellschaftliche und universitäre Anerkennung noch ringen müssen. Mit der zunehmenden Etablierung und Professionalisierung der Soziologie entfällt diese Nötigung, und so gibt es heute schon weitverbreitete Lehrbücher, die auf eine Diskussion um den Gegenstand der Soziologie verzichten.[28] Andere soziologische Wörterbücher verzeichnen Gebiete ('major concerns') der Soziologie: (a) die Erforschung der sozialen Strukturen, (b) die Erforschung der sozialen 'composition', d. h. der Natur, Proportionen und Mannigfaltigkeiten der verschiedenen Gruppen, Kategorien und Schichten in den Gesellschaften, (c) die Konstruktion genauer deskriptiver Kategorien des sozialen Lebens von Gesell-

---

[28] Zum Beispiel A. Bellebaum, Soziologische Grundbegriffe, 1972, ⁷1978.

schaften, (d) die Erforschung von Kultur und Lebensstilen in der
Gesellschaft, (e) die Ausarbeitung und der Test von Forschungsme-
thoden sowohl qualitativer als auch statistischer Natur.[29] Diese
Aufzählung, die recht vollständig, aber ohne systematischen Anspruch die Gegenstände der Soziologie verzeichnet, macht deutlich, worum es in der Soziologie geht: Auf einer sehr allgemeinen
und notwendig abstrakten Ebene sollen die Kategorien erarbeitet
werden, mit deren Hilfe überhaupt erst ein Verständnis von Sozialität möglich wird. Solche Kategorien sind etwa: Rolle, Gruppe,
Herrschaft, Macht, aber auch Kultur usw. Unterhalb dieser Ebene
gibt es die Erforschung von sozialen Einzelphänomenen: Gruppen, Klassen, Familien usw. Als drittes ist die Weiterentwicklung
einer soziologischen Methode zu nennen: Techniken der Informa-
tionsgewinnung und der Verarbeitung von Daten sowie der kon-
trollierbaren Überprüfung von Hypothesen usw. – Grundlage dieser pragmatischen Gegenstandsbeschreibung ist die heute nicht
mehr notwendig zu entfaltende Annahme, daß über den Menschen
mehr zu erfahren sei, wenn wir von außen die Modalitäten seines
kollektiven Daseins erforschen, als wenn wir etwa durch Introspek-
tion uns auf die 'Natur' des Menschen als Einzelwesen konzentrieren. – Wenn man so pragmatisch den Gegenstand der Soziologie
bestimmt, sind wir der Notwendigkeit enthoben, die schwierige
und für eine erste Orientierung sowieso nicht hilfreiche Diskussion
über Einzelbegriffe wie 'Verhalten', 'Handeln', 'soziales Handeln'
usw.[30] zu führen. Wir können in der Religionssoziologie von der
befriedigenden Situation ausgehen, daß die Soziologie insgesamt
ihre Daseinsberechtigung durch die Fruchtbarkeit ihrer Fragestellung und die Bedeutung ihrer Ergebnisse bewiesen hat. – Bei dieser
Sachlage ist es sinnvoll anzunehmen, daß die Anwendung des
soziologischen Instrumentariums und der soziologischen Methoden
auf den Bereich der Religion legitim und erfolgversprechend ist.

[29] G. D. Mitchell, A New Dictionary of Sociology, 1979, S. 210.
[30] Dies bedeutet keine Geringschätzung dieser Diskussion. Bis heute
immer noch aktuell: M. Weber, Wirtschaft und Gesellschaft, Studienausgabe 1956, 1. Halbbd., S. 3–17.

II. SOZIOLOGISCHE DEFINITION VON RELIGION

Kaum ein Problem ist in den Wissenschaften von der Religion heftiger und zugleich ergebnisloser diskutiert worden als die Frage nach der adäquaten Definition von Religion. Es wird deshalb auch nicht erwartet werden können, daß auf den folgenden Seiten eine alle befriedigende Lösung des Definitionsproblems gegeben werden kann.

1. Die Relevanz der Frage
nach der Definition von Religion

Max Weber schrieb am Anfang seiner systematischen Religionssoziologie: „Eine Definition dessen, was Religion ‚ist‘, kann unmöglich an der Spitze, sondern könnte allenfalls am Schlusse einer Erörterung wie der nachfolgenden stehen."[1] An diese Einsicht – wenn es eine ist – haben sich die Darstellungen der Religionssoziologie jedoch nicht gehalten. Vielmehr wird in fast allen Fällen der Leser gleich zu Beginn in eine oftmals komplizierte Auseinandersetzung über Definitionsprobleme verwickelt. Zwar definieren auch andere soziologische Teildisziplinen am Anfang einer systematischen Darstellung den Gegenstand, mit dem sie sich befassen, aber dabei handelt es sich häufig um kurze definitorische Statements, während die Religionssoziologen hier eine beträchtliche Eloquenz entwickeln. Ähnliches gilt auch für die Religionswissenschaft. Man hat den Eindruck, daß für Religionssoziologie und Religionswissenschaft schon ein beachtlicher Teil der Arbeit geleistet zu sein scheint, wenn nur feststeht, was unter Religion zu verstehen sei und was nicht. Dabei handelt es sich um keine neue Erscheinung; schon das religionssoziologische Hauptwerk Durkheims widmet ein langes Kapitel der Frage nach der Definition von Religion,[2] und das Problem der Definition war häufig separat in Aufsätzen behandelt worden[3] und wird es bis zum heutigen

---

[1] M. Weber, Wirtschaft und Gesellschaft, Studienausgabe 1956, 1. Halbbd., S. 317.

[2] E. Durkheim, Les formes élémentaires de la vie religieuse, 1912.

[3] E. Durkheim, De la définition des phénomènes religieux, in: Année Sociologique 2 (1897/8), S. 1–28.

Tag.[4] Was ist der Grund für die Faszination, die diese Frage anscheinend ausübt?

An erster Stelle ist die schillernde Unbestimmtheit von Religion
in ihren historischen Ausprägungen zu nennen. Zwar gilt dies auch
für andere soziale Einrichtungen wie etwa Familie, Gruppe usw.,
aber diese sind doch immer noch an einigen wenigen problemlosen
Merkmalen festzumachen, was bei der Religion kaum gelingt. An
zweiter Stelle spielt es eine bedeutende Rolle, daß Religion auch positiv von religiösen Individuen und negativ von den Religionskriti-
kern definiert wurde und wird und daß die Wissenschaften von der
Religion versuchen müssen, eine weitere, neutrale Definition zu
finden. Als drittes wäre zu berücksichtigen, daß mit der Definition
von Religion zugleich der Umfang der Religionssoziologie festgelegt wird, d. h., die definitorische Entscheidung hat unmittelbare
Konsequenzen für das Gewicht der Wissenschaft. Als wichtigster
Grund jedoch ist festzuhalten, daß der Alltagsbegriff von Religion, also die Verwendung des Terminus 'Religion', wie er in der
'ordinary language' vorkommt, wissenschaftlich offensichtlich
unbrauchbar ist. Das Wort 'Religion', das durchaus nicht in allen
Sprachen einsichtige Äquivalente hat,[5] meint in der vom Christentum beeinflußten Alltagssprache der westlichen Kultur ein von
einer Organisation getragenes Glaubenssystem, das Aussagen über
Gott und die Welt macht und dem man exklusiv anhängt. Dieses
Verständnis von Religion ist auf kaum eine außerchristliche Reli-

---

[4] Als Auswahl wird eine kleine Anzahl von Aufsätzen aus neuerer Zeit
aufgeführt, wobei sowohl religionssoziologische als auch für die Soziologie interessante religionswissenschaftliche Arbeiten berücksichtigt werden: M. E. Spiro, Religion: Problems of Definition and Explanation, in:
M. Banton (Hrsg.), Anthropological Approaches to the Study of Religion,
1966, S. 85 ff. – F. Ferré, The Definition of Religion, in: Journal of American Academy of Religion 38, (1970), S. 3 ff. – U. Bianchi, The Definition
of Religion, in: Studies in the History of Religion 19 (1972), S. 15 ff. –
K. Dobbelaere and J. Lauwers, Definition of Religion – A Sociological
Critique, in: Social Compass 20 (1974), S. 535 ff. – P. Berger, Some second
thoughts on substantive vs. functional definitions of religion, in: Journal
for the Scientific Study of Religion 13 (1974), S. 125 ff. – R. Machalek, Def-
initional Strategies in the Studies of Religion, in: Journal of the Scientific
Study of Religion 16 (1977), S. 395 ff. – H. Seiwert, „Religiöse Bedeutung"
als wissenschaftliche Kategorie, in: Annual Review for the Social Sciences
of Religion 5 (1981), S. 57 ff.

[5] Zu dieser sprachlichen Problematik s.: P. Antes, „Religion" einmal
anders, in: Temenos 14 (1978), S. 184 ff.

gion anwendbar. Auf der einen Seite haben wir uns jedoch daran
gewöhnt, auch außerhalb Europas bestimmte Religionen zu 'identifi-
zieren', so sprechen wir ziemlich unbekümmert von Buddhismus,
Hinduismus, Shintoismus usw. als Religionen. Auf der anderen Seite
geraten wir in eine nicht geringe Verlegenheit, wenn wir feststellen
sollen, was denn an diesen Konstrukten das religiöse Moment sei.
– Die Schwierigkeit, auf einer intersubjektiven verstehbaren Ebene die
Momente zu bestimmen, die ein Glaubenssystem, eine Handlungs-
weise, einen Satz zu einer religiösen Erscheinung machen, ist der
Kern des Definitionsproblems in den Religionswissenschaften. Die
uns so geläufige Trennung von Immanenz und Transzendenz, von der
wir oft glauben, in ihr liege die Differenz von 'religiös' und 'nichtreligiös', versagt gegenüber nichtokzidentalen 'Religionen'.[6] Ähnliches gilt für die Dichotomie 'empirisch vs. nichtempirisch'; erst mit
der Herrschaft des Nominalismus, mit dem überhaupt erst eine selb-
ständige Wissenschaft beginnen konnte, werden Sätze plausibel,
die besagen, daß religiöse Sachverhalte wissenschaftlich falsch
sein können, ohne deshalb aufzuhören, religiös richtig zu sein.
– Von der Antwort auf diese Frage, wie Religion zu definieren
sei, hängt deshalb mehr ab, als die mehr oder weniger erreichte
Eleganz bei der Festlegung des Forschungsgegenstandes, sondern
die Reichweite, die soziologische Erkenntnis auf dem Gebiet der
Religion haben wird.

2. Die wichtigsten Strukturen der Definitionsproblematik

Die Diskussion um eine adäquate Definition von Religion verlief
und verläuft an zwei Hauptproblemen, die sich gelegentlich ineinander und übereinander verschieben. Das eine Hauptproblem ist
vielleicht am einfachsten in Anlehnung an die sowjetische Terminologie als 'fideistische vs. wissenschaftliche Definition' zu bezeichnen, das zweite Hauptproblem läuft in der Literatur unter der
Nomenklatur 'substantielle vs. funktionale Definition' oder im Englischen als 'substantive vs. functional definition'.[7] – In der Religions-

[6] Vgl. dazu: W. Cohn, Ist Religion universal? Probleme der Definition
von Religion, in: Internationales Jahrbuch für Religionssoziologie 2
(1966), S. 201 ff.
[7] Den besten Überblick geben immer noch K. Dobbelaere und J. Lauwers,
a. a. O. (s. Anm. 4).

soziologie spielt die zuletzt genannte Dichotomie eine bedeutendere
Rolle als die zuerst genannte. Aber es wird im folgenden deutlich
werden, daß die Vernachlässigung der ersten Unterscheidung zu
weitreichenden Konsequenzen führen kann, weil unerkannte
Probleme terminologische Belastungen mit sich bringen.

Die Dichotomie 'fideistische vs. wissenschaftliche Definition'
läßt sich auf die trivialere Frage konzentrieren, ob Religion auf
Soziales reduzierbar sei oder nicht. Der anstößige Ausdruck 'reduzieren' wird bewußt gewählt, weil er in seiner Radikalität, die manchen Ohren veraltet klingen mag, den in Frage stehenden Sachverhalt
sehr genau ausdrückt. Reduktionismus steht in der Meinung vieler
Religionswissenschaftler nicht hoch im Kurse, und es gibt nicht
wenige Religionssoziologen, die diese negative Meinung teilen. Dabei
sind alle guten Theorien reduktionistisch: sie versuchen komplexe
Zusammenhänge auf möglichst wenige Elemente und auf die nicht
beliebige Verbindung dieser Elemente untereinander (Struktur)
zurückzuführen. Dieses Verfahren ist letztlich nichts anderes als
die Anwendung des Sparsamkeitspostulats. Reduktionistische Verfahren meinen nicht, daß der Gegenstand, den sie durch Rück-
führung auf andere – schon bekannte Elemente – erklären, damit
verschwunden ist.

Zur weiteren Klärung ist es hilfreich, einen Ansatz kurz zu skizzieren und zu diskutieren, der bewußt jeden Reduktionismus als
irreführend ablehnt. Gustav Mensching (1901–1978), der von der
Religionswissenschaft herkommende Religionssoziologe, schreibt
in der zweiten Auflage seiner ›Soziologie der Religion‹ (die erste
Auflage erschien 1947) in Auseinandersetzung mit Emile Durkheim
und mit marxistischen Ansätzen, vor allem mit Karl Kautsky:
„. . . Religionssoziologie (kann) nie darin bestehen, . . . das umfas-
sende und komplexe Phänomen Religion und Religionsgeschichte
rationalistisch aus Einzelmomenten, die im Phänomenkomplex auftreten, erklären zu wollen. Dieser Versuch führt, weil er die geschichtlichen Verhältnisse umkehrt, notwendig zu tendenziöser und
entstellender Darstellung."[8] Und etwas weiter fährt Mensching fort:
„Nach unserer Auffassung ist Religion erlebnishafte Begegnung des
Menschen mit der Wirklichkeit des Heiligen und antwortendes Handeln des vom Heiligen bestimmten Menschen."[9] Dabei bezieht
sich Mensching zustimmend auf Joachim Wach, der in seiner 1951

[8] G. Mensching, Soziologie der Religion, [2]1968, S. 17.
[9] A. a. O., S. 22.

in deutsch erschienenen, aber schon 1944 in Amerika auf englisch veröffentlichten Religionssoziologie sagt: „Religion ist das Erlebnis des Heiligen. Dieser Religionsbegriff betont den objektiven Charakter des religiösen Erlebnisses im Gegensatz zu psychologischen Theorien von seiner rein subjektiven illusionären Natur." [10]

Wie oben angedeutet wurde, entwickelt Mensching seine Position im Kontrast zu der Definition Durkheims. Religion ist nach Durkheim „ein solidarisches System von Glaubensvorstellungen und Handlungen, bezogen auf sakrale Dinge, d. h. abgetrennte und verbotene Dinge, diese Vorstellungen und Handlungen vereinen in einer moralischen Gemeinschaft, genannt Kirche, alle diejenigen, die ihnen anhängen". [11] Wenn man diese beiden Definitionen, die Durkheims und die Menschings, miteinander vergleicht, so scheinen auf den ersten Blick gewisse Parallelen unübersehbar zu sein: Beide sprechen von heiligen bzw. sakralen Phänomenen und davon, daß menschliches Handeln irgendwie auf Heiliges bezogen sei. Die Parallelität ist jedoch nur eine scheinbare, in Wirklichkeit können beide Definitionen in ihrem wissenschaftstheoretischen Gehalt kaum verschiedener sein. Mensching und letztlich auch Wach gehen von der „Wirklichkeit des Heiligen" aus, während Durkheim von Vorstellungen und Handlungen ausgeht, die auf sakrale Dinge bezogen sind. Durkheim gibt letztlich eine Nominaldefinition, die voll ausgeschrieben etwa so lauten könnte: „Immer wenn man Glaubensvorstellungen und Handlungen sieht, die untereinander zusammenhängen und auf Dinge bezogen sind, die von den täglichen Dingen des Lebens abgetrennt sind, und wenn diese Glaubensvorstellungen und Handlungen die Menschen in einer besonderen Art vereinen, dann wollen wir von Religion sprechen." Diese Definition enthält einige Probleme, auf die ausführlich weiter unten eingegangen werden wird. Nur soviel sei jetzt schon gesagt, weil es in diesen Zusammenhang gehört: Durkheim sagt nicht, gewisse Dinge seien heilig oder das Heilige zeige sich in ihnen, sondern er sagt, daß er gewisse Dinge, die in einer gegebenen Gesellschaft abgetrennt von den übrigen werden, heilig nennen will. Der logische Status dieser Aussage ist dadurch gekennzeichnet, daß er auf einer metasprachlichen Ebene liegt. Die Aussage impliziert das Verhalten bestimmter Menschen, nämlich daß sie

---

[10] J. Wach, Religionssoziologie, 1951, S. 22.
[11] E. Durkheim, Les formes élémentaires de la vie religieuse, [4]1960, S. 65.

Dinge in mindestens zwei Klassen einteilen: alltägliche Dinge und besondere, abgetrennte Dinge. Des weiteren beinhaltet die Aussage einen Vorschlag, wie man diese Klassen benennen soll. Durkheim sagt also nicht, daß es Sakrales und Profanes gäbe, sondern daß es Menschen gibt, die zwischen den Erscheinungen der Res extensa Unterschiede in einem fundamentalen Sinne machen.

Der Menschingsche Religionsbegriff ist hingegen völlig anders konstruiert: „Religion ist die erlebnishafte Begegnung des Menschen mit der Wirklichkeit des Heiligen. . ." Schon die gehobene Form der Sprache im Unterschied zu der nüchternen Ausdrucksweise Durkheims zeigt an, daß hier ein anderer Modus der Aussage intendiert ist. Es wird auf ein objektiv vorhandenes Geschehen abgehoben und dabei dieses Geschehen oder die Welt dieses Geschehens als real existierend angenommen: das Heilige. Würde Mensching sagen: Religion ist der Sachverhalt, der dadurch beschreibbar ist, daß Menschen sagen, sie begegneten einer Art von Wirklichkeit, die ganz anders sei als die alltägliche Wirklichkeit und die ihr Leben bestimme, so hätten wir eine der Durkheimschen ähnelnde Definition nominalistischer Art vor uns. So aber ist Menschings Bestimmung eine Realdefinition, die etwas über das 'Wesen' des zu definierenden Gegenstandes aussagen möchte, und zugleich eine Definition, die zwei Sachverhalte anspricht, die keiner auch noch so differenzierten Betrachtung zugänglich sind: (1) Die Wirklichkeit des Heiligen und (2) die erlebnishafte Begegnung mit dieser. – Hier sind eindeutig die Grenzen einer wissenschaftlichen Begriffsbildung überschritten. Das 'Heilige' ist kein Gegenstand wissenschaftlicher Betrachtung, und folglich gilt dies auch für die Beziehung von Menschen zu diesem 'Heiligen'. Gegenstand der Wissenschaft vom Menschen im weitesten Sinne können nur die Beziehungen von Menschen zu Menschen, zu Dingen usw. sein. Für die Religionssoziologie heißt das, Gegenstand können sein die Beziehungen von Menschen zu Dingen, die sie für heilig halten. – Der Unterschied zwischen beiden Positionen mag haarspalterisch und kleinlich erscheinen, aber er umfaßt den Unterschied zwischen Theologie und Wissenschaft von der Religion und geht, wie gezeigt wurde, bis in die Definition. Leider ist die Religionssoziologie auch in ihren besten Vertretern nicht von einer unbedachten Übernahme religionsphänomenologischer Vorstellungen frei geblieben. So wird immer wieder auf Rudolf Ottos Begriff des Heiligen hingewiesen, ohne daß daraus weitere Folgerungen gezogen werden, vielmehr wird häufig betont, daß es die Religionssoziologie nur mit der 'Oberfläche' dieses 'Heiligen' zu tun habe. Problematischer ist es schon, wenn ein Soziologe wie Peter L. Berger in seiner ansonsten brauchbaren Definition, auf die weiter unten noch eingegangen werden soll, zunächst vorsichtig sagt: „Religion ist das Unterfangen des Menschen, einen heiligen Kosmos zu errichten",[12] aber dann eine Anmerkung anführt, die mehr als bedenklich ist: „Diese These gründet sich auf Rudolf Otto und Mircea Eliade... Religion wird als menschliche Unternehmung definiert, weil sie sich nur als solche empirisch manifestiert. Die Frage, ob sie mehr als ein empirisches Phänomen ist, bleibt hier offen, wie bei jedem Versuch, der Religion wissenschaftlich beizukommen."[13] Würde man die gleichen Vorbehalte äußern, wenn man den Gegenstand der Familiensoziologie, der politischen Soziologie usw. zu bestimmen hätte? Die Berufung auf Mircea Eliade ist mehr als zweideutig, wenn man berücksichtigt, wie dieser das 'Wesen des Religiösen' bestimmt: „Der Mensch erhält Kenntnis vom Heiligen, weil dieses sich manifestiert, weil es sich als etwas vom Profanen völlig Verschiedenes erweist. Diese Manifestationen des Heiligen wollen wir hier mit dem Wort Hierophanie bezeichnen."[14] Auch hier wieder eine scheinbare Ähnlichkeit mit Durkheims Formulierungen.

Abschließend kann als Quintessenz für die religionssoziologische Definition von Religion formuliert werden: Für den Sozial- und Kulturwissenschaftler ist Religion nichts als eine Äußerung menschlichen Handelns, die sich wie viele anderen Äußerungen so verselbständigen kann, daß sich die Menschen zu ihr und zu den ihr eigentümlichen Implikationen wie zu einem objektiv Gegebenen verhalten. Es besteht jedoch nicht der geringste Anlaß, daß die Wissenschaft diese Verdinglichung mit vollzieht.

Von größerer Tragweite war und ist die Diskussion um die substantielle versus funktionale Definition von Religion. Auch sie hat eine relativ lange Vorgeschichte, die mindestens bis auf Durkheim zurückgeht, aber vielleicht sogar damit zusammenhängt, daß der Schöpfer des Begriffs 'Soziologie' sich zugleich als Religionsstifter einer säkularen Religion verstand.[15]

[12] P. L. Berger, Zur Dialektik von Religion und Gesellschaft, 1973, S. 26.
[13] Ebd.
[14] M. Eliade, Das Heilige und das Profane. Vom Wesen des Religiösen, 1957, S. 8.
[15] Auguste Comtes religiöse Hauptwerke sind: Système de Politique Positive, 4 Bde., 1851–1854 (Neuauflagen seitdem!), und: Catéchisme

In unserem Alltagsverständnis beschränken wir den Religionsbegriff meistens auf Glaubensinhalte und Handlungsweisen, die sich
auf Vorstellungen beziehen, die in irgendeiner Weise außerhalb des
als gesichert geltenden Kosmos der empirischen Welt liegende
Dinge betreffen: Gott, Götter, Dämonen, Geister usw. Dieses
Verständnis hat sein relatives Recht in einer Gesellschaft, die ihre
religiösen Vorstellungen von einem Religionssystem bezog, das Immanenz und Transzendenz klar trennte und die Übergangsstellen
zwischen beiden Bereichen minimalisierte und formalisierte. Für
viele andere Religionssysteme können ähnliche Beobachtungen
nicht gemacht werden: So ist etwa die Gott-Mensch-Grenze durch-
lässig (Halbgötter, Heroen, deifizierte Menschen) und nicht so
radikal wie etwa im Christentum und im Islam. Ein weiteres kommt
hinzu – und dies sollte sich als folgenreich erweisen –: Anscheinend
ist die Haltung des Menschen gegenüber religiösen Phänomenen
strukturell ähnlich: Die Haltung der Ehrfurcht, der Scheu, des
Außeralltäglichen scheint überall anzutreffen zu sein. Die für die
Entwicklung der europäischen Wissenschaften maßgeblichen antiken Sprachen, das Griechische und das Lateinische, haben dies in
bezug auf Lokalitäten zunächst klar ausgedrückt: 'Temenos', der
Tempelbezirk, läßt sich etymologisch auf das Verb 'schneiden',
auch im Sinne von 'absondern' zurückführen. Das lateinische Wort
'sacer' hat die Doppelbedeutung von 'geweiht' und 'verflucht' und
beinhaltet auf jeden Fall immer die Qualität des Außernormalen,
die z. B. für eine Sache bedeutet, daß sie nicht mehr für die alltägliche
Benutzung verfügbar ist. Diese Trennung von Alltäglichem und
Außeralltäglichem, die emphatisch als eine zwischen Heiligem und
Profanem aufgenommen werden kann, läßt die Frage plausibel
erscheinen, worin die Funktion des 'Heiligen' besteht. Bei einer
Erscheinung nicht nach dem 'Wesen' oder der Substanz, die sich in
ihr ausdrückt, zu fragen, sondern nach der Funktion, die eine Erscheinung für eine andere übergeordnete Erscheinung hat, läßt sich
in der Soziologie mindestens bis auf Emile Durkheim zurückführen, obwohl man seine Definition, wie Dobbelaere und Lauwres
treffend bemerken,[16] als eine Kombination von funktionaler und
substantieller Definition bezeichnen könnte. Den Unterschied

positiviste ou Sommaire exposition de la religion universelle, 1852 (Neuauflagen und zahlreiche Übersetzungen). Über diesen Aspekt bei Comte s.
u. a. D. G. Charlton, Secular Religion in France 1815–1870, 1963.
  [16] K. Dobbelaere und J. Lauwers, a. a. O., S. 537.

zwischen funktionalen und substantiellen Definitionen kann man auf den folgenden Nenner bringen: Substantielle Definitionen sagen, was Religion ist; funktionale Definitionen sagen, was Religion tut oder besser, was sie leistet.[17] Es mag für den Laien der Eindruck entstehen, als handle es sich um eine ausgesprochen akademische Frage, die für die praktische, empirische Forschung ohne besondere Bedeutung sei. Dies ist jedoch keinesfalls richtig. Wenn man eine funktionale Definition wählt, also danach fragt, was Religion leistet, so wird man letztlich alle Institutionen, die diese Funktion erfüllen, als Religion bezeichnen, d. h., es kann per definitionem keine Gesellschaft ohne Religion geben, während eine substantielle Definition eher enger gefaßt ist und deshalb definitorisch die Möglichkeit einer religionslosen Gesellschaft zuläßt.

Diese eher abstrakten Überlegungen sollen am Beispiel von in der Literatur bedeutsamen Definitionen exemplifiziert und in ihrer Bedeutung diskutiert werden. Eine der prägnantesten substantiellen Definitionen der jüngeren Vergangenheit wurde 1966 von M. E. Spiro aufgestellt und sowohl methodologisch als auch empirisch verteidigt.[18] Sie soll in deutscher Übersetzung wörtlich angeführt werden: „Religion ist eine Institution, welche aus kulturell geformter Interaktion mit kulturell postulierten übermenschlichen Wesen besteht."[19] An dieser Definition hebt Spiro selbst mehrere Merkmale hervor, die auch für uns von Bedeutung sind. Für den Soziologen (und Anthropologen) gibt es Religion nur als Institution, d. h. als soziales Phänomen, das unabhängig von irgendeiner Gruppe nicht gedacht werden kann. Außerdem ist – um jede theologische Überhöhung zu vermeiden – immer daran zu erinnern, daß alle Phänomene, die diese Institution ausmachen, selbst kulturelle Produkte sind: So sind die übermenschlichen Wesen, mit denen interagiert wird, kulturell postulierte Wesen; das gleiche gilt für die Interaktion selbst. – Für unsere Problematik ist aber wichtiger zu bestimmen, was die entscheidende spezifische Differenz der Religion gegenüber anderen Institutionen ist. Institutionen sind auf eine bestimmte Weise immer Systeme von Interaktionen mit irgend-

---

[17] Ebd., S. 536.
[18] M. E. Spiro, Religion: Problems of Definition and Explanation (s. Anm. 4).
[19] "I shall define 'religion' as an institution consisting of culturally patterned interaction with culturally postulated superhuman beings." A. a. O., S. 96.

welchen Akteuren (Ehe, Handel etc.). Offensichtlich ist Religion
die Institution, in der die Interaktion mit 'übernatürlichen Wesen'
stattfindet. Spiros Definition nähert sich so der klassischen ani-
mistischen Religionstheorie, wie sie von E. B. Tylor (1832–1917) in
seinem Hauptwerk als „Glaube an spirituelle Wesen" bestimmt
wurde.[20] – Einleitend setzt sich Spiro mit den möglichen Einwänden gegen seine Definition auseinander. Da diese Einwände
tatsächlich die wesentlichen sind, können wir Spiros Ausführungen
folgen. Die Einwände lassen sich in zwei Hauptgruppen einteilen:
empirische Einwände und methodologisch-definitorische Einwände.

Die empirischen Einwände weisen in der Regel auf religiöse
Systeme hin, die keine übermenschlichen Wesen kennen. Seit nun-
mehr mindestens 70 Jahren muß der Theravada-Buddhismus als
Exempel herhalten. Bekanntlich enthält die Lehre des Buddha, wie
sie uns im Pali-Kanon überliefert ist, keine Götterlehre oder ähnliches, wie es sonst für Religionen üblich ist. Ist der Theravada-
Buddhismus somit keine Religion? Bisher sind alle Wissenschaftler
vor dieser Konsequenz zurückgeschreckt und haben es vorgezo-
gen, ihre Definition so zu modifizieren, daß der Theravada-Buddhismus noch hineinpaßt. Spiro gibt dagegen unumwunden die
Möglichkeit zu, daß dieser Buddhismus u. U. tatsächlich nicht als
Religion zu bezeichnen wäre, wenn gesichert ist, daß übermensch-
liche Wesen in diesem System nicht vorkommen. Mit Recht weist
Spiro darauf hin, daß sowohl die Gestalt des Buddha selbst über-
menschliche Züge annimmt als auch in allen buddhistischen Gemeinschaften der Theravada-Länder mit Dämonen, Göttern u. ä.
real gerechnet wird, wenn auch die 'hohe Lehre' davon keine Notiz
nimmt. – Wichtiger jedoch als diese emprirische Argumentation ist
es, daß Spiro ohne weiteres mit der Möglichkeit rechnet, daß eine
Nominaldefinition (und um eine solche handelt es sich) durchaus
auch Erscheinungen aus dem definierten Begriffsbereich ausschließen kann.

Diese Überlegung führt uns zu den methodologisch-definitori-
schen Einwänden. In den mit Religion befaßten Wissenschaften hat
sich ein schweigender Konsensus herausgebildet, daß Religion es
mit sakralen (heiligen) Dingen zu tun habe, die für den Menschen
von letzter Bedeutung seien. Es läßt sich beobachten, daß totale
Überzeugung und Engagement (total commitment) in politischen

---

[20] E. B. Tylor, Primitive Culture, 2 Bde., 1871, Bd. 1, S. 383 f.

und religiösen Bezügen ähnliche Strukturen aufweisen. Gleichzeitig ist es aber evident, daß gerade in politischen Bereichen dieses Commitment keine 'übernatürlichen Wesen' als Referenzgrößen kennt. Liegt es dann nicht nahe, den Religionsbegriff so weit zu fassen, daß alle Beziehungsweisen auf heilige Dinge, d. h. Dinge von letzter Bedeutung für den oder die Handelnden unter ihn fallen? Damit wäre eine Definition gewonnen, die so umfassend ist, daß der Gedanke einer religionslosen Gesellschaft unmöglich würde. Spiro weist diesen Einwand zurück, indem er zwischen den Begriffspaaren 'sakral vs. profan' und 'religiös vs. nichtreligiös' eine mögliche Kreuzbeziehung herstellt. Er behält die Definition bei, daß 'sakral' Dinge von letzter Bedeutung seien. Religiöse Glaubensüberzeugungen können nun nach Spiro sich auf Sakrales und/oder Profanes beziehen. Dasselbe gilt für nichtreligiöse Überzeugungen.[21] Ein Beispiel für den zunächst ungewöhnlich erscheinenden Fall, daß ein religiöses Glaubenssystem sich auf profane Dinge bezieht, wäre es, wenn die Interaktion mit übermenschlichen Wesen nur zum Zweck der Erreichung von Zielen benutzt wird, die für den Handelnden keine entscheidende Bedeutung haben; also etwa wenn bei ernsthaften Erkrankungen medizinische Hilfe gesucht, bei Bagatellkrankheiten jedoch mit magischen Praktiken gearbeitet wird. – Wir werden in einem späteren Kapitel sehen, daß die Identifizierung von 'sakral' und 'religiös' tatsächlich problematisch ist.

Während alle substantiellen Definitionen von Religion in der einen oder anderen Weise auf die Bestimmung zulaufen, daß Religion der Glaube an übernatürliche Wesen sei und damit letztlich Modifikation der Tylorschen Definition sind,[22] weisen die funktionalen Definitionen einen viel größeren Spielraum auf. Gemeinsam ist ihnen allen neben der Tatsache, daß sie vor allem daran interessiert sind, was Religion tut, eine ähnliche anthropologische Ausgangstheorie, die beinhaltet, daß der Mensch mit letztlich unlösbaren Problemen von existentieller Bedeutung konfrontiert ist. Diese Probleme sind entweder die sog. Sinnproblematiken[23] oder die Dialektik von Identität und Wandel[24] oder die Dialektik von

[21] Spiro, S. 95f.
[22] Wallace geht so weit zu sagen, daß Tylors Definition eine "still respectable minimum definition of religion" sei. A. Wallace, Religion, an Anthropological View, 1966, S. 5.
[23] Als Beispiel: Y. M. Yinger, The Scientific Study of Religion, 1970.
[24] Als Beispiel: H. Mol, Identity and the Sacred, 1976.

Ordnung und Chaos.[25] Diese drei Möglichkeiten und die an ihnen gewonnenen Religionsdefinitionen sollen kurz dargestellt werden.

Yinger definiert Religion „als ein System von Überzeugungen und Praktiken, durch welche eine Gruppe von Menschen mit (den) letzten Problemen des menschlichen Lebens ringt. Sie drückt ihre Weigerung aus, vor dem Tode zu kapitulieren, aufzugeben angesichts der Enttäuschung, der Feindseligkeit zu gestatten, menschliche Gemeinschaft zu zerstören. Die Qualität der religiösen Existenz . . . beinhaltet zwei Dinge: Erstens: einen Glauben, daß das Übel, der Schmerz, die Verwirrung und das Unrecht fundamentale Tatsachen des Lebens sind; und zweitens: ein System von Praktiken und damit verbundenen geheiligten Überzeugungen, die die Überzeugung ausdrücken, daß der Mensch letztlich von diesen Tatsachen erlöst werden kann."[26] Traditionell handelt es sich also um die bekannten Theodizeefragen, die ja nichts anderes sind als die religiöse Fassung der Sinnfrage. Nicht zufällig steht die Todesproblematik im Zentrum dieses Ansatzes. Zur geistesgeschichtlichen Verortung sei nur auf die Lebensphilosophie kurz verwiesen.

Hans Mol bezeichnet Religion „als die Sakralisierung von Identität"[27]. „Sakralisierung ist der Prozeß, durch den der Mensch in erster Linie (den) Komplex der geordneten Interpretationen der Realität, Regeln und Legitimationen sichert und verstärkt."[28] Hinter diesen Formulierungen steht eine komplexe soziologische, wenn nicht sogar sozialphilosophische Theorie, die zurückgeht auf A. Comte und H. Spencer, die in der Dialektik von Fortschritt und

---

[25] Als Beispiel: P. L. Berger, Zur Dialektik von Religion und Gesellschaft, 1973, engl. 1967.

[26] "Religion . . . can be defined as a system of beliefs and practices by means of which a group of people struggles with (the) ultimate problems of human life. It expresses their refusal to capitulate to death, to give up in the face of frustation, to allow hostility to tear apart their human associations. The quality of being religious . . . implies two things: first, a belief that evil, pain, bewilderment, and injustice are fundamental facts of existence; and, second, a set of practices and related sanctified beliefs that express a conviction that man can ultimately be saved from those facts." Yinger, a. a. O., S. 7.

[27] ". . . the term 'religion' is used . . . as the sacralization of identity." Mol, a. a. O., S. 1.

[28] "Sacralization is the process by means of which man has pre-eminently safeguarded and reinforced (the) complex of orderly interpretations of reality, rules, and legitimations." A. a. O., S. 15.

Ordnung das Grundthema der Soziologie sahen. Neu an Mols Ansatz ist vor allem, daß er Ordnung mit Identität verbindet und Religion fast einseitig auf die Seite der Ordnung verweist.

Peter L. Bergers frühere Religionsdefinitionen nehmen teilweise Mols Ansatz vorweg. „Jede Gesellschaft ist von lauernden ‚Unwirklichkeiten' bedroht. Jeder gesellschaftlich errichtete Nomos muß seinem möglichen Zerfall ins Auge sehen. Gesellschaftlich gesehen, ist Nomos ein den ungeheuren Weiten der Sinnlosigkeit abgerungener Bezirk der Sinnhaftigkeit, die kleine Lichtung im finsteren, unheilschwangeren Dschungel." [29] Religion ist nun ein Sonderfall von Nomos und Kosmisierung (Verschmelzung von Kosmos und Nomos): „Religion ist das Unterfangen des Menschen, einen heiligen Kosmos zu errichten ... Religion ist Kosmisierung auf heilige Weise. Als heilig bezeichnen wir hier eine numinose, furchterregende Mächtigkeit, die der Mensch anders als sich selbst und doch mit ihm verbunden erlebt und von der er glaubt, sie hause in bestimmten Objekten der Erfahrung." [30] Obwohl Berger seine Definition zu den substantiellen Definitionen rechnet, habe ich sie hier zu den funktionalen gestellt, weil ihre Struktur funktionalistisch ist und lediglich der Umstand, daß Berger nicht jede Kosmisierung als religiöse interpretiert, sie von einem funktionalen Religionsbegriff unterscheidet. [31]

Alle funktionalen Religionsdefinitionen haben eines gemeinsam: Sie postulieren existentielle Grundsituationen des Menschen in Form von letztlich unlösbaren Dilemmas, auf die Religion (als menschliches Unterfangen) eine Antwort zu geben versucht. Es ist nicht von ungefähr, daß, von den USA ausgehend, es vor allem Paul Tillich ist, auf den als theologischen und philosophischen Gewährsmann sich die 'Funktionalisten' berufen. Es bleibt zu fragen, ob die philosophisch-anthropologischen Prämissen, die den funktionalistischen Religionsdefinitionen zugrunde liegen, ohne weiteres als unüberprüfbare Voraussetzungen in die religionssoziologische Begriffsbildung eingehen dürfen. Denn, darauf haben vor allem Dobbelaere und Lauwers hingewiesen, [32] es ist durchaus nicht

[29] Berger, a. a. O., S. 24.
[30] A. a. O., S. 26.
[31] Berger sieht das selbst und weiß, daß T. Luckmann, Das Problem der Religion in der modernen Gesellschaft, 1963, mit derselben Überlegung zu einer funktionalen Definition kommt. Berger, a. a. O., S. 166 f.
[32] Dobbelaere und Lauwers, a. a. O., S. 540: "In some cases the defi-

eine Geschmacksfrage, welcher Definition man folgt. Für die
Funktionalisten ist z. B. der sowjetische Kommunismus religiös,
für die Anhänger der substantiellen Definition jedoch nicht. Noch
weitreichender ist die Konsequenz in bezug auf die Religionstheorie: Für die Funktionalisten muß diese Theorie das Herzstück aller
soziologischen Theorie sein, während für die anderen die Religionstheorie den begrenzten Wert der Erklärung eines zeitlich und
räumlich begrenzten Phänomens hat.

Natürlich sind Definitionsfragen in letzter Hinsicht nur dezi-
sionistisch zu lösen. Aber diese Entscheidungen sollten wenigstens
plausibel gemacht werden können. Ich gebe der substantiellen
Definition den Vorzug, weil sie gegenüber der funktionalen folgende
Vorzüge besitzt:

a) Der Gegenstandsbereich ist klar abgrenzbar und bestimmbar.

b) Die Gefahr kryptotheologischer Begriffsbildungen ist geringer,
   weil sie – sofern sie doch vorkommen – klar erkennbar sind.

c) Die Zahl der unüberprüfbaren Annahmen ist geringer.

d) Die Gefahr der Petitio principii ist nicht von vornherein gegeben.

In den folgenden Kapiteln wird ein substantieller Religionsbegriff im Sinne Spiros zugrunde gelegt. Dies darf jedoch nicht daran
hindern, auch Forschungsergebnisse zur Kenntnis zu nehmen, die
von einem anderen Religionsverständnis ausgehen, aber zum
Bestand religionssoziologischen Wissens zählen. Schon das
nächste Kapitel, das sich mit der Religion als Integrationsfaktor der
Gesellschaft beschäftigt, muß auf funktionale Definitionen und
Forschungsstrategien Bezug nehmen. Auch auf die Gefahr hin,
schulmeisterlich schon Gesagtes noch einmal zu wiederholen, soll
ausdrücklich betont werden, daß eine substantielle Definition
keinesfalls notwendigerweise eine Nähe zu fideistischen – sei es
theologischen oder religionsphänomenologischen – Konzeptionen
hat oder haben muß. Zwar sind alle religionsphänomenologischen
Definitionen von Religion substantielle Definitionen, aber nicht
alle substantiellen Definitionen sind religionsphänomenologisch.
Die Bemerkung Bergers, daß Religion „substantiell definiert
(werde) in den Begriffen der Sinngehalte des Phänomens" und daß
der „substantielle Ansatz . . . zum großen Teil verfeinert wurde
durch die phänomenologische Schule der Religionswissenschaft,

nition of religion one works with can have a fundamental influence on the
outcome of the analysis."

(wobei) Rudolf Otto, Gerardus van der Leeuw und Mircea Eliade besonders erwähnt werden sollten",[33] mag zwar wissenschaftsgeschichtlich richtig sein, ist aber systematisch zurückzuweisen. Auch der Marxsche Religionsbegriff ist substantiell, ebenso der von Spiro, ohne daß die religionsphänomenologischen Konnotationen mitvollzogen werden müßten.

[33] "Religion has been substantively defined, in terms of meaning contents of the phenomenon" ... "The substantive approach ... was greatly refined by the phenomenological school of Religionswissenschaft. Rudolf Otto, Gerardus van der Leeuw and Mircea Eliade should be specially mentioned." P. L. Berger, Some Second Thoughts on Substantive versus Functional Definitions of Religion (s. Anm. 4), S. 126.

III. RELIGION UND DIE INTEGRATION
DER GESELLSCHAFT

In einem Versuch, die grundlegenden Theorien der Religionssoziologie zu systematisieren, hat vor über 20 Jahren Friedrich Fürstenberg drei Hauptrichtungen unterschieden, denen er folgende Bezeichnungen gab: Kompensationsthese, Integrationsthese und Säkularisierungsthese.[1] Während die Kompensationsthese vor allem mit dem Namen von Ludwig Feuerbach, Karl Marx, Sigmund Freud verbunden ist, sieht Fürstenberg die Anfänge der Integrationsthese in den historischen Arbeiten des 19. Jahrhunderts. Die Aufklärung interpretiert er als zur Vorgeschichte der Kompensationsthese gehörig. – Gegenüber diesen Ausführungen sind einige leichte Korrekturen anzubringen, die mir zugleich die Gelegenheit geben, einige Bemerkungen zur Vorgeschichte der Religionssoziologie zu machen.

1. Religion und Gesellschaft
und die religionssoziologische Thematik

Mit Recht wird allgemein erst seit dem 17. Jahrhundert von Anfängen des soziologischen Denkens gesprochen. Noch entschiedener kann diese Datierung für die Religionssoziologie behauptet werden. Die Ausdifferenzierung der Religion aus dem Ganzen des gesellschaftlichen Lebens, die sich vor allem darin zeigte, daß sich Religion organisatorisch verselbständigte und gegenüber den gesellschaftlichen Zentralinstanzen, etwa dem Staat, Unabhängigkeit beanspruchte, ist eine notwendige Voraussetzung für die Entstehung religionssoziologischer Fragestellungen.

Für die okzidentalen Gesellschaften nach der Reformation ist kennzeichnend, daß Religion in ihnen keine Kraft des Friedens und der Sicherheit war. Nirgends wird die zerstörerische und gesellschaftsfeindliche Kraft von Religion schärfer und rücksichtsloser analysiert als in dem Werk von Thomas Hobbes (1588–1679), des-

---

[1] F. Fürstenberg, Religionssoziologie, in: RGG³, Vol. 5, 1961, Sp. 1027 ff.

sen sozialphilosophischen Hauptwerke (Leviathan und De Cive)
um die Frage kreisen, wie es möglich sei, daß trotz der antagonisti-
schen Neigungen der nur auf Lust und Gewinn bedachten Menschen Gesellschaft möglich sei. Seine Lösung besteht bekanntlich
darin, daß die Menschen, um das „bellum omnium contra omnes"
zu beenden, sich einem einzigen Souverän (einem Gewalthaber)
unterwerfen, der als einziger frei bleibt, gewissermaßen der Ober-
wolf unter leidlich disziplinierten Ex-Wölfen. Das Hobbessche
Thema blieb durch die Jahrhunderte das Thema von Sozialphilosophie, Staatslehre und ist auch das Thema der Soziologie wenigstens
in ihren Anfängen, die bis zum Ersten Weltkrieg reichen.

Welche Rolle spielt nun in den sozial- und staatstheoretischen
Entwürfen – von Hobbes über Locke, Montesquieu und Rousseau
bis Comte – die Religion? Es können hier nicht die Religionstheo-
rien der Denker der Aufklärung entfaltet werden, nur so viel sei
schon zu Beginn festgestellt, daß keiner von ihnen (dies gilt auch
für Comte) die Lösung der gesellschaftstheoretischen Probleme in
der Religion sah. – Selbst John Locke, der dem Christentum sehr
nahestand, war skeptisch, wenn er Staat und Religion zusammen-
dachte. Für das 17. und das 18. Jahrhundert war Religion nicht der
Garant des Friedens und der Sicherheit, sondern vielmehr Quelle
des Streites und der sozialen Unordnung. Zwar bestand die aus der
Antike übernommene Vorstellung fort, daß Atheismus und Unmo-
ral zusammenhingen, obwohl schon in der Antike[2] und dann auch
im 17. Jahrhundert[3] gegen diese Verknüpfung gelegentlich prote-
stiert wurde, aber die Privatisierung von Religion schien für viele
die einzige Möglichkeit zu sein, Frieden und Religion zusammen
zu gewährleisten. So bestimmt Locke den Staat als eine Gesellschaft von Menschen zum alleinigen Zweck, bürgerliche Güter zu
bewahren und zu befördern, während die Kirche eine freiwillige
Vereinigung ist, um Gott zu verehren.[4] Dabei will Locke Toleranz
jedoch nicht für Katholiken und Atheisten gelten lassen; für jene
nicht, weil sie sich de facto in den Dienst eines fremden Souveräns
stellen; für diese nicht, weil wer Gott in Gedanken aufhebt auch die

---

[2] Vgl. etwa: Lucretius, De rerum natura (um 60 v. Chr.).

[3] Pierre Bayles ›Kometenbuch‹, 1682.

[4] „Res publica mihi videtur societas hominum solummodo ad bona civi-
lia conservanda promovendaque constituta." „Ecclesia mihi videtur societas libera hominum sponte sua coeuntium, ut Deum ... colant ..."
J. Locke, Prima Epistola de Tolerantia, 1689.

heiligen Bande der Gesellschaft – Vertrag (pactum) und Eid (ius
iurandum) – nicht achten wird. – Hier ist in nuce die gesamte Problematik des Verhältnisses von Religion und Gesellschaft unter den
Bedingungen des neuzeitlichen, d. h. konfessionalisierten Christentums angesprochen. Keine Gesellschaft kann Bestand haben,
ohne daß ihre zentralen Institutionen als unantastbar gelten. Kann
aber Religion diese Unantastbarkeit garantieren? Die bürgerliche
Klasse mußte sich zur Religion ambivalent verhalten: Einmal sah
sie in Religion schlechthin die Bande für die Stabilität von Gesellschaft, zum anderen erfuhr sie die konkrete Religion als Teil der
verfallenden feudalen Gesellschaft. Rousseau versuchte dieses
Dilemma durch die Insitutionalisierung einer 'religion civile' zu
lösen, die das alte triadische deistische Credo – Gott, Tugend und
Unsterblichkeit – zum staatsbürgerlichen Bekenntnis erhob und
verlangte, daß jeder, der dieses nicht glaube, aus der Gesellschaft
ausgeschlossen werden müsse, „nicht als Gottloser, sondern als ein
der Gesellschaft unfähiges Individuum"[5].

Man muß sich klar vor Augen halten, daß diese Problematik nur
deshalb entstehen konnte, weil die christliche Religion vermöge
ihrer organisatorischen Spezialisierung einen Grad sozialer Unabhängigkeit erreicht hatte, der religionshistorisch fast einmalig ist.
Nachdem Staat, Religion und Gesellschaft auseinanderfallen konnten, stellte sich die Frage nach den religiösen Bedingungen sozialer
Existenz auf einer bisher ungewohnten Ebene. Diese Frage sollte
sich als dominanter erweisen als die radikale Religionskritik der
französischen Enzyklopädisten, die anstelle von Religion Vernunft
und Moral setzen wollten.[6] Es darf auch nicht übersehen werden,
daß eine gemäßigte Richtung der Aufklärung immer an der Auffassung festhielt, daß Religion – unabhängig von ihrer ontologischen
Wahrheit – nach ihrer sozialen Nützlichkeit als positiv betrachtet
werden könnte. Bedeutendster Vertreter ist Montesquieu.[7] Voll-

[5] «non comme inpie, mais comme insociable.» J. J. Rousseau, Du
Contrat Social, ed. Garnier Frères, o. J., S. 335.
[6] Am systematischsten dargestellt in P. T. d'Holbach, Système de la Nature, 1770, das weniger spritzig ist als etwa Diderots Texte, aber dafür den
Vorzug gründlicher Durcharbeitung aufweist. Eine gute deutsche Übersetz-
zung erschien in der DDR 1960 im Aufbau-Verlag, sie wurde als suhrkamp
taschenbuch wissenschaft 259, 1978, von Suhrkamp als Lizenzausgabe
übernommen.
[7] Das 24. und 25. Buch von ›De l'esprit des lois‹ behandeln ausschließlich die Beziehungen der Gesetze mit der im Staate herrschenden Religion.

ends durchsetzen sollte sich diese 'Theorie' in der ersten Hälfte des 19. Jahrhunderts. Sowohl Saint-Simon als auch Auguste Comte waren von der Auffassung durchdrungen, daß die Gesellschaft, die als nachfeudale sich aus den Wirren der Revolution und der Napoleonischen Epoche entwickeln müsse, ohne Religion nicht sein könne. Aber im Unterschied zu restaurativen Staatstheoretikern sahen sie diese neue Religion nicht in einer Restituierung des Katholizismus, sondern in der Errichtung von neuen religiösen Systemen, die sowohl die Produktivkräfte der sich entfaltenden Industrie als auch die Natur- und Sozialwissenschaften in sich aufnehmen solle. – Dieses antitraditionalistische und zugleich religiöse Moment der frühen französischen Soziologie ist der geistesgeschichtliche Ort der religionssoziologischen Integrationsthese.

2. Durkheims
soziologische Theorie der Religion

Der Soziologe, mit dessen Namen die Integrationsthese unauflöslich verbunden ist, ist Emile Durkheim (1858–1917).[8] Wie schon oben ausgeführt, steht er in einer Tradition, die bis ins 18. Jahrhundert zurückreicht. Als unmittelbare Vorläufer der Integrationsthese müssen zwei Männer erwähnt werden, die von großer Wirkung auf Durkheim gewesen sind: N. D. Fustel de Coulanges (1830–1889) und W. Robertson Smith (1846–1894); während der erste durch seine Arbeiten über die religiöse Dimension der antiken Gesellschaft[9] direkt auch als Lehrer auf Durkheim Einfluß nahm, hat der zweite vor allem durch seine Theorie des sakramentalen Opfers in

Das zweite Kapitel des 24. Buches setzt sich mit dem «Paradoxe de Bayle» auseinander (s. Anm. 3). Bayle «a prétendu prouver qu'il valait mieux être athée qu'idolâtre». Montesquieu, De l'esprit des lois, ed. Classique Garnier, o. J., t. second, p. 134.

[8] Die Literatur zu Durkheim ist unübersehbar. Ich greife zwei grundlegende Arbeiten heraus: S. Lukes, Emile Durkheim: His Life and Work, 1973. – R. A. Nisbet, The Sociology of Emile Durkheim, 1974. – Über die Religionssoziologie der Durkheim-Schule: F. A. Isambert, L'élaboration de la notion de Sacré dans l'Ecole Durkheimienne, in: Archives de Sciences Sociales des Religions 42 (1976), S. 35–56.

[9] N. D. Fustel de Coulanges, La Cité Antique, (zuerst) 1864 (Neuauflagen!); dt.: Der antike Staat, 1961.

den semitischen Gesellschaften[10] die Durkheimschen Theorien präfiguriert; er betonte den sozialen Aspekt des Opfers als Gemeinschaftsmahl, das gegenüber der Gabe an die Gottheit zeitlich vorgeordnet sei. Außerhalb der engen wissenschaftlichen Fachgrenzen der Orientalistik ist W. Robertson Smith nicht mehr präsent, obwohl seine Wirkungen auf Durkheim und auf Sigmund Freud beträchtlich sind.

Durkheims soziologische Religionstheorie enthält wirkungsgeschichtlich gesehen zwei unbedingt zu trennende Teile: Eine evolutionistische Theorie über Ursprung und Entwicklung von Religion und einen systematischen Versuch zur Bestimmung von Funktion und Inhalt von Religion. Im folgenden werde ich mich ausschließlich auf Durkheims religionssoziologisches Hauptwerk stützen[11] und seine anderen (religions)soziologischen Schriften unberücksichtigt lassen. Durkheim setzt seine Überlegungen bei der Definitionsproblematik an. Indem er jede der damals im Schwange befindlichen Definitionen zurückweist, weil sie allesamt einige unzweifelhaft religiöse Phänomene ausschlössen, steuert er zielstrebig auf eine Definition hin, die unter Absehung vom Rekurs auf Gottesvorstellungen Religion im Kontext der Unterscheidung von 'heilig' und 'profan' versteht. Für Durkheim ist dieser von den Glaubensvorstellungen der höherentwickelten Religionen abstrahierende Ansatz wichtig, weil er im Unterschied zur klassischen Religionskritik in der Religion eben keine Illusion sah, sondern eine Institution, die unausweichlich zum Menschsein in seiner sozialen Dimension gehört. Da er aber – wie fast alle aufgeklärten Geister des 19. Jahrhunderts – Atheist oder zumindest Agnostiker war, konnte der unvergängliche Kern von Religion nicht in den auf Gott und/oder Jenseits bezogenen Vorstellungen liegen. – Durkheim meinte nun in allen Religionen eine gemeinsame Grundstruktur zu entdecken: Die Unterscheidung zwischen heiligen und profanen Dingen. Dabei meint Durkheim den Unterschied an der verschiedenen Art des Verhaltens gegenüber diesen Dingen festmachen zu können. So ist der Transfer zwischen beiden Bereichen nur unter Vorsichtsmaßnahmen möglich: Reinigungsriten u. ä. bestimmen

[10] W. Robertson Smith, Lectures on the Religion of the Semites, 1889 (Neuauflagen!).
[11] E. Durkheim, Les formes élémentaires de la vie religieuse. Le système totémique en Australie, 1912. Erste deutsche Übersetzung (mit zahlreichen Fehlern) 1981.

die Überschreitung der Grenze. Obwohl Durkheim seine Analyse ganz auf die Beschreibungen der australischen Ureinwohner stützt, wie sie ihm in Gestalt von Reiseberichten durch Missionare, Regierungsbeamte etc. zugänglich waren, scheint es mir wahrscheinlich, daß diese Vorstellungen aus der jüdischen und aus der römischen Tradition entnommen wurden, die dem Rabbiner-Enkel und Fustel-Schüler hinreichend bekannt waren. An diesem Punkt ist auf die für Durkheims Ansatz gefährlichste Kritik hingewiesen. Man muß tatsächlich mit Evans-Pritchard fragen: „Bestätigt (das ethnographische Beweismaterial) Durkheims starre Dichotomie von Heiligem und Profanem?" [12] Auch wenn diese Frage nicht ganz eindeutig beantwortet werden kann, ist zumindest eine gewisse Skepsis in bezug auf die starre Dichotomisierung angebracht. Auf jeden Fall darf die Differenz zwischen Heiligem und Profanem nicht verdinglicht werden. Zwar hat auch schon Durkheim gesehen, daß es keinesfalls in der ‚Natur' der als heilig betrachteten Gegenstände lag, daß sie sich zum ‚Heiligsein' eigneten, ja, daß es im Falle des von ihm als ursprünglichste Religion betrachteten Totemismus nicht die Totemtiere, sondern ihre Darstellung ist, der Heiligkeit zukommt; aber man muß noch weitergehen: Das Verhalten des Menschen zu heiligen Dingen ist funktional definiert. Derselbe Gegenstand, dem man sich mit Scheu und Verehrung nähern kann, ist zu anderen Gelegenheiten simpler Gebrauchsgegenstand. Die Kontextabhängigkeit ist immer zu berücksichtigen. [13] Allerdings stürzen diese Einwände Durkheims Theorie noch nicht um, sondern lockern lediglich die starre Dichotomie zugunsten einer eher kontextuellen Betrachtung auf. Die Religionsdefinition Durkheims bezieht sich jetzt auf diese Dichotomie: „Religion ist ein solidarisches System von Glaubensvorstellungen und Handlungen, bezogen auf sakrale Dinge, d. h. abgetrennte und verbotene Dinge; diese Vorstellungen und Handlungen vereinen in einer moralischen Gemeinschaft, genannt Kirche, alle diejenigen, die ihnen anhängen." [14] Diese Definition enthält zwei problematische Bestandteile: (1) Warum muß das System von Glaubensvorstellungen und Hand-

[12] E. E. Evans-Pritchard, Theorien über Primitive Religionen (aus dem Englischen) 1968, S. 105.
[13] In bezug auf das Ritual ist dies sehr gut analysiert worden von: F. Stal, The Meaninglessness of Ritual, in: Numen 26 (1979), S. 2–22.
[14] E. Durkheim, Les formes élémentaires de la vie religieuse, [4]1960, S. 65 (meine Übersetzung).

lungen, das sich auf heilige Dinge bezieht, ein solidarisches ('solidaire') sein? Wen verpflichtet es? Vermutlich nimmt Durkheim in diese zunächst dunkel erscheinende nähere Bestimmung des Glaubenssystems schon seine ganze Theorie auf: also eine echte Petitio principii! (2) Moralische Gemeinschaft, genannt Kirche, ist ein Begriff, der seltsam anachronistisch gegenüber den religionshistorischen Phänomenen ist, die Durkheim analysieren will. Es ist einsichtig, was Durkheim mit diesen Begriffen beabsichtigt: Er will betonen, daß Religion keine Angelegenheit des Individuums, sondern immer einer Gruppe ist. Aber der Begriff des 'Anhängens' (adhérer) enthält geradezu ein individualistisches Moment, das Durkheim auf jeden Fall vermeiden wollte.

Stellt man diese Bedenken nun einmal zugunsten der weiteren Betrachtung der Integrationstheorie zurück, so stellt sich die Frage, was der Sinn der auf heilige Dinge bezogenen Glaubensvorstellungen und Handlungen ist. Durkheim geht dieses Problem dadurch an, daß er sich auf die Träger dieser Glaubensvorstellungen und Praktiken konzentriert bzw. danach fragt, was der Bezugspunkt der Vorstellungen und Riten ist. Seine spezifische Neuorientierung besteht darin, daß er nicht bei dem illusionären Charakter der Vorstellungen stehenbleibt, sondern, inspiriert durch den Gedanken, daß das nicht falsch sein kann, was universal verbreitet ist, fragt, was der reale Kern hinter den falschen Verhüllungen sei. Dieser reale Kern wird sichtbar, wenn wir genauer betrachten, was in den Riten geschieht. Dabei fallen einige Erscheinungen sofort auf: (1) Die Riten sind kollektiv, (2) sie sind außeralltäglich, (3) sie beziehen sich auf den als Totem verehrten Gegenstand (Tier, Pflanze etc.). Im Individuum wird so durch die Riten ein Bewußtsein erzeugt, das ihn weit über seine alltägliche Routine erhebt. Dieser Zustand ist durchaus nicht ungefährlich: Wie jedes intensive soziale Leben fügt es irgendeine Art von Gewalt dem Organismus und dem individuellen Bewußtsein zu. Deshalb kann dieses intensive Leben immer nur eine begrenzte Zeit andauern.[15] Es kann also festgehalten werden, daß sich die religiösen Riten auf etwas beziehen, das das Individuum übersteigt (transzendiert), größer ist als es selbst. Dieses 'etwas' kann nun aber in der Tat nicht das Totememblem sein, denn dieses stellt oft genug kleine, unwichtige, auf keinen Fall imponierende Tiere dar. Was übersteigt aber das Individuum immer? Was ist zugleich die Quelle seiner Kraft und die

---

[15] Ebd., S. 307 ff.

Macht, an der es zu zerschellen droht? Die Gruppe, von der das
Individuum ein Teil ist, ohne die es nichts ist, die es als wohltätig
und gewaltsam erlebt. Genauer gesagt: natürlich nicht jede
Gruppe, sondern lediglich die Gruppe, deren Mitglied das Individuum unausweichlich ist: die Gesellschaft bzw. die relevante gesellschaftliche Untereinheit. Durkheim glaubte (fälschlicherweise),
daß dies im Fall der australischen Ureinwohner der Clan sei. Aber
seine Theorie kann trotz dieser irrigen Annahme richtig sein. –
Eine der für Durkheims Theorie wichtigen Grundannahmen besteht
in der Überzeugung, daß Gesellschaft und Individuum in einer prekären Relation zueinander stehen. Zwar ist das Individuum ohne
Gesellschaft nichts, aber zugleich erlebt es sie auch als Zwang, als
übermächtige Gewalt (dieselbe Ambivalenz kennzeichnet bei Sigmund Freud das Verhältnis des Kindes zum Vater; auch Freud
wurde von W. Robertson Smith beeinflußt!). Hinzu kommt, daß
normalerweise, d. h. im 'Alltag', Gesellschaft nicht immer präsent
ist. Im Fall der Australier bedeutet dies, daß die in kleinen Gruppen
(Horden) stattfindenden Tätigkeiten des Sammelns und Jagens
dazu führen, daß die Individuen sich auch sozial zerstreuen, ihren
sozialen Zusammenhang verlieren und damit die Gesellschaft ihren
bestimmenden Einfluß zu verlieren droht. Deshalb ist es notwendig, daß von Zeit zu Zeit Gesellschaft wieder präsent gemacht
wird, was durch Versammlung aller Gruppenmitglieder im Fest, in
der Feier geschieht. Durkheim konnte für diese Vorstellung auf
einen Aufsatz seines Neffen und Schülers Marcel Mauss über die
saisonalen Variationen der Eskimogesellschaften[16] zurückgreifen,
worin gezeigt wurde, daß das sozio-religiöse Leben in diesen Gesellschaften auf das Winterhalbjahr beschränkt ist, wenn in höherer
sozialer Dichte zusammengelebt wird, während im Sommer (d. h.
während der Jagd) eine gewisse Vereinzelung stattfindet. Die relevante soziale Einheit der Eskimogesellschaften ist die Siedlung
(settlement),[17] sie vertritt also an den Küsten des Polarmeers den
Clan, den Durkheim acht Jahre später als die zentrale gesellschaftliche Institution der australischen Gesellschaften ausmachen
sollte.

Bis jetzt hat uns Durkheims Theorie eigentlich nur erklärt, wie

---

[16] M. Mauss, Essai sur les variations saisonnières des sociétés eskimo,
in: L'Année Sociologique, 9 (1904/5), S. 39–132; dt.: M. Mauss, Soziologie
und Anthropologie, Bd. 1, 1978, S. 183–278.
[17] Mauss (dt. Ausgabe), S. 199 ff.

sich Gesellschaft für die Individuen rituell darstellt. Was fehlt, ist
eine Erklärung für die religiösen Vorstellungen. Das 19. Jahrhundert – und Durkheims Arbeiten gehören zu einem gewissen Maße
noch in diese Epoche – war vor allem an Theorien über die Entstehung von Religion interessiert. Es ist interessant zu sehen, daß
Durkheim eine quasi 'massenpsychologische' Erklärung gibt: Das
Kollektivleben, wie es besonders intensiv im Fest sich darstellt, ruft
im Menschen einen Zustand des Überschwanges hervor. „Die
Lebensenergien sind gesteigert, die Leidenschaften heftiger, die
Gefühle stärker . . . Der Mensch kennt sich selbst nicht mehr, er
fühlt sich verwandelt und verwandelt demzurfolge seine Umwelt.
Um seine besonderen Eindrücke zu erklären, verleiht er den Dingen, mit denen er in unmittelbarem Kontakt steht, Eigenschaften,
die sie nicht besitzen: außergewöhnliche Kräfte und Qualitäten,
die die Gegenstände der täglichen Erfahrung nicht besitzen. Kurz:
er hat über die reale Welt seines profanen Lebens eine andere gesetzt,
die in gewissem Sinn nur in seiner Vorstellung existiert, der er aber
einen höheren Rang zuschreibt als der ersteren." [18]
    Somit sind in allen religiösen Vorstellungen und Handlungen
zwei Momente wohl zu unterscheiden: der reale Kern, der universal und mit der menschlichen Konstitution gegeben ist, und der
'illusionäre' Bestandteil: die Vorstellungen, die sich die Mitglieder
der Gesellschaft darüber machen. Abstrakter ausgedrückt kann
man sagen: der soziale Kern von Religion ist ewig, wahr und wird
die Menschheit immer begleiten; der kognitive Gehalt der Religion
wird mit der restlosen Aufklärung der Menschheit verschwinden.
Folgerichtig sah Durkheim auch die Religion der Zukunft in der
Zelebration nationaler Gedächtnisse, wie sie z. B. die Dritte Republik in den Feiern zum 14. Juli (Gedächtnis der Großen Revolution) schon auszubilden begonnen hatte.[19] – Religion wird in
Durkheims Theorie radikal funktionalistisch betrachtet; sie wird
ihres theoretischen Anspruchs entkleidet und auf ihre soziale
Nützlichkeit zurückgeführt. Dennoch handelt es sich nicht um
eine Neuauflage der alten Herren- und Priestertrugtheorie, denn
die soziale Funktion der Religion ist durch nichts zu ersetzen. Jede

---

[18] E. Durkheim, Les formes élémentaires . . ., S. 603.
[19] Trotz seiner Kritik an Comtes 'religion positiviste' (Les formes
élémentaires . . ., S. 611) kann man wohl annehmen, daß Durkheim auch
den 'Kalender' des Positivismus etwas im Auge hatte. Vgl. A. Comte,
Catéchisme Positiviste, 1852, ³1890, S. 336 (Anlage D).

Gesellschaft bedarf immer wieder der Reintegration, und der Prozeß, in dem dies geschieht, ist Religion.

Um die Richtigkeit der Durkheimschen Integrationstheorie zu überprüfen, bedürfte es einer vorsichtigen Differenzierung der in ihr enthaltenen Bestandteile:

1. eine allgemeine Theorie der Gesellschaft,
2. eine spezielle religionssoziologische Theorie der Entstehung religiöser Vorstellungen,
3. eine spezielle religionsethnologische Theorie der Religion der australischen Ureinwohner.

Man kann wohl ohne Zögern feststellen, daß die religionsethnologische Theorie heute so von keinem Ethnologen mehr vertreten wird. Die Gegenargumente sind konzentriert von E. E. Evans-Pritchard vorgetragen worden.[20] Was die spezielle religionssoziologische Theorie betrifft, so kann sie bestenfalls als plausibel gelten. Es mag sein, daß religiöse Vorstellungen ihren Ursprung in der sozialen 'Überhitzung' ritueller Darbietungen haben, aber niemand wird dies historisch je nachweisen können, und die implizite Voraussetzung dieser Theorie, daß der Mythos sekundär gegenüber dem Ritus sei, ist heute als letztlich fruchtlose Henne-Ei-Diskussion zu den Akten gelegt worden.[21]

Bleibenden Bestand wird die allgemeine soziologische Theorie der Gesellschaft haben, die Durkheim in seinem Hauptwerk, als welches sein letztes großes Buch anzusehen ist, entwickelt hat. Fraglich jedoch ist, warum Durkheim die von ihm beschriebenen und analysierten Phänomene 'religiös' nennt. Selbst wenn man bereit ist anzunehmen, daß Religion sich aus den Erlebnissen der Gruppensolidarität entwickelt hat, so ist es nicht einsichtig, warum Durkheim darauf insistiert, daß diese Prozesse, auch wenn sie keine im üblichen Sinne religiösen Formen mehr haben, immer noch unter dem Begriff 'Religion' firmieren. Zwar ist dies letztlich eine Frage der Definition, aber daß diese Frage nicht ganz beliebig ist, wurde im vorhergehenden Kapitel deutlich gemacht.

Die Integrationstheorie hat die religionssoziologische Arbeit

[20] Siehe Anm. 12, S. 86–120.
[21] Siehe dazu: C. Kluckhohn, Myths and Rituals: A General Theory, in: Harvard Theological Rev. 35, (1942), S. 45–79. Wiederabdruck: W. A. Lessa and E. Z. Vogt (Hrsg.), Reader in Comparative Religion, [2]1965, S. 144–158. – Radikale Kritik an der Ritus-Mythos-Schule übt: J. Fontenrose, The Ritual Theory of Myth, 1971.

außerordentlich befruchtet. Hier ist an erster Stelle die strukturfunk-
tionalistische Schule der Soziologie zu nennen, die vor allem mit
dem Namen von Talcott Parsons verbunden ist. Parsons hat eine
sehr komplexe Handlungs- und Gesellschaftstheorie entwickelt,
die hier nur insoweit interessiert, als Religion dabei eine relevante
Rolle spielt. Gesellschaft ist für Parsons bestimmt durch eine normative Ordnung, die das Leben einer Bevölkerung kollektiv organisiert.[22] Jede Gesellschaft enthält demnach Normen und Regeln,
die die Position eines Menschen innerhalb des sozialen Gefüges
festlegen. Diese normative Ordnung ist nicht selbstevident, sondern bedarf ihrerseits der Legitimierung. Der Grund für dieses
Legitimationsbedürfnis ist vor allem darin zu erblicken, daß die
Ordnung dem einzelnen Beschränkungen auferlegt, ihn in seinem
Handeln also limitiert. Die Legitimation geschieht durch Rekurs
der Normen auf zentrale Werte, die als unabhängig von der gesellschaftlichen Ordnung vorgestellt werden, d. h., das soziale System
'Gesellschaft' wird auf das extra-soziale System 'Kultur' bezogen
und so legitimiert. (Es darf nicht vergessen werden, daß es sich hier
um ein analytisches Modell handelt, das für theoretische Zwecke
das auseinandernimmt, was im Leben nur als zusammenhängend,
ja als Einheit erscheint.) Aber auch dieser Bezug auf das kulturelle
System stabilisiert die gesellschaftliche Ordnung nur unvollkom-
men, denn die Probleme, die mit der Theodizee-Frage verbunden
sind, bleiben bestehen: unverdientes Leiden, früher Tod, Sinnlosigkeit. Deshalb erfolgt die Legitimation noch einmal auf einer höheren Stufe, die außerhalb des Handlungsbereiches liegt: auf der
Ebene der letzten Wirklichkeit ('ultimate reality'). „Die Begründung (des Legitimationssystems) ist immer in einem bestimmten
Sinne religiös."[23] Dies bedeutet mit anderen Worten, daß eine
Gesellschaft nur dann als ausreichend integriert angesehen werden
kann, wenn ihre normative Ordnung in irgendeiner Weise durch
Rekurs auf die Repräsentationen der letzten Wirklichkeit legitimiert ist. – Eine Gesellschaft ohne Religion wäre in unerträglichem

[22] Obwohl die grundlegenden Gedanken Parsons' am systematischsten
in ›The Social System‹, 1951, entwickelt wurden, folgt meine Darstellung
dem leichter lesbaren und für den Anfänger weniger abschreckenden zweiten Kapitel von: Societies. Evolutionary and Comparative Perspectives,
1966, S. 5–29. Eine Bibliographie der religionssoziologischen Arbeiten
Parsons': Bibliography of Talcott Parsons' Writings on Religion in: Sociological Analysis 43 (1982), S. 369–373.
[23] Ebd., S. 11.

Maße von Desintegration bedroht, sie könnte letztlich nur auf Zwang rekurrieren, um ihre Ordnung aufrechtzuerhalten.

Parsons hat den Grundgedanken Durkheims positiv aufgenommen und ihn in eine komplexe Theorie übergeführt, die an begrifflicher Feinarbeit Durkheim bei weitem übertrifft. Trotz dieser offensichtlichen Anlehnung an den großen französischen Soziologen hat für Parsons wohl ein anderer Wissenschaftler noch mehr im Vordergrund gestanden, der vielen als eigentlicher Vater des sozialwissenschaftlichen Funktionalismus gilt: Bronislaw Malinowski. Obwohl er eher als Sozialanthropologe anzusprechen ist, hat ein einziger größerer Aufsatz ihn in den Rang eines 'Klassikers' der Religionssoziologie erhoben: Magic, Science and Religion.[24] Auch Malinowski ging es um die Überwindung der alten Vorstellung, daß Magie und Religion auf dem mangelnden Wissen der sog. Primitiven beruhe. Er zeigte, daß Religion in allen Gesellschaften vor allem zwei Funktionen habe: Einmal die, in existentiellen Grenzsituationen (Tod eines Gruppenmitgliedes ist das von Malinowski herangezogene Beispiel) die Gruppeneinheit zu restabilisieren und dem einzelnen eine Perspektive für seine Existenz aufzuzeigen. Zum anderen, auf dem Wege der Initiationsriten das Vollmitglied einer Gesellschaft auf die heiligen Charta der Gesellschaft zu verpflichten. – Obwohl Malinowski der Durkheimschen Religionstheorie verbal kritisch gegenüberstand,[25] bezog sich diese Kritik nicht auf die funktionalistische Betrachtungsweise Durkheims, sondern lediglich auf dessen Versuch, Religion kausal durch den Rekurs auf Gesellschaft in ihrer Entstehung zu erklären.

Innerhalb von zwei Generationen hatte sich zwischen 1890 und 1950 ein tiefgreifender Paradigmenwechsel in der sozialwissen-

[24] B. Malinowski, Magic, Science and Religion (zuerst 1925), seither mehrfach abgedruckt: B. Malinowski, Magic, Science and Religion and other Essays, 1954, S. 17–92.

[25] Vgl. ebd., S. 56–60: "To sum up, the views of Durkheim and his school cannot be accepted. First of all, in primitive societies religion arises to a great extent from purely individual sources. Secondly, society as a crowd is by no means always given to the production of religious beliefs or even to religious states of mind, while collective effervescence is often of an entirely secular nature. Thirdly, tradition, the sum total of certain rules and cultural achievements, embraces, and in primitive societies keeps in a tight grip, both Profane and Sacred. Finally, the personification of society, the conception of a 'collective soul', is without any foundation in fact, and is against the sound methods of social science." (S. 60)

schaftlichen Betrachtung von Religion vollzogen. War Religion vordem als eher sozialschädlich und rückständig betrachtet worden, so dominierte jetzt eine Sicht, die in der Religion den Garanten von Stabilität, ja das Herz der Gesellschaft selbst sah. Gegenüber einer allzu integrationistischen und funktionalistischen Interpretation erhoben sich jedoch bald Bedenken. Schon 1949 kritisierte Robert King Merton, daß viele „Autoren dazu tendieren, die augenscheinlich integrativen Konsequenzen der Religion auszusondern und die möglichen desintegrativen Konsequenzen in gewissen Typen der Sozialstruktur zu vernachlässigen"[26]. Zwölf Jahre später legt ein durchaus dem Funktionalismus zuzuordnender Autor Wert auf die Festlegung, daß der Funktionalismus zwar geholfen habe, das Interesse der Soziologie wieder auf die Religion zu richten, daß aber dies vor allem dem Einfluß der Anthropologie auf die Soziologie zu verdanken sei und damit eine gewisse Verkürzung der Religionssoziologie einhergegangen sei.[27]

In der Tat führt ein übertriebener Funktionalismus sowie die zu apodiktisch verstandene Integrationsthese in eine Sackgasse; dennoch werden die späteren Kapitel zeigen, daß der Grundgedanke nicht aufzugeben ist. Allerdings muß man sich davor hüten, aus der Integrationsthese die Unaufhebbarkeit von Religion zu folgern.

---

[26] ". . . authors tend to single out only the apparently integration consequences of religion and to neglect its possible disintegration consequences in certain types of social structure." R. K. Merton, Social Theory and Social Structure, rev. and enl. ed. 1957, S. 29.

[27] J. M. Yinger, Sociology Looks at Religion, ²1963, S. 117–133.

IV. RELIGION UND SOZIALER WANDEL

Im vorigen Kapitel wurden diejenigen religionssoziologischen Ansätze in ihren Grundzügen dargestellt, die die vornehmste Funktion der Religion in der Integration der Gesellschaft sehen. Diese Sichtweise führt fast zwangsläufig zu einer konservativen Interpretation von Religion, die ohne weiteres mit der gesellschaftlichen Rolle der Religion in ihrer organisierten Gestalt in den okzidentalen Gesellschaften des 18. und 19. Jahrhunderts vereinbar ist. Religion erschien den 'bewahrenden' Kräften der Gesellschaft als einer der Garanten für die Aufrechterhaltung der Stabilität, auch dann, wenn sie selbst Agnostiker oder Atheisten waren. Es sei nur an Friedrich II. von Preußen erinnert, der gleichzeitig sein Königreich großzügig allen Freigeistern öffnete, aber die Ablehnung der Religion auf die Gebildeten beschränkt wissen wollte. – Ich habe schon weiter oben darauf hingewiesen, daß in der frühen Neuzeit, besonders im 17. Jahrhundert, Religion wegen ihrer konfessionellen Zerklüftung als sozial bedenklich angesehen werden konnte. Abgesehen von dieser politischen Differenz ist die Vorstellung, daß Religion und die religiösen Institutionen Ergebnis gesellschaftlicher Institutionen sind, schon sehr alt und reicht mindestens in die Antike zurück. So betont Varro, daß die Gesellschaften vor den religiösen Institutionen bestanden hätten und diese von jenen eingerichtet worden seien.[1] Religion als abhängige Variable, als Ausdruck für soziale Prozesse, als Überbau grundlegender sozialer Beziehungen schien für lange Zeit eine unbestrittene Tatsache zu sein. Zwar hat gegenüber dieser Vorstellung sich immer wieder religiöser Protest geregt, aber solange dieser Protest sich auf wissenschaftlich nicht rezipierbare Konstruktionen berief, war er ohne Belang für den Fortgang der Diskussion.

---

[1] „Ipse Varro propterea se prius de rebus humanis, de divinis autem posterea scripsisse testatur, quod prius existerint civitates, deinde ab eis haec instituta sint." Augustinus, De civitate Dei VI, 4.

1. Max Weber und das Verhältnis von Religion und sozialem Wandel

Obwohl die Religionssoziologie – besonders im Zuge der Durchsetzung des Funktionalismus – immer eine starke Neigung hatte, integrationistisch zu argumentieren, blieb ein Unbehagen zurück, das aus der Tatsache resultierte, daß einer der großen Gründer der wissenschaftlichen Soziologie, Max Weber (1864 bis 1920), mit einer Studie weltberühmt wurde, die die Rolle der Religion als Ursache des sozialen Wandels hervorhob. Es handelt sich um die 1904 geschriebene und 1905 veröffentlichte Arbeit: ›Die protestantische Ethik und der Geist des Kapitalismus‹.[2] Ob Max Weber diesen Aufsatz als einen systematischen Beitrag zum Problem des sozialen Wandels ansah, darf bezweifelt werden. Unbezweifelbar ist jedoch meines Erachtens, daß Webers Arbeit zu der Fragestellung 'Religion und sozialer Wandel' systematisiert werden kann, ja muß.[3] – Dennoch soll zunächst der wissenschaftshistorische Horizont kurz bezeichnet werden, in dem die Webersche Arbeit betrachtet werden muß. Die jüngere historische Schule der Nationalökonomie, die vor allem durch die Namen Gustav Schmoller (1838–1917), Lujo Brentano (1844–1931), Werner Sombart (1863 bis 1941) gekennzeichnet ist, hat sich schon sehr früh mit dem Problem beschäftigt, was zur Ausbildung des Kapitalismus als Wirtschaftsform geführt habe. Denn daß es sich bei der kapitalistischen Wirtschaftsweise um eine welthistorisch singuläre Erscheinung handelt, war im gesamten 19. Jahrhundert unbestritten. Unbestritten war ebenfalls, daß gesteigerte Zweckrationalität und völlige Traditionslosigkeit zu den wesentlichen Zügen des kapitalistischen Wirtschaftens gehören.[4] Max Webers Arbeit ist in erster Linie ein Versuch,

[2] Zuerst veröffentlicht in: Archiv für Sozialwissenschaft und Sozialpolitik 20 (1905), S. 1–54, und 21, S. 1–110. Eine zweite – um Anmerkungen erweiterte – Auflage erschien in: M. Weber, Gesammelte Aufsätze zur Religionssoziologie, Bd. 1, [2]1947. Eine kritische – von Druckfehlern endlich bereinigte – Ausgabe besorgte J. Winckelmann als Siebenstern-Taschenbuch 53, [5]1979.

[3] So argumentiert – für mich überzeugend – W. M. Sprondel, Sozialer Wandel, Ideen und Interessen. Systematisierungen zu Max Webers Protestantischer Ethik, in: C. Seyfarth und W. M. Sprondel (Hrsg.), Seminar: Religion und gesellschaftliche Entwicklung (suhrkamp taschenbuch wissenschaft 38), 1973, S. 206–224.

[4] Dies hat Karl Marx ganz ähnlich gesehen. Vgl. K. Marx und F. Engels,

eine Antwort auf die Frage nach der Entstehung des Kapitalismus zu geben. Zwar hat er später – in der zweiten Auflage – diese Absicht bestritten, wohl zum Teil als Antwort auf die Kritik von seiten der Historiker, besonders Rachfahl und Fischer,[5] aber das ständige Insistieren darauf, er habe nur die Entstehung des 'Geistes' des Kapitalismus erklären wollen, ist zwar durch den Text der ersten Auflage teilweise gedeckt, erscheint mir dennoch in der zweiten Auflage überzogen.

Diese wissenschaftsgeschichtliche Reminiszenz soll uns jedoch nicht daran hindern, Webers Arbeit in den größeren systematischen Kontext einzustellen, den sie in der Geschichte der Soziologie allgemein angenommen hat. Aus naheliegenden platzökonomischen Gründen kann hier nicht auf die Theorien des sozialen Wandels eingegangen werden, ebensowenig auf die Frage, ob Stabilität oder Wandel der soziale 'Normalfall' ist. Nur soviel soll hier festgehalten werden: Die Tatsache, daß sozialer Wandel auch auf makrosozialer Ebene stattfindet, ist unbestritten. Ein solcher Wandel – unabhängig davon, wie oft er auftritt – betrifft alle Teilbereiche einer Gesellschaft, so daß als Ergebnis dieses Wandels eine in allen wesentlichen Subsystemen veränderte Gesellschaft entstanden ist. Unbestreitbar ist ferner, daß sowohl die sog. neolithische Revolution (Seßhaftwerdung und Hervorbringung von hochkulturellen und staatlichen Verhältnissen) als auch die sog. industrielle Revolution als Chiffren für solche Large-scale-social-changes benutzt werden können. Bekanntlich hat Marx diese und andere soziale Wandlungsprozesse auf die Veränderung der Produktionsmittel zurückgeführt und damit eine Theorie des sozialen Wandels entwickelt. Webers Ziel war nicht eine Widerlegung von Karl Marx – obwohl er oft so interpretiert wurde –, allerdings betont seine Analyse die Rolle der Ideen in der Formation von gesellschaftlichen Epochen.[6] Natürlich ist

Manifest der Kommunistischen Partei , 1848, 1. Abschnitt: Bourgeois und Proletarier.

[5] Die Flut der Literatur zu Webers Aufsätzen ist unübersehbar. Eine Auswahl der unmittelbaren Kritiken (und Webers Antikritiken) bringt der 2. Bd. der von Winckelmann besorgten Ausgabe (s. Anm. 2). – Weitere Sekundärliteratur in Seyfarth und Sprondel, a. a. O., S. 268–273 und G. Kehrer, Religionssoziologie (= Sammlung Göschen Bd. 1228), 1968, S. 31f.

[6] Talcott Parsons hat deshalb recht, wenn er sich in seinem Aufsatz ›The Role of Ideas in Social Action‹ (1938) auf Max Weber beruft. T. Parsons, Essays in Sociological Theory, rev. ed. 1964, S. 19–33, bes. S. 26ff.

dieser Gedanke keineswegs neu und war es zu Webers Zeiten auch
nicht gewesen. Daß Religion bzw. religiöse Motive etwa zur arabischen Eroberung des südlichen Mittelmeerraumes geführt hatten,
ist immer wieder behauptet worden; genauso scharfsinnig wurde
aber auch gezeigt, daß Religion nur der Mantel war, unter dem sich
viel handfestere Interessen verbargen. – Webers wesentliches Verdienst besteht darin, an einem historischen Beispiel zu zeigen, wie
Religion die Voraussetzung für die Durchsetzung eines neuen
soziokulturellen Stadiums der westlichen Gesellschaften war. Er
hat damit die Debatte aus einem sterilen Für und Wider befreit und
durch Zurückgehen auf die Motivationsgeschichte der handelnden
Individuen wenigstens ansatzweise eine überprüfbare Theorie
entwickelt.

Sozialer Wandel auf einer makrosozialen Ebene kann nur dann
stattfinden, wenn massenweise Individuen ihre institutionalisierten
Handlungsanweisungen ändern. Die Frage spitzt sich darauf zu, ob
Religion der Grund für eine solche massenweise Veränderung des
Handelns sein kann. Unbestreitbar ist, daß einzelne Menschen,
religiös motiviert, ihrem Leben einen dem bisherigen Leben diame-
tral entgegengesetzten Sinn geben können, daß sie solche Handlungen in ihre Biographie einbauen können, durch die anscheinend das
Lust- und Erhaltungsprinzip völlig nihiliert wird. Denken wir etwa
an das aus der Vergangenheit bezeugte Sich-zu-Tode-Hungern von
Jina-Mönchen in Indien. Es war dies – und andere religiöse Spit-
zenleistungen – nie ein Massenphänomen, sondern beschränkt auf
sog. religiöse Virtuosen. Niemals wurde dadurch sozialer Wandel
in einem soziologisch relevanten Sinne induziert. – Auch Max
Weber bezweifelt nicht, daß die moderne kapitalistische Wirtschaft
ohne entsprechende Entwicklung der Produktionsmittel sich nicht
hätte entfalten können. Eine weitere Voraussetzung bedarf auch
keiner ausdrücklichen Begründung: die Gier nach Reichtum und das
Streben nach Gewinn sind für Max Weber Bestandteile der menschlichen Natur, überall gegeben und für sich allein genommen keine
hinreichende Voraussetzung für kapitalistisches Wirtschaften.
Faulheit und Genußsucht, und damit der Wunsch, möglichst
schnell und bequem reich zu werden, gehören zur menschlichen
Grundausstattung. Aber das alles hat mit Kapitalismus noch herz-
lich wenig zu tun. – Kapitalismus herrscht erst dann, wenn um des
Gewinnes willen produziert wird, dieser Gewinn aber nicht 'ren-
tierhaft' genossen wird, sondern wieder investiert wird, um noch
mehr Gewinn zu erzielen, der wiederum zum Zweck des Gewinns

investiert; und dies alles ohne Ende, ohne das Ziel, irgendwann zur Ruhe zu kommen. Was Karl Marx als Bewegungsgesetze des Kapitals analysierte, denen der Kapitalist genauso unterworfen ist wie der Proletarier, ist für Max Weber zwei Generationen später *auch* eine Frage der Gesinnung, die ein solches Wirtschaften ermöglicht. Denn das ist für Max Weber einsichtig: 'Natürlich' ist das Verhalten der kapitalistischen Wirtschaftssubjekte nicht. Es kann als gesichert gelten, daß nicht irgendwelche vorgeblichen Nationaleigenschaften für die kapitalistische Wirtschaftsgesinnung, die vor allem in der Rastlosigkeit des Tuns zu sehen ist, grundlegend sind. – Der Gedanke, daß die Religion in irgendeiner Weise mit dem Erwerbssinn der Bevölkerung zusammenhing, ist nicht neu. Schon in der Aufklärung war es verschiedenen Autoren aufgefallen, daß die evangelischen Länder wirtschaftlich entwickelter waren als die katholischen. Extreme Beispiele waren die reformierten Niederlande und England auf der einen Seite und Spanien und der Kirchenstaat auf der anderen. Zur Erklärung griff man auf zwei durchaus polemisch gemeinte Argumente zurück: Die relative Toleranz (vor allem in den Niederlanden) erlaubte allen produktiven Teilen der Bevölkerung den Verbleib im Lande, und (dies galt als wichtiger) der zahlenmäßig geringere Klerus und weniger kirchliche Feiertage taten dem traditionellen Müßiggang Abbruch. Daß diese Argumentation weit verbreitet war, kann daran ermessen werden, daß eine der Maßnahmen der katholischen Aufklärung in Österreich unter Joseph II. die Verringerung der Klöster und die Abschaffung zahlreicher kirchlicher Feiertage war.

Max Weber verließ diese etwas holzschnittartige Argumentation und setzte einige Stufen tiefer an. Er lokalisierte die Entstehung einer kapitalistischen Wirtschaftsgesinnung im 17. Jahrhundert. Als Prototyp einer kapitalistischen Wirtschaftsgesinnung, die identisch mit dem Geist des Kapitalismus ist, zitiert er Benjamin Franklins (1706–1790) Ratschläge an einen jungen Kaufmann: „Bedenke, daß die Zeit Geld ist, wer täglich zehn Schillinge durch seine Arbeit erwerben könnte und den halben Tag spazieren geht oder auf seinem Zimmer faulenzt, der darf, auch wenn er nur sechs Pence für sein Vergnügen ausgibt, nicht dies allein berechnen, er hat nebendem noch fünf Schillinge ausgegeben oder vielmehr weggeworfen ... Bedenke, daß Geld von einer zeugungskräftigen und fruchtbaren Natur ist. Geld kann Geld erzeugen ... Fünf Schillinge umgeschlagen sind sechs, wieder umgetrieben sieben Schillinge drei Pence ... bis es 100 Pfund sind ... Wer ein Mutterschwein tötet, vernichtet

dessen ganze Nachkommenschaft bis ins hunderste Glied. Wer ein
Fünfschillingstück umbringt, mordet alles, was damit hätte produziert werden können: ganze Kolonnen von Pfunden Sterling . . .
Halte eine genaue Rechnung über deine Ausgaben und Einnahmen.
Machst du dir die Mühe, einmal auf die Einzelheiten zu achten, so
hat das folgende gute Wirkung: du entdeckst, was für wunderbar
kleine Ausgaben zu großen Summen anschwellen, und du wirst
bemerken, was hätte gespart werden können und was in Zukunft
gespart werden kann." [7] – Selbst wenn man die ungewollt karikie-
rende Überspitzung dieser Formulierung außer acht läßt, läßt sich
schwer bestreiten, daß wir hier in nuce die Wirtschaftsgesinnung
vor uns haben, die Karl Marx und Friedrich Engels 1848 so beschrieben: „Sie (die Bourgeoisie) hat die heiligen Schauer der from-
men Schwärmerei, der ritterlichen Begeisterung, der spießbürger-
lichen Wehmut in dem eiskalten Wasser egoistischer Berechnung
ertränkt. Sie hat die persönliche Würde in den Tauschwert aufgelöst
und an die Stelle der zahllosen verbrieften und wohlerworbenen
Freiheiten die *eine* gewissenlose Handelsfreiheit gesetzt." [8] – Das
Stichwort, mit dem diese Gesinnung am prägnantesten bezeichnet
werden kann, ist 'Askese'. Dieser Begriff, der aus dem Griechischen entlehnt wurde, bedeutete ursprünglich 'Übung', vor allem
Leibesübung und wurde über das mittellateinische Wort 'asceta'
aus der Kirchensprache im 18. und 19. Jahrhundert mit der heutigen Bedeutung von 'Entsagung' in der deutschen Sprache heimisch. Askese als eine religiöse Übung ist religionsgeschichtlich
weit bekannt: Zeitweise Enthaltsamkeit von den Genüssen des
Lebens (Essen, Trinken, Sexualität, Schlaf, Hygiene) diente dem
Zweck, Ziele zu erreichen, die außerhalb des täglichen Lebens
lagen.[9] Die großen Hochreligionen bedienten sich der Askese, um
den Menschen auf die wesentlichen Bereiche des Lebens hin-
zuorientieren, also um ihn aus der Welt hinauszuführen. – Die
Askese, die Max Weber als Grundzug des Geistes des Kapitalismus
identifizierte, ist jedoch ausgesprochen innerweltlich orientiert,
weshalb Weber für sie den prägnanten Begriff der 'innerweltlichen
Askese' einführte.

[7] M. Weber, Die protestantische Ethik ⁵1979, S. 40f.
[8] K. Marx, F. Engels, Das Manifest der Kommunistischen Partei,
Reclam (Ost-)Ausgabe, S. 29.
[9] Die Frage, wieweit die Askese bis auf die jägerischen Kulturen zurückgeht und der Vorbereitung zur Jagd diente, bleibt hier unberücksichtigt.

Es kommt jetzt alles darauf an, zu entdecken, wo die Wurzeln dieser innerweltlichen Askese liegen. Max Weber sah die Grundlagen im asketischen Protestantismus, als dessen reinsten Typus er den Calvinismus und in ihm speziell den Puritanismus diagnostizierte. Die oberflächliche Vermutung, daß Calvin und andere spätere Theologen des Calvinismus der kapitalistischen Wirtschaftsweise (Zinspolitik u. ä.) positiv gegenübergestanden hätten, kann als falsch zurückgewiesen werden.[10] Der genial zu nennende Einfall Webers bestand darin, die Quellen der innerweltlichen Askese in einem der spekulativsten Elemente des Calvinismus zu sehen: der Lehre von der doppelten Prädestination. Diese Lehre ist eine der möglichen Lösungen eines der Grundprobleme der christlichen Religion: Die Verbindung der Versöhnungslehre (Tod und Auferstehung von Jesus Christus) mit der Biographie des Gläubigen. Von den drei naheliegenden Lösungen: (1) Erlösung ist gekoppelt an das 'gute' Leben des Gläubigen, (2) Lehre von der Wiederbringung aller Dinge (Apokatastasis – Lehre etwa bei Origenes, Schleiermacher, Barth, (3) Prädistinationslehre (Augustinus, Luther und ganz radikal in den Vordergrund gestellt bei Calvin) besagt die letztere, daß schon vor Erschaffung der Welt festgelegt wurde, wer zur ewigen Seligkeit bestimmt und für wen Jesus damit gestorben und auferstanden ist, und wer als nicht erwählt gilt und deshalb zur ewigen Finsternis verdammt ist. Obwohl diese Prädestinationslehre die große Kirchenlehre des Westens ist, hat nur Calvin sie radikal ins Kirchenvolk hinein vertreten, während andere Theologen sie eher als 'dunkle Lehre' (Luther) theologisch interpretierten. Calvin hat demgegenüber in ihr die beiden Grundzüge der christlichen Religion vollendet ausgedrückt gesehen: die absolute Verworfenheit des Menschen und die unbeschränkte Majestät Gottes.

Damit eine religiöse Lehre handlungsrelevant werden kann, ist es entscheidend, daß sie nicht Theologenlehre bleibt, sondern als bewußtseinsbildende Kraft in das religiöse Leben und Denken des durchschnittlichen Kirchenmitglieds Eingang findet. Genau dies, behauptet Weber, sei für den angelsächsischen Puritanismus der

[10] Arbeiten über die Wirtschaftsgesinnung der Reformatoren reichen bis in die Mitte des 19. Jahrhunderts zurück: z. B. G. Schmoller, Zur Geschichte der nationalökonomischen Ansichten in Deutschland während der Reformationsperiode, in: Zeitschrift für die gesammte Staatswissenschaft, 16. Jg., 1860 und H. Wiskemann, Darstellung der zur Zeit der Reformation herrschenden nationalökonomischen Ansichten, 1861.

Fall gewesen. Als Beleg dafür zieht er u. a. die 'Westminster Con-
fession' von 1647 heran: „Gott hat zur Offenbarung seiner Herr-
lichkeit durch seinen Beschluß einige Menschen . . . bestimmt zum
ewigen Leben und andere verordnet zum ewigen Tode. Diejenigen
aus dem Menschengeschlecht, welche bestimmt sind zum Leben,
hat Gott, bevor der Grund der Welt gelegt wurde, nach seinem
ewigen und unveränderlichen Vorsatz und dem geheimen Ratschluß
und der Willkür seines Willens erwählt in Christus zu ewiger Herr-
lichkeit . . . alles zum Preis seiner herrlichen Gnade. Es gefiel Gott,
die übrigen des Menschengeschlechts gemäß dem unerforschlichen
Rat seines Willens, wonach er Gnade erteilt oder vorenthält, wie es
ihm gefällt, zur Verherrlichung seiner unumschränkten Macht über
seine Geschöpfe zu übergehen und sie zu ordnen zur Unehre und
Zorn für ihre Sünde, zum Preis seiner herrlichen Gerechtigkeit."[11]
Es ist sehr wichtig und für Webers Argumentation entscheidend,
daß unbedingt festgehalten wird, daß diese Lehre religiöses Ge-
meingut des Calvinisten war, ja, daß sie sogar die religiöse Idee
war, die ihr Leben bestimmte. Ob dies so war, können wir heute
nur noch auf indirektem Wege erschließen. Für Weber ist dieses
Problem entschieden: „Der damalige Mensch grübelte über scheinbar abstrakte Dogmen in einem Maße, welches seinerseits wieder
nur verständlich wird, wenn wir deren Zusammenhang mit prak-
tisch-religiösen Interessen durchschauen."[12] Die historische Religionsforschung ist leider noch nicht soweit – vielleicht erlaubt die
Datenbasis hier auch keine Zuversicht –, daß nun in dieser Frage
verifizierbare Ergebnisse vorliegen könnten. Folgen wir Webers
Argumentation, so war speziell die Prädestinationslehre in diesem
Sinne religiöses Allgemeingut nicht unerheblicher Bevölkerungsteile. – Weber fragt nun nach den psychologischen Konsequenzen
eines solchen ernstgenommenen Dogmas. Unter der Voraussetzung, daß das ewige Seelenheil für den Menschen des 17. Jahrhunderts unendlich bedeutsamer war als sein irdisches Wohlergehen,
mußte sich mit unerbittlicher Härte die Frage aufdrängen: „Gehöre
ich zu den Erwählten oder zu den Verworfenen?" „In ihrer patheti-
schen Unmenschlichkeit mußte diese Lehre nun für die Stimmung
einer Generation . . . vor allem eine Folge haben: Das Gefühl einer
unerhörten inneren Vereinsamung des einzelnen Individuums. In

[11] M. Weber, a. a. O., S. 119.
[12] Ebd., S. 117. Auf den fast zirkulären Charakter dieser Argumentation
sei wenigstens hingewiesen.

den für den Menschen der Reformationszeit entscheidendsten Angelegenheiten des Lebens: der ewigen Seligkeit, war der Mensch darauf verwiesen, seine Straße einsam zu ziehen, einem von Ewigkeit her feststehenden Schicksal entgegen. Niemand konnte ihm helfen. Kein Prediger ... kein Sakrament ... keine Kirche ..."[13] In dieser Perspektive wird alles freudlos, pessimistisch und mit der Grundstimmung des Mißtrauens getränkt, wie sie Weber sogar noch im 20. Jahrhundert für die vom Puritanismus geprägten Regionen ausmachen will. – Wie kommt es nun von dieser psychologischen Lage zu der innerweltlichen Askese, die ja die Grundlage für den Geist des Kapitalismus ist? Die Lösung dieses Problems liegt in der Annahme, daß diese Lehre nur ertragen werden konnte, wenn seelsorgerlich-therapeutische Mechanismen zu ihrer Unschädlichmachung bereitgestellt werden. Weber zeigt an der seelsorgerlichen Literatur des 17. Jahrhunderts, daß im wesentlichen zwei Wege zur Bewältigung gegangen wurden: (1) Man machte es schlechthin zur Pflicht, an die eigene Erwählung zu glauben, und (2) die Empfehlung rastloser Tätigkeit, um gewissermaßen die grüblerische Verzweiflung in Aktivität zu ersticken. Da mit der schroffen Ablehnung aller guten religiösen Werke der Weg in eine religiöse Sonderkultur (Kontemplation, Wallfahren usw.) verbaut war, blieb als einziges Feld, auf dem sich die rastlose Aktivität betätigen konnte, der Beruf in seiner weltlichen Bedeutung. Erleichtert wurde diese Entscheidung noch durch den spezifischen Charakter, den der Gnadenbegriff bei Calvin angenommen hatte: Gnade zeigte sich in der 'fides efficax', die zu Taten drängte, zur Mithilfe an der Verherrlichung Gottes in dieser Welt. Diese rastlose Berufsarbeit, vor allem die Systematisierung des Lebens in seiner Gesamtheit, das Ausschalten jeglicher irrationaler Störfaktoren wurde noch gesteigert durch einen besonderen Zug der puritanischen Ethik: Die Ablehnung jeglichen Ausruhens auf dem Besitz, jedes Genießens des Erworbenen und jeder Form des Müßiggangs. Man mußte zwar arbeiten, aber man durfte die Früchte der Arbeit nicht genießen. So führte die rastlose Arbeit zu Reichtum, der wiederum nur als Material für neue Arbeit verwertet werden konnte. Dabei ist aber noch entscheidender, daß mit der auf die Arbeit konzentrierten Askese die Haltung erzeugt wurde, die auch Grundlage kapitalistischen Wirtschaftens ist: Gewissenhaftigkeit bis zur Rechenhaftigkeit, Pflichterfüllung und rücksichtslose Ergebenheit gegenüber

---

[13] Ebd., S. 122.

dem ökonomishen Prozeß bei gleichzeitiger Ausschaltung aller hedonistischen Momente.

So kommt Weber zu dem Schluß: „Einer der konstitutiven Bestandteile des modernen kapitalistischen Geistes, und nicht nur dieses, sondern der modernen Kultur: die rationale Lebensführung auf der Grundlage der Berufsidee, ist . . . geboren aus dem Geist der christlichen Askese." [14] Zwar ist sie aus diesem Geist geboren, aber ihm schon längst entwachsen, denn schon im 18. Jahrhundert – meint Weber – bedurfte der Geist des Kapitalismus der religiösen Motivation nicht mehr; er konnte auf eigenen Füßen stehen. „Der Puritaner *wollte* Berufsmensch sein, wir *müssen* es sein." [15] Aber das ändert nichts an der historischen Tatsache, daß es die Religion war, die die wesentliche geistige Grundstruktur der modernen Welt hervorbrachte, ohne die diese Welt anders wäre, als sie sich heute darstellt.

Ich habe die Max-Weber-These als ein Paradigma für eine Theorie des religiös induzierten sozialen Wandels interpretiert. Angelpunkt für eine solche Interpretation ist die Annahme, daß nicht nur die materielle Kultur (die Produktionsmittel im Sinne der Marxschen Theorie) für soziales Handeln maßgebend ist, sondern auch eine psychische Konstitution der handelnden Individuen, die nicht angeboren ist, sondern erworben wird. Diese Annahme ist in der westlichen Sozialanthropologie und Soziologie praktisch unumstritten. Webers Theorie der Entstehung des kapitalistischen Geistes liefert eine Erklärung für den tiefgreifenden Wandel der immateriellen Kultur einer Gesellschaft. Es ist deshalb nicht weiter erstaunlich, daß sie von Soziologen positiv aufgenommen wurde und bis heute zu den zentralen Theoriestücken der allgemeinen Soziologie gehört. – Die Fachhistoriker dagegen haben immer erhebliche Bedenken gegen die Richtigkeit der Max-Weber-These angemeldet. Schon kurz nach Erscheinen des Aufsatzes gab es die ersten scharfen Kritiken, wobei besonders Rachfahl und Fischer zu erwähnen sind, Weber reagierte gereizt mit Antikritiken, was weitere Kritiken hervorrief. [16] Dabei ging es vor allem um den Nachweis, daß die Gebiete, in denen der Puritanismus religiös vorherrschte, nicht als Ursprungsgebiete des kapitalistischen Wirtschaftens bezeichnet werden konnten. Webers Gegenargumentation wiederholte dau-

---

[14] Ebd., S. 187.
[15] Ebd., S. 188.
[16] Für die unmittelbar sich anschließende Polemik s. Anm. 5.

ernd, daß er dies auch nie behauptet habe, daß er vielmehr lediglich die Ursprünge der mentalen Grundstruktur des kapitalistischen Wirtschaftens habe erforschen wollen. Offenbleibt dann allerdings die Frage, wieso diese Mentalität nicht die entsprechende Wirtschaftsform hervorgebracht hat. Vielleicht liegt die Lösung darin, daß die Wurzeln *einer* der Bedingungen für kapitalistisches Wirtschaften erforscht wurden, die zwar notwendig, aber nicht hinreichend für die Entstehung des Kapitalismus waren.

2. Religion und sozialer Wandel
in der religionssoziologischen Forschung

In diesem Abschnitt soll nicht die verwickelte Thematik des Verhältnisses von sozialem und religiösem Wandel behandelt, sondern in Fortführung des ersten Teils dieses Kapitels die Möglichkeiten der Religion als Motor des sozialen Wandels erörtert werden. Dabei geht es wiederum um Wandel auf einer makrosozialen Ebene. Diese Problematik wurde in der allgemeinen Soziologie in der Nachfolge Weberscher universalhistorischer Kategorien abgehandelt. Während der Aufsatz ›Die protestantische Ethik und der Geist des Kapitalismus‹ weit über die soziologischen Fachgrenzen bekannt wurde, sind die anderen Arbeiten Webers zur Religionssoziologie, die unter dem Titel ›Gesammelte Aufsätze zur Religionssoziologie‹ in drei Bänden zusammengefaßt wurden,[17] sogar in der fachinternen Diskussion nur ungenügend berücksichtigt worden. Webers zentrale Fragestellung hatte universalhistorischen Charakter: Was sind die spezifischen Ursachen für die singuläre Entwicklung des Okzidents? Hervorstechendes Kennzeichen dieser Entwicklung war für Max Weber die institutionalisierte Rationalität, wie sie im Rechtssystem, im bürokratischen Staat und in der kapitalistischen Wirtschaft vor allem anzutreffen sind. Obwohl Max Weber in seiner Antwort eher zögernd war, kann man doch so viel festhalten, daß er einen maßgeblichen Einfluß in dem in der israelitischen Prophetie und in der mit ihr verbundenen Ethisierung angelegten Entzauberungsprozeß vermutete.[18] – Nachdem diese universalhistorische Fragestellung in der Forschung etwas in den

---

[17] Zuerst veröffentlicht: Archiv für Sozialwissenschaft und Sozialpolitik ab 1915.
[18] Siehe Gesammelte Aufsätze zur Religionssoziologie, Bd. 3.

Hintergrund getreten war, wandten sich ab den 60er Jahren führende Vertreter des soziologischen Funktionalismus wieder dieser Thematik zu. An erster Stelle ist dabei S. N. Eisenstadt[19] zu nennen, dessen Werk zwar vor allem an dem politischen Aspekt antiker Hochkulturen interessiert ist, aber dennoch auch von religionssoziologischer Bedeutung ist.

Eine Aktualisierung dieser Fragestellung wurde vor allem durch den wichtigsten Vertreter des Struktur-Funktionalismus, Talcott Parsons, vorgenommen. In seinem schmalen Buch ›Societies. Evolutionary and Comparative Perspectives‹[20] führte er in sein evolutinistisches Schema die Kategorie der 'Saatbeet-Gesellschaften' (seed-bed societies) ein.[21] Mit diesem Begriff bezeichnet er Gesellschaften, deren kulturelles System einen im Verhältnis zum gesellschaftlichen System unerwartet großen Einfluß auf einen weiten Bereich von anderen Gesellschaften ausübte. Israel und Griechenland sind für Parsons solche 'Saatbeet-Gesellschaften'. Für die religionssoziologische Betrachtung ist vor allem Israel relevant. In Übereinstimmung mit weiten Teilen der religionshistorischen und alttestamentlichen Wissenschaften sieht Parsons die bedeutsamsten Momente des evolutionären Potentials der israelitischen Religion in der durch die prophetische Kritik und dann vor allem durch die Erfahrung des Exils im 6. Jahrhundert v. u. Z. immer stärker betonten Transzendenz des ursprünglich als Bundesgott konzipierten Jahwe. Dieser transzendentale Theismus (man sollte besser von einem transzendenten Theismus sprechen) führte zu einer Entmythologisierung der Religion und zu einer Entzauberung der Welt. Als zweites Moment ist die Trennung des Gesetzes vom Kult zu nennen. Obwohl dieser Vorgang historisch bedingt wurde durch die mehr als zwei Generationen dauernde Trennung von Teilen der religiösen Elite von dem in Jerusalem zentralisierten Kultort, hatte sie auch nach der Rückkehr aus dem Exil Bestand. Die Konzeption von einem transzendenten Gott, der durch das Halten seiner Gebote und Gesetze verehrt wird, erleichterte die Universalisierung dieser Gottesidee, eine Entwicklung, die noch durch die politische (d. h. auch gesellschaftliche) Bedeutungslosigkeit der staatlich verfaßten israelitischen Gesellschaft gefördert wurde. Obwohl die

[19] S. N. Eisenstadt, The Political System of Empires, 1962.
[20] T. Parsons, Societies, Evolutionary and Comparative Perspectives, 1966.
[21] Ebd., S. 95–108.

israelitische oder später jüdische Religion selbst nicht direkt als evolutionäres Potential wirkte, tat sie dies indirekt, indem wesentliche der skizzierten Züge in das unmittelbar aus ihr entstandene Christentum übergingen.

Das Christentum ist nach Ansicht von Parsons eine der wesentlichen prämodernen Grundlagen moderner Gesellschaften. Diesen Gedanken entwickelt er in dem mit dem oben genannten Werk in engem Zusammenhang stehenden Buch ›The System of Modern Societies‹.[22] Das bedeutsamste evolutionäre Moment des Christentums sieht Parsons in der „Differenzierung von Rollen- und Gesamtheitsstrukturen".[23] Damit ist gemeint, daß der Christ schon in der Periode der Alten Kirche sowohl Christ als auch Bürger seiner Stadt sein konnte ('idem civis et christianus'). Differenzierung der Rollenstrukturen ist ein Kennzeichen der modernen Gesellschaften. Die Ausdifferenzierung der religiösen Rollenbündel ist im Christentum schon sehr früh geschehen und eröffnete damit ganz neue Möglichkeiten soziokultureller Kombinationen. Je differenzierter ein religiöses System in bezug auf seine Umwelt ist, um so größer wird der Legitimationsbedarf, d. h. die Notwendigkeit von Theologie. Dieser Bedarf wurde noch gesteigert durch die interne Differenzierung der Gotteskonzeption in Gestalt der trinitarischen Dogmen. Zur Bearbeitung dieser Bedürfnisse gab die jüdische Religion wenig Hilfsmittel her, so daß eine Rezeption griechischer Philosophie, zunächst der platonischen, unumgänglich wurde. Damit wurde das kulturelle Erbe der zweiten 'Saatbeet-Gesellschaft', Griechenlands, vom Christentum mitrezipiert. – Besonders geeignet zum Transport des kulturellen evolutionären Potentials war das Christentum zudem, weil es sich auch von Anfang an organisatorisch von der umgebenden Gesellschaft unabhängig institutionalisierte.[24] Parsons glaubt, zeigen zu können, daß bis in die frühe Neuzeit hinein das organisierte Christentum als Kirche und in seinen spezialisierten Sonderformen, etwa dem Mönchtum, als Träger weiterer Differenzierung fungierte.

Der hier knapp vorgestellte Ansatz Parsons' beruht auf einer historischen Rekonstruktion von langfristigen geschichtlichen Ab-

[22] Dt.: T. Parsons, Das System moderner Gesellschaften, 1972, besonders Kap. 3.
[23] Ebd., S. 45.
[24] Zu diesem Aspekt s. G. Kehrer, Organisierte Religion, 1982, besonders Kap. 8.

läufen. Eine solche Rekonstruktion ist nicht 'beweisbar' im strengen Sinne, sondern bestenfalls plausibel. Sie eröffnet aber die Möglichkeit, komplizierte Abläufe 'verstehbar' zu machen und darüber
hinaus – und das erscheint wichtiger – Einzelforschungen auf dem
Gebiet der historischen Religionssoziologie fruchtbare Fragestellungen zu liefern.

V. RELIGION UND GESELLSCHAFT

1. Theoretische Vorüberlegungen

Es gehört zu den Eigentümlichkeiten soziologischer Betrachtung und Analyse, daß sie gesellschaftliche Teilkomplexe zueinander in Beziehung setzen. Diese Tendenz ist in der Religionssoziologie noch stärker ausgeprägt als in anderen soziologischen Teildisziplinen. Zwar sehen auch die Familiensoziologie oder die politische Soziologie nicht davon ab, daß Familie und politisches System Teil eines umfassenden gesellschaftlichen Systems sind und dadurch auch in Interdependenz zu anderen Teilsystemen stehen, aber diese Beziehungen werden in der Regel nicht lehrbuchartig einzeln abgehandelt. In der Religionssoziologie stehen dagegen die im einzelnen entfalteten Beziehungen zwischen Religion und Wirtschaft, Religion und Politik, Religion und Familie – um nur die wichtigsten zu nennen – im Zentrum der Darstellung.[1] Strenggenommen handelt es sich bei der Formulierung 'Religion und Gesellschaft' um eine ungenaue Umschreibung eines komplexen Sachverhalts. Schon der Begriff der Gesellschaft ist – so unentbehrlich er für die Soziologie ist[2] – nur unter erheblichen Anstrengungen instrumentalisierbar. Die Rede von 'Der Gesellschaft' als einer transpersona-

[1] Ein kurzer Blick in die gängigen Gesamtdarstellungen der Religionssoziologie kann dies bestätigen. Schon J. Wachs Artikel ›Religionssoziologie‹ im Handwörterbuch der Soziologie (hrsg. von A. Vierkandt), 1931, ²1959, widmet von 32 Spalten 20 Spalten dem Thema „Die Wechselwirkung von Religion und Gesellschaft". Er bleibt diesem Schema auch in seiner ›Sociology of Religion‹, 1944, dt. 1951, treu. J. M. Yingers ›The Scientific Study of Religion‹, 1970, enthält acht Kapitel von 22, die die Relation von Religion und gesellschaftlichen Teilbereichen behandeln. G. M. Vernons ›Sociology of Religion‹, 1962, reserviert den gesamten dritten Teil (sechs Kapitel von 19) dem Thema: Religion and Other Social Institutions. Die Aufzählung ließe sich fortsetzen. Als eine der Ausnahmen sei M. Hill, A Sociology of Religion, 1973, genannt.

[2] René König hat 1958 die Brauchbarkeit des Begriffs 'Gesellschaft' überhaupt problematisiert. R. König, Gesellschaft, in: Soziologie (hrsg. von R. König), Fischer Lexikon, S. 101.

len, fast sozial-metaphysischen Entität, die einen nicht in quantifizierbaren Maßen ausdrückbaren direkten Einfluß auf das soziale Geschehen ausübt, dient eher dazu, klare Fragestellungen zu verhindern als zu befördern.

In der Forschungspraxis wird deshalb der komplexe Begriff der Gesellschaft, wenn der durch ihn bezeichnete Sachverhalt in Beziehung gesetzt wird zu anderen Sachverhalten, auch in weniger komplexe Begriffe aufgelöst. Als Ergebnis erhält man dann die Relationierung verschiedener Subsysteme zueinander. Dabei ist es für einfache Verständigungszwecke zunächst ausreichend, wie oben von den Beziehungen Religion–Wirtschaft, Religion–Politik usw. zu sprechen. Auf einer anspruchsvolleren Ebene muß jedoch geklärt werden, warum gerade jene Bereiche, die durch die Alltagssprache scheinbar hinreichend genau umschrieben sind, als ausreichende Bestimmung des Begriffs 'Gesellschaft' betrachtet werden können. Es ist ohne weiteres einsehbar, daß diese Klärung nur im Rahmen einer soziologischen Theorie gewonnen werden kann, die die Funktionen, die zum Erhalt eines gesamtgesellschaftlichen Systems notwendigerweise erfüllt werden müssen, genau bestimmt. Die prominente Theorie, die bis heute in der Soziologie diese Aufgabe erfüllt, ist der vor allem von Talcott Parsons ausgearbeitete sogenannte Struktur-Funktionalismus.[3] Gemäß diesem theoretischen Konzept müssen in jedem Handlungssystem folgende vier Funktionen unterschieden werden:

1. Anpassung vor allem an die äußere Umwelt mit dem Ziel des rationellen Einsatzes von Hilfsmitteln (Ressourcen), wie Arbeitskraft, Naturschätze usw.
2. Zielverwirklichung (engl.: goal attainment) in bezug auf die kollektiven Ziele einer gesellschaftlichen Gemeinschaft.
3. Integration der einzelnen Rollen, die eine Person in einer Gesellschaft zu übernehmen hat, in ein durch Loyalität gekennzeichnetes Gesamtsystem.
4. Normenerhaltung (engl.: pattern maintenance) auch unabhängig von aktuellen Vor- und Nachteilüberlegungen in konkreten Austauschbeziehungen.

Diese zunächst sehr abstrakt anmutenden Funktionen bezeichnen Aufgaben, die in jeder Gesellschaft geleistet werden müssen, wenn diese Gesellschaft Bestand haben soll. In diesem Schema ist

[3] T. Parsons, The Social System, 1951; ders., Societies, 1966, und andere Beiträge.

die Stelle der Religion im Bereich der Normenerhaltung angesiedelt; allerdings hat später Parsons das, worauf sich Religion nach
seinem Verständnis bezieht: Letzte Wirklichkeit (ultimate reality),
zu den Umwelten des Handlungssystems gerechnet, wie auch die
physikalisch-organische Welt. Hier wird wieder die im zweiten
Kapitel behandelte Frage nach der Definition von Religion bedeutsam. Die Aufrechterhaltung der institutionalisierten kulturellen
Muster (Werte und Normen) wird in keiner Gesellschaft von einem
einzigen ausdifferenzierten Subsystem geleistet, sondern ist die
Aufgabe von vielfältigen gesellschaftlichen Teilsystemen, die insgesamt Identität und gleichmäßigen Wandel der Kultur gewährleisten. Eines dieser Teilsysteme ist auch die Religion, aber keinesfalls
das einzige und wohl auch nicht das wichtigste in dieser Beziehung.

Alle die unter 1–4 genannten Funktionen müssen in jeder Gesellschaft erfüllt werden. Deshalb existieren in jeder Gesellschaft auch
Ökonomie, Politik, Integration der verschiedenen Rollen und Aufrechterhaltung der 'cultural patterns'. Nicht gesagt ist damit, daß
in allen Gesellschaften klar definierte Organisationen bestehen
müssen, die diese Aufgaben erfüllen. Während in entwickelten Gesellschaften dies der Normalfall ist, daß z. B. die Organisationen
der Politik (Zielverwirklichung auf gesamtgesellschaftlicher Ebene)
und der Ökonomie (Anpassung) wenigstens formal getrennt sind –
obwohl zwischen beiden Interdependenzen bestehen, vereinen
einfache Gesellschaften diese beiden Aufgaben oft in ein und den-
selben Händen. Trotz dieser Unterschiede sind die Funktionen in
beiden Gesellschaftstypen vergleichbar und müssen erfüllt werden.

Die oben beschriebenen vier Funktionen gehen auf die Begrifflichkeit Talcott Parsons' zurück und sind in der Literatur häufig als
AGIL-Schema bekannt, wobei A für 'adaption' (Anpassung),
G für 'goal attainment' (Zielverwirklichung), I für 'integration' und
L für 'latency' steht. Den 'bizarren'[4] Begriff 'latency' hat später
Parsons durch den verständlicheren 'pattern maintenance' (Norm-
erhaltung) ersetzt. Obwohl das AGIL-Schema als Begriffsrahmen
und vielleicht sogar als theoretischer Ansatz einige Prominenz in
der soziologischen Diskussion gewonnen hat, muß unbedingt
berücksichtigt werden, daß es sich dabei um einen Versuch handelt,
die verwirrende Fülle von Funktionen, die zur Aufrechterhaltung

---

[4] W. E. Moore, Functionalism, in: T. Bottomore and R. Nisbet
(Hrsg.), A History of Sociological Analysis, 1978, S. 349.

einer Gesellschaft erfüllt werden müssen, auf einer hohen Ebene
der Abstraktion zu bündeln, wobei zwangsläufig das Risiko eingegangen wird, daß die sonst konkret benannten Funktionen nicht
mehr ohne weiteres sichtbar bleiben. Der Funktionalismus, wie er
spätestens seit Bronislaw Malinowski[5] in den Sozialwissenschaften
heimisch ist, kennt viele Vertreter, die eher eine Liste von Funktionen bevorzugen, die von den Nahrungsbedürfnissen und anderen
'basic needs' bis zur Bewältigung emotionaler und interpersoneller
Spannungen[6] reicht[7].

Bevor diskutiert werden soll, welchen analytischen Platz 'Religion' in einem funktionalistischen Schema gesellschaftlicher Grund-
voraussetzungen einnimmt, müssen zwei mögliche Bedenken berücksichtigt werden, die gegen eine zu enge Anlehnung an Parsons'
Schema erhoben werden können. Das erste Bedenken bezieht sich
auf eine mögliche Reduktion vielfältiger Funktionen auf wenige
abstrakt gewonnene Kategorien. Anpassung (adaption) beinhaltet
bei Parsons ein ganzes Bündel von Aufgaben, die in einer Gesellschaft zu leisten sind, damit diese Bestand haben kann: Nahrung,
Kleidung (wenn klimatisch notwendig), Schutz vor Witterung
usw., Wissen über Ereignisse und Zusammenhänge in der physika-
lisch-biologischen Umwelt, Werkzeugherstellung und -gebrauch,
um nur die wichtigsten zu nennen. Auch die anderen Kategorien
Parsons' ließen sich so aufschließen.

Wenn in dieser Einführung dem abstrakteren Schema der Vorzug
gegeben wird, so deshalb, weil damit eine größere Nähe zu den traditionellen Behandlungen des Themas 'Religion und Gesellschaft'
gegeben ist, denn das AGIL-Schema läßt sich ohne große Mühe in
das theoretisch weniger anspruchsvolle Bild von den grundlegenden
gesellschaftlichen Institutionen, wie Familie, Politik, Wirtschaft
usw. übersetzen. – Das zweite Bedenken ist schwerwiegender: Ist
es gerechtfertigt, eine – wenn auch sehr bedeutende – soziologische
Theorie, den Funktionalismus und noch dazu in der Gestalt des

---

[5] Siehe B. Malinowski, A Scientific Theory of Culture, 1939, dt. 1949
(= Int. Bibliothek für Psychologie und Soziologie, Bd. VIII, hrsg. von
P. Reiwald).

[6] Dies bezeichnet Parsons als 'tension management' und ordnet es dem
Funktionsbündel 'latency' zu.

[7] In der Literatur wird eine solche Liste üblicherweise als 'list of analyti-
cally distinguishable requisites' bezeichnet. Siehe als eine der bekanntesten
in: M. J. Levy, The Structure of Society, 1952, bes. Kap. IV: The Functional
Requisites of Any Society.

Struktur-Funktionalismus zum ausschließlichen Bezugspunkt der Religionssoziologie zu machen. Warum nicht die Konflikttheorie[8], die Exchange-Theorie[9], oder die kritische Theorie der Frankfurter Schule[10]? Die Wahl zwischen Theorien hat immer einen letztlich arbiträren Charakter, sie ist abhängig von verschiedenen Überlegungen, von denen keine allein genommen zwingend ist: Prominenz der Theorie in der Literatur, Zahl und Qualität der den verschiedenen Theorien verpflichteten empirischen Forschungsergebnisse, Nähe des Autors zu den nicht expliziten philosophischen und ethischen Implikationen der verschiedenen Theorien, wissenschaftliche Sozialisation des Autors in einer bestimmten 'Schule'. Überblickt man die religionssoziologische Forschung dieses Jahrhunderts, so kann man nicht übersehen, daß der überwältigende Teil der Forschung implizit oder explizit funktionalistischen Ansätzen verpflichtet ist. Die Gründe für diese Tatsache sind unterschiedlich. Einmal war der Struktur-Funktionalismus über mehrere Dekaden (bis Ende der 60er Jahre) in den USA die dominierende soziologische Theorie und bestimmte auch die europäische Soziologie nach dem Zweiten Weltkrieg, zum anderen liegt ein funktionalistischer Ansatz in der Religionssoziologie deshalb besonders nahe, weil die verwirrende Tatsache der anscheinend 'unausrottbaren' Existenz von Religion angesichts immer fortschreitender wissenschaftlicher Beherrschung von Natur und Gesellschaft nach einer Erklärung verlangt, die die Simplizität der These der auf Transzendenz angelegten 'Natur' des Menschen ebenso überwindet, wie die ebenso simple These von Religion als Produkt der Herrschenden zum Niederhalten der Beherrschten. Die Frage danach, was Religion im gesellschaftlichen System 'leistet', ist deshalb fast zwangsläufig und begründet den Funktionalismus in der Religionssoziologie. Bei dieser Lage scheint es aus forschungsgeschichtlichen Gründen nicht unberechtigt, den Funktionalismus als Bezugsrahmen der Analyse von 'Religion und Gesellschaft' zu nehmen.

Wir wenden uns nun der schwierigen Frage zu, welchen analytischen Platz Religion in einer funktionalistischen Analyse der Gesellschaft einnimmt. Im dritten und vierten Kapitel dieser ›Ein-

---

[8] L. A. Coser, The Functions of Social Conflict, 1956; J. Rex, Social Conflict, 1981.

[9] G. Homans, Social Behaviour: Its Elementary Forms, rev. ed. 1974.

[10] R. Neu, Religionssoziologie als kritische Theorie, 1982.

führung in die Religionssoziologie‹ wurden zwei globale Ansätze
dargestellt, die zurückgehend auf die 'Klassiker' der Religionssoziologie die Funktion von Religion einmal für die Integration
(Stabilität, Identität) der Gesellschaft und zum anderen für den
Wandel gesamtgesellschaftlicher Strukturen zum Gegenstand haben.
Der Widerspruch zwischen beiden Ansätzen ist nur ein scheinbarer
und läßt sich durch Einbeziehung der jeweils spezifischen Fragestellung in die andere auflösen. Für den Bestand jeder Gesellschaft
ist sowohl Stabilität als auch Wandel erforderlich. Anpassung an
veränderte Umstände verlangt Differenzierung, nur sie ermöglicht
Überdauern in der Zeit, also Identität mit sich selbst. Diese Dialektik
zwischen Differenzierung und Identität hat Hans Mol zum Zentrum seiner Religionssoziologie gemacht.[11] Auch wenn er dabei
unverkennbar das Hauptgewicht seiner Argumentation auf die Sakralisierung der Identität durch Religion legt, verkennt er dennoch
nicht, daß Religion auch dazu beiträgt, neue kulturelle Muster zu
formen, was in der Tat nichts anderes ist als sozialer Wandel auf der
Ebene von kulturellen Systemen: „Charisma auf der sozialen und
Konversion auf der persönlichen Ebene sind Beispiele für die
Stärke der Kräfte, die zur Identitätsbildung führen. Starke emotionale Leistungen und erhebliche psychische Energie gehen in das
Ablegen eines Kulturmusters und in das Zusammenschweißen
eines anderen passenderen für die Bedingungen von Gesellschaften,
Gruppen und Individuen ein."[12]
    Beziehen wir diese globale Sichtweise auf das eingangs dieses
Kapitels hilfsweise herangezogene AGIL-Schema, so läßt sich ohne
Mühe argumentieren, daß Religion eine bedeutende Rolle bei allen
vier Funktionen spielt, indem religiöse Systeme einen Legitima-
tionshorizont für Handeln bereitzustellen vermögen. Die Aufgabe
dieses Kapitels ist jedoch nicht, diese globale Perspektive weiterzuverfolgen, sondern in konkreterer und spezialisierterer Weise den
Ort von Religion im System der Gesellschaft zu bestimmen. Dabei
muß die fast spekulative Rede von 'Gesellschaft' verlassen und auf
die empirisch faßbaren Teilbereiche zurückgegangen werden. Dies
bedeutet nicht, daß 'Gesellschaft' als Begriff überhaupt heuristisch
sinnlos sei, sondern berücksichtigt lediglich die Tatsache, daß funktionale Beziehungen eher auf einer Ebene geringer Abstraktions-
höhe sichtbar gemacht werden können. Dabei verstehen wir unter

[11] H. Mol, Identy and the Sacred, 1976.
[12] A. a. O., S. 54.

'funktionalen Beziehungen' nicht Relationen im Sinne des mathematischen Funktionsbegriffs, sondern eher in Anlehnung an eine der Biologie entlehnten Begriffsbildung die Prozesse, die dazu beitragen, das gesamte System aufrechtzuerhalten.[13] Für einige Funktionsbereiche ist dies relativ einfach aufzuzeigen, etwa für die Adaption an die Außenbedingungen des gesellschaftlichen Systems. Das ökonomische Teilsystem als der wichtigste Bestandteil im Anpassungskomplex gewährleistet den Stoffwechsel zwischen Natur und Gesellschaft, indem es die natürlichen und sozialen Ressourcen so einsetzt, daß zunächst einmal das biologische Überleben der Mitglieder der Gesellschaft in ausreichender Zahl und Dauer gewährleistet ist und in komplexeren Gesellschaften ein genügend hoher Surplus erwirtschaftet wird, der die Inhaber von sozialen Positionen, die nicht im unmittelbaren Erwerb der Nahrung usw. tätig sind, ermöglicht, Aufgaben zu erfüllen, die für die betreffende Gesellschaft als notwendig zur Aufrechterhaltung ihrer Identität betrachtet werden. Schon an diesem Beispiel kann man sehen, daß Religion in diesem Zusammenhang vielfältig ins Spiel kommen kann. Nehmen wir als Beispiel eine Gesellschaft, in der das religiöse System so weit ausdifferenziert ist, daß etwa Priesterschaften bestehen, die zu alimentieren sind, so müssen folgende Prozesse gesichert sein: Die Produzenten gesellschaftlichen Reichtums müssen bereit sein, bestimmte Quanta der erwirtschafteten Güter den Inhabern priesterlicher Positionen zur Verfügung zu stellen. Die Inhaber dieser Positionen müssen ihrerseits dafür besorgt sein, daß (a) die Produktion gesellschaftlichen Reichtums nicht ins Stocken gerät und (b) die Mechanismen der Surplus-Abschöpfung stabilisiert werden. Dies bedingt wiederum, daß sie ihren Beitrag zur Aufrechterhaltung des Gesamtsystems plausibel machen müssen.

In der Regel erfolgt die Ausdifferenzierung religiöser Systeme nicht unabhängig von der Ausdifferenzierung des politischen Systems, das dadurch gekennzeichnet ist, daß es gesellschaftliche Zielverwirklichungen u. U. mit Gewalt durchzusetzen vermag. Es besteht demzufolge die Notwendigkeit, daß die Vertreter des religiösen Systems mit denen des politischen Systems so weit übereinkommen, daß letztere nicht die Leistungen des religiösen Systems

---

[13] Diese Bedeutung entspricht dem fünften Bedeutungsgehalt, den Merton dem Funktionsbegriff gibt. Siehe R. K. Merton, Social Theory and Social Structure, rev. and enl. ed. 1957, S. 21 ff.

für das gesellschaftliche System im Ganzen für entbehrlich halten. Man könnte diese Auflistung fortführen, was jedoch für diese Illustration nicht notwendig ist. Gezeigt werden sollte, daß auf der Ebene der konkreten Analyse das Gesamtsystem 'Gesellschaft' nur vermittelt in den Blick kommt. Die Identität einer Gesellschaft besteht in der Aufrechterhaltung und geregelten Veränderung ihrer Teilsysteme zueinander und in der Identität der Teilsysteme in der Zeit. Es ist deshalb kein Zufall, daß die meisten religionssoziologischen Untersuchungen sich der Analyse der Relation von Religion und einem bestimmten Teilsystem widmen. Dieses Vorgehen wird auch für dieses Kapitel bestimmend sein. Das hat notwendig zur Folge, daß die am Anfang dieser Überlegungen gestellte Frage, nämlich welchen Platz Religion in einer funktionalistischen Analyse der Gesellschaft einnimmt, nicht dadurch beantwortet werden kann, daß ein bestimmter Funktionsbereich mit Religion identifiziert wird. Zwar hat es nicht an Versuchen gefehlt, dies zu tun. So hat Niklas Luhmann in einem beachtlichen Entwurf die Funktion der Religion so bestimmt, „die an sich kontingente Selektivität gesellschaftlicher Strukturen und Weltentwürfe tragbar zu machen, das heißt, ihre Kontingenz zu chiffrieren und motivfähig zu interpretieren"[14]. Diese Funktionsbestimmung der Religion durch Luhmann hat ihren sinnvollen Platz in einer sehr komplexen Sozialtheorie, die den Grundzug des sozialen Daseins des Menschen in der notwendigen Reduktion von Komplexität sieht, die aus dem Gesamt der möglichen Handlungsvarianten immer nur bestimmte auswählt, ohne daß diese Auswahl ohne weiteres als notwendig erwiesen werden könnte. Indem Religion die getroffenen Wahlen auf einen nicht mehr hinterfragbaren Sinnhorizont bezieht, macht sie die Weltentwürfe als nichtkontingente erlebbar.[15] Die Berechtigung eines solchen Ansatzes soll nicht in Zweifel gezogen werden, wenn im folgenden auf einer niedrigeren Abstraktionsstufe gewissermaßen einfachere Zusammenhänge beschrieben werden sollen. Festgehalten wird aber an Luhmanns Funktionsbestimmung, daß die Funktion von Religion sinnvoll verstanden werden kann als Legitimierung von beschreibbaren Handlungssystemen und damit als Legitimierung des Ausschlusses von anderen Handlungsalter-

---

[14] N. Luhmann, Die Organisierbarkeit von Religionen und Kirchen, in: J. Wössner (Hrsg.), Religion im Umbruch, 1972, S. 250f.
[15] Zu Luhmanns Religionstheorie allgemein: N. Luhmann, Funktion der Religion, 1977.

nativen. Das religiöse System ist damit ein Teil des kulturellen Systems, das aus dem Gesamt der handlungsrelevanten 'patterns' des komplexen Systems 'Gesellschaft' besteht.

2. Religion und politisches System

In den ›Theoretischen Vorüberlegungen‹ dieses Kapitels wurden die funktionalen Leistungen des politischen Systems einer Gesellschaft in Anlehnung an Parsons' Terminologie als 'Zielverwirklichung' (goal attainment) bestimmt. Es ist nun notwendig, diese Bestimmung näher auszuführen. „Politische Strukturen sind damit befaßt, kollektives Handeln zur Erreichung kollektiv bedeutsamer Ziele zu organisieren."[16] Diese Definition geht davon aus, daß in jeder Gesellschaft bestimmte Ziele von kollektiver Bedeutung sind. Man denke z. B. an Aufrechterhaltung der Abgrenzung gegenüber anderen Gesellschaften, Minimalisierung von abweichendem Verhalten u. ä. Entscheidend ist, daß diese Ziele nur kollektiv erreicht werden können, d. h. durch Kooperation von Individuen, aber unter einheitlicher Zielsetzung. Die moderne Soziologie hat natürlich immer höchst entwickelte Formen von politischen Strukturen, wie sie in den neuzeitlichen Gesellschaften beobachtbar sind, vor Augen. Das bedeutet in diesem Fall konkret: staatliche Strukturen. Die Entwicklung des modernen Staates hat ja unmittelbar die Entstehung der Soziologie in ihren Vorläufern beschäftigt. So ist die Gegenüberstellung von Staat und Gesellschaft ein zentrales Thema der Rechtsphilosophie Hegels[17] und Lorenz von Steins[18]. Obwohl diese Unterscheidung von Staat und Gesellschaft, als zwei ontologisch verschiedene Größen, von der Soziologie nicht weitergeführt wurde, haben politische Strukturen und politische Prozesse immer wieder die Aufmerksamkeit von Soziologen gefunden. Indem man bewußt von der aristotelischen Ineinssetzung von Staat und Gesellschaft Abstand nahm, wurde der Blick erst für die Eigentümlichkeit politischer Prozesse geschärft, die in jeder Gesellschaft zu beobachten sind. Staat ist ein Sonderfall politischer Strukturen, so

[16] T. Parsons, Societies, 1966, S. 13.
[17] G. W. F. Hegel, Grundlinien der Philosophie des Rechts, 1821, § 257 ff.
[18] L. von Stein, Die Geschichte der sozialen Bewegung in Frankreich von 1789 bis auf unsere Tage, 3 Bde. (zuerst 1850).

wie Kirche ein Sonderfall religiöser Strukturen ist. Es ist deshalb verfehlt, wenn man die Relation 'Religion und Politik' auf das Verhältnis 'Staat – Kirche' reduzieren will. Zwar wird dieses Thema bei einer auf den modernen Okzident zentrierten Soziologie zwangsläufig im Vordergrund stehen, aber die Soziologie erhebt einen weitergehenden Anspruch als den, aktuelle Geschichtsschreibung der modernen Gesellschaft zu sein. Deshalb müssen auch vorstaatliche politische Strukturen und nicht ausdifferenziertes religiöses Handeln Gegenstand der Soziologie sein. Auf diesem Feld berühren sich Soziologie und Sozialanthropologie aufs engste.

Unterscheiden wir im Bereich des politischen Handelns zwischen den Außenbeziehungen eines sozialen Systems und dessen Innenbeziehungen (modern ausgedrückt: zwischen Außen- und Innenpolitik), so ist für die Soziologie der Binnenaspekt von größerem Interesse. Soziales Handeln ist nach Max Weber ein Handeln, „welches seinem von dem oder den Handelnden gemeinten Sinn nach auf das Verhalten anderer bezogen wird und daran in seinem Ablauf orientiert ist" [19]. Diese Definition ist zu ergänzen, daß dieser Handlungsbegriff für alle Wissenschaften, die sich mit sozialem Handeln befassen, zutrifft, während die Soziologie es überwiegend mit institutionalisiertem sozialen Handeln zu tun hat. Darunter ist zu verstehen, daß wir dann von institutionalisiertem Handeln sprechen, wenn der oder die Handelnden sich an bestimmten Handlungsmustern (patterns) orientieren und ihrerseits davon ausgehen, daß auch das Verhalten (unter Einschluß von Handeln) der anderen bestimmten patterns folgt. Es sei angemerkt, daß auch Max Weber diese Form von sozialem Handeln im Auge hatte, wenn er auch aus definitorischen Gründen einen weiteren Handlungsbegriff wählte, der auch nichtinstitutionalisiertes Handeln einschließt.[20] Es ist keine noch so kleine Gruppe denkbar, deren Mitglieder nicht institutionalisiert miteinander agieren: sie folgen in ihrem sozialen Handeln Mustern, die im Regelfall allen Beteiligten bekannt sind und von ihnen geteilt werden. Es ist nicht übertrieben zu sagen, daß diese patterns, die die Sozialbeziehungen strukturieren, beim Menschen das ersetzen, was bei den Tieren Instinkte leisten. Für

[19] M. Weber, Wirtschaft und Gesellschaft, Studienausgabe 1956, 1. Halbbd., S. 3.
[20] Dabei ist zuzugeben, daß Weber in der Kategorie des affektuell bedingten Handelns einen Grenzfall von bewußt sinnhaft orientiertem Handeln sah. A. a. O., S. 18.

unsere Beobachtung kann es dabei außer acht bleiben, ob es angeborene 'patterns' gibt oder nicht; auf jeden Fall gehört es zur
menschlichen Grundausstattung, daß der Mensch in der Lage ist,
patterns zu erlernen und sein Verhalten entsprechend zu strukturieren. Ebenso gehört es zu den Grundfähigkeiten des Menschen, sich
abweichend zu verhalten, wobei Abweichung (Devianz) nicht
meint, daß der deviant Handelnde von dem Durchschnittshandeln
aller anderen Gruppenmitglieder abweicht, sondern daß er von der
durch patterns bestimmten Form eines strukturierten Sozialver-
haltens abweicht. So handelt der ehelos lebende Priester statistisch
gesehen abweichend, aber den patterns entsprechend.

Geht man von der anthropologischen Prämisse der Möglichkeit
devianten Verhaltens aus, so stellt sich für jede Gruppe das Problem, wie sie standardisiertes Sozialverhalten induzieren kann. In
erster Linie geschieht dies durch Sozialisation ihrer Mitglieder, in
zweiter Linie durch Kontrolle und Zwang (sei es in physischer oder
psychischer Form). Diese Kontrolle ist das Zentrum des politischen Handelns und insofern können wir bei jeder Gruppe einen
politischen Aspekt bestimmen. Da es sich jedoch eingebürgert hat,
politische Prozesse überwiegend auf gesamtgesellschaftlicher Ebene
anzusiedeln, wollen auch wir diese Einschränkung vornehmen.

Die Aufgabe dieses Unterkapitels wird es sein, die Beziehungen
zwischen Kontrolle und Religion auf den unterschiedlichen Stufen
der Entwicklung dieser Kontrolle zu beschreiben. Am Schluß
sollen auch kurz die Beziehungen von Religion und 'Außenpolitik'
behandelt werden, also das Thema 'Religion und Krieg'.

Es wurde weiter oben schon darauf hingewiesen, daß eine
Reduktion der Thematik auf die 'Staat-Kirche-Problematik' zu
vermeiden ist. Der Hauptgrund, der gegen diese Reduktion genannt
werden muß, ist die Tatsache, daß 'Staat' im Sinne einer monopoli-
sierten legalen Gewalt für ein begrenztes Gebiet ein ausgesprochen
rezentes Phänomen ist, dessen Alter wohl kaum auf mehr als 5000
Jahre zu veranschlagen ist, also auf weit weniger als ein Prozent der
Menschheitsgeschichte, und erst jetzt treten wir in ein Zeitalter
ein, das restlos alle Menschen – wenn auch noch in unterschiedlicher Abstufung – staatlicher Herrschaft unterwirft. Trotz dieser
'Jugend' des Staates scheint sich diese Form der Kontrolle als so
effizient durchzusetzen, daß wir nirgends eine dauerhafte Rückent-
wicklung einmal vorhandener Staatlichkeit beobachten können.[21]

---

[21] Selbst das Beispiel der Auflösung des römischen Imperium ist als

Es ist deshalb nicht verwunderlich, daß nach einigen Jahrzehnten der Abstinenz Sozialwissenschaftler sich wieder verstärkt dem Problem der Entstehung des Staates zuwenden. Hatten noch gegen Ende des 19. Jahrhunderts Anthropologen wie L. H. Morgan[22] und in ihrem Gefolge Engels[23] den Staat aus der Erhöhung der Produktivität und der Bildung von Privateigentum hervorgehen lassen, so dominierte einige Jahrzehnte später eine sozialdarwinistische Konflikttheorie, deren Hauptvertreter in Europa L. Gumplowicz[24] und F. Oppenheimer[25] waren; sie sahen den Staat als Ergebnis der Verfestigung der Beziehungen von Eroberern und Eroberten, wobei Nomadenvölker eine entscheidende Rolle spielten. Mit dem Zusammenbruch des Evolutionismus in der Soziologie geriet auch vorübergehend das Problem der Entstehung des Staates aus dem Blickfeld, bis in den 60er Jahren unseres Jahrhunderts der Neo-Evolutionismus – jetzt aber mit verfeinertem begrifflichen Instrumentarium und angereichert durch die archäologische Forschung der Altorientalistik und der Altamerikanistik – eine neue Welle von Theorien zur Entstehung von Hochkultur und Staat hereinbrach. Die wichtigsten, D. Ribeiro[26], V. G. Childe[27] – der die Fahne des Evolutionismus über die Jahrzehnte hochgehalten hatte –, E. R. Service[28], K. Eder[29] werden uns noch beschäftigen, während die modifiziert marxistischen Ansätze, K. A. Wittfogel[30], nur gestreift werden.

Gegenargument nicht durchschlagend, weil es sich dabei häufig um Auflösung in kleinere staatliche Einheiten handelt und in den weiter entlegenen Provinzen (Germania, Britannia) um teilweise neue Gesellschaften.

[22] L. H. Morgan, Ancient Society, 1877.

[23] F. Engels, Der Ursprung der Familie, des Privateigentums und des Staats, 1884.

[24] L. Gumplowicz, Die soziologische Staatsidee, 1892.

[25] F. Oppenheimer, Der Staat, 1908.

[26] D. Ribeiro, The Civilizational Process, 1968 (dt. Ausgabe, die teilweise auch auf die spanische und portugiesische Ausgabe zurückgreift, ›Der zivilisatorische Prozeß‹, 1971).

[27] V. G. Childe, What Happened in History, 1946 (dt. Ausgabe: Stufen der Kultur, 1952).

[28] E. R. Service, Origins of the State and Civilization, 1975 (dt. Ausgabe: Ursprünge des Staates und der Zivilisation, 1977).

[29] K. Eder, Die Entstehung staatlich organisierter Gesellschaften, 1980.

[30] K. A. Wittfogel, Oriental Despotism, 1957 (dt. Ausgabe: Die orientalische Despotie, 1962).

Dieses neu erwachte Interesse an evolutionstheoretischen Fragestellungen wird auch für die folgende Einteilung maßgebend sein.
In Übereinstimmung mit den meisten der genannten Forscher betrachten wir das Verhältnis von Religion und politischen Strukturen unter folgenden Aspekten: Religion und Politik in vorstaatlichen Gesellschaften; Religion bei der Herausbildung staatlicher
Herrschaft; Religion und Politik in vormodernen staatlich organisierten Gesellschaften; Religion und Politik im europäischen
Mittelalter; Religion und Politik in der modernen Gesellschaft.

a) Religion und Politik in vorstaatlichen Gesellschaften

Genaugenommen können wir unter evolutionstheoretischer
Perspektive zu diesem Themenkomplex keine Aussagen machen, da
vorstaatliche Gesellschaften uns keine schriftlichen Quellen über
Religion und politische Strukturen hinterlassen haben. Nur durch
den methodisch höchst bedenklichen Kunstgriff, daß rezente vorstaatliche Gesellschaften als Prototyp zeitlich remoter Gesellschaften angenommen werden, wird es ermöglicht, einen Zustand
wenigstens annähernd zu umreißen, in dem sich bis zur Herausbildung staatlicher Strukturen nach und auf der Grundlage der sog.
neolithischen Revolution unsere Vorfahren befanden. Die Soziologie ist hier auf das Material der Ethnologie angewiesen. Unter Verzicht auf den Nachweis von Literaturbelegen, die bequem in den
Werken der Anmerkungen 26 bis 29 dieses Kapitels nachzuschla-
gen sind, versuche ich zunächst ein Bild von dem Forschungsstand
zu geben, wie er sich zur Zeit abzeichnet.
Es besteht in der Forschung heute Einmütigkeit darin, daß der
Zustand der Herrschaftslosigkeit oder der Akephalität über lange
Perioden der menschlichen Entwicklung bestanden hat. Keine genauen Vorstellungen können wir uns dagegen von den Prozessen
machen, mit deren Hilfe gesellschaftliche Probleme bewältigt wurden. Lediglich durch indirekte Schlüsse sind einige Vermutungen
möglich. Es bedarf keiner weiteren Erklärung, daß der Mensch und
seine hominiden Vorstufen immer als soziales Wesen existiert haben.
Schon die extrem lange Aufzuchtperiode (Nesthocker) lassen die
Mutter-Kind-Dyade zwingend werden und damit auch Bindungen
in der Geschwisterreihe. Nimmt man dazu den komplizierten
Vorgang der Zurechnung des sozialen Vaters, so entstehen schon
äußerst komplizierte soziale Verknüpfungen, da auch dieser Vater

über die biologische Mutter und den (sozialen) Vater mit anderen
Gruppen verbunden ist. Alle Belege über rezente akephale Gesellschaften sprechen dafür, daß Gesellschaften auf dieser Entwick-
lungsstufe über Strukturen der Verwandtschaft organisiert sind und
daß die Hauptbeziehungen zwischen den Verwandtschaftsgruppen
in dem Tausch von Heiratspartnern (Frauen) bestehen.[31] Nimmt
man noch hinzu, daß vor der neolithischen Revolution von einer
äußerst geringen Bevölkerungsdichte ausgegangen werden muß
(die modernen herrschaftslosen Gesellschaften weisen diesen Umstand nicht mehr auf, weil sie als Rückzugsgesellschaften in ökolo-
gische Nischen abgedrängt wurden), so wird man nicht völlig fehlgehen, wenn man annimmt, daß als politische Probleme in erster
Linie solche der Sicherstellung der relevanten Handlungsmuster
existiert haben. Service spricht davon, daß in „einer kleinen, primitiven Gesellschaft . . . ein Großteil des gesellschaftlichen Lebens
reibungslos durch . . . (die) auf Etikette, Ethik und Rollenverhalten
bezüglichen Codes, Regeln, Erwartungen, Gewohnheiten und
Bräuche reguliert (wird)"[32]. Man kann es auch aktiv ausdrücken:
Das nicht konform handelnde Individuum wird durch kollektive
Aktion der Gesellschaft 'zurechtgerückt'. Hier sind Maßnahmen
wie Mißbilligung, Schneiden, Abbruch von Kommunikation, Ausschluß von gemeinsamen Aktionen und Verlust des Rückhalts in
der Verwandtschaftsgruppe zu denken. Zum Teil funktionieren
diese Mechanismen noch heute in überschaubaren Kleingruppen,
zwischen deren Mitgliedern unmittelbare Kontakte (face-to-face-
relations) bestehen. Eine wesentliche Voraussetzung für das Ge-
lingen dieser Art von sozialer Kontrolle ist neben der Kleinheit der
betreffenden Gesellschaft vor allem die soziale Alternativenlosigkeit
für das Individuum, also die faktische und/oder kulturelle Unmög-
lichkeit, eine andere Gruppenzugehörigkeit zu wählen. Beide Bedingungen können für akephale Gesellschaften der Vergangenheit
als gegeben angenommen werden, wobei gerade die scharfe Differenzierung zwischen 'wir' und den 'anderen' einen Gruppenwechsel
faktisch unmöglich machte.

Wir können die bisherige Beschreibung zugrundelegend diese
Gesellschaften mit dem verkürzten Terminus 'herrschaftslose Gesellschaften' bezeichnen, wenn dabei jeglicher Romantizismus vermieden wird. Selbst unter der Prämisse, daß es sich zugleich um

---

[31] C. Lévi-Strauss, Les structure élémentaires de la parenté, ²1967.
[32] Service, a. a. O., S. 79.

egalitäre Gesellschaften handelt – wobei sich Egalität hier nur auf den Herrschaftsaspekt bezieht, nicht jedoch auf den Aspekt der sozialen Ungleichheit: Männer – Frauen, Ältere – Jüngere usw. –, bedeutet dies nicht, daß wir es hier mit libertären Gesellschaften zu tun haben: Der Druck von Etikette, Brauchtum und Gewohnheit kann in einer alternativenlosen, geschlossenen Gesellschaft einen noch stärkeren Konformitätsschub auslösen als Herrschaft in einer mehrfach stratifizierten, an ihren Grenzen partiell offenen Gesellschaft.

Wendet man sich der Frage zu, ob und wie in diesen Gesellschaften Religion bestanden hat, so ist ohne jeden Zweifel gesichert, daß Religion in einem weiten Sinne zu den Bestandteilen der Kultur auf dieser Stufe zu rechnen ist. Dabei müssen wir jedoch von einem recht umfassenden Religionsbegriff ausgehen, der keine scharfe Trennung zwischen Magie und Religion zuläßt. Läßt man die Frage auf sich beruhen, inwieweit prähistorische Funde auf Religion hindeuten: Bestattung von Mensch und Tier, Kannibalismus, der nicht durch Proteinmangel erklärbar ist,[33] so zeigen doch die Beispiele rezenter herrschaftsloser Gesellschaften einen Reichtum an religiösen Vorstellungen und Riten, der es plausibel erscheinen läßt, von einer jägerischen und sammlerischen Religion zu sprechen. Obwohl alle Spekulationen über den Ursprung der Religion (Angsthypothese, Sprachhypothese, Erklärungshypothese) mit Recht heute in den Wissenschaften von der Religion keinen Platz mehr finden, kann dennoch eine Schicht sehr urtümlicher Religion wenigstens abstrakt beschrieben werden: Entscheidend sind dabei Vorstellungen über Natur (Belebtheit von Gegenständen und Tieren), Geistervorstellungen in Verbindung mit Ahnen und mythischen Legitimationen von sozialen (vor allem verwandtschaftlichen) Beziehungen. Wo der take-off der religiösen Weltbilder anzusetzen ist, wird sich auf immer historischer Forschung entziehen. Nur so viel kann als sicher gelten, daß die Fähigkeit, nicht Vorhandenes sich vorzustellen und in Worte zu fassen, zur conditio humana gehört, ohne diese Fähigkeit wäre auch keine Werkzeugentwicklung möglich gewesen.

Der Zusammenhang von Religion und sozialer Kontrolle in akephalen Gesellschaften ist in der Forschung nur selten thematisiert

---

[33] Zu dem gesamten Komplex s. A. Leroi-Gourhan, die Religionen der Vorgeschichte, 1981, und A. de Waal Malefijt, Religion and Culture, 1968, S. 104–144.

worden. Ein relativ gutes Beispiel gibt unter funktionalistischen Prämissen W. J. Goode[34] für die Manu in Neuguinea, wobei er allerdings den Weg der Sekundäranalyse geht. Goode spricht von einer 'diffusen Machtverteilung' bei den Manu. Das Normensystem bezieht sich vor allem auf sexuelle Verstöße und auf Handelsvorschriften, also auf den ökonomischen Bereich. Normenverstöße sind durchaus nicht selten und werden nie ungeahndet gelassen. Allerdings gibt es keine Instanzen, denen die Kontrolle und die Sühne obliegen würden. Vielmehr ist die gesamte Dorfgemeinschaft die richtende Instanz, dabei wird der Verstoß sowohl als religiöses als auch als politisches Vergehen geahndet, ohne daß die Manu diesen Unterschied selbst nachvollziehen. Lediglich das benutzte Vokabular läßt erkennen, daß beide Sphären, die wir gewohnt sind, so scharf zu trennen, ineinander übergehen.

Ein wichtiges Indiz für die Vermischung von politischen und religiösen Strukturen ist die Verwendung des Rituals bei der Verhängung der Sanktionen. K. Eder betont die Rolle des Rituals besonders, indem er konstatiert: „Religiöses Handeln ist zunächst rituelles Handeln, das die Gemeinsamkeit der Symbole und damit die Verständlichkeit der Handlungen . . . sichert."[35] Obwohl dieser Satz kritisierbar ist (Ist religiöses Handeln nicht per se rituelles Handeln? Wird hier nicht der alte unfruchtbare Streit der Ritus-Mythos-Diskussion scheinbar entschieden?), ist so viel richtig, daß rituelles Handeln bei Normverstößen bzw. der Restituierung der 'richtigen' Verhältnisse eine entscheidende Rolle spielt. Man braucht nicht in die Abgründe einer Kosmos-Chaos-Dialektik hinabzusteigen, um einzusehen, daß bei noch nicht ausdifferenzierten politischen und religiösen Systemen es kaum möglich ist, einzelne Handlungsbereiche anders als analytisch zu trennen; den Handelnden bleiben diese Unterscheidungen notwendig verborgen. Die restituierende Handlung wäre ohne die vollständige Anwesenheit aller gewohnten Elemente nicht gültig.

Als Fazit dieser versuchsweisen Skizzierung des Verhältnisses von religiösen und politischen Prozessen in akephalen Gesellschaften, bei der notwendig vieles auf der Ebene von Vermutungen und plausiblen Annahmen stehenbleiben muß, kann festgehalten werden, daß alles dafür spricht, daß die rudimentären politischen Strukturen in dieser Gesellschaft von religiösen Vorstellungen und

[34] W. J. Goode, Religion among the Primitives, 1951, S. 156 ff.
[35] Eder, a. a. O., S. 146.

Ritualen durchdrungen sind, die zugleich wohl auch ein Erklärungspotential dafür liefern, warum die soziale Welt so ist, wie sie ist bzw. die Fragen nach der Legitimität der Ordnung überhaupt schon abschneiden, bevor sie in einem für die Gesellschaft gefährlichen Sinn gestellt werden können. Die übliche Begründung für Etiketten und Bräuche liegt in dem Hinweis auf deren Dauer ('So war es immer'), Religion stellt einen zusätzlichen Sinnhorizont bereit, indem sie die Handlungsregeln in einen mythischen Horizont transportiert.

b) Religion bei der Herausbildung staatlicher Herrschaft

Verständlicherweise ist der Übergang vom herrschaftslosen Zustand der Gesellschaft zu einem Zustand staatlicher Herrschaft für die Soziologie von strategischem Interesse, beschreibt er doch einen tiefgreifenden sozialen Wandel, der einen bis heute anhaltenden sozialen Evolutionsschub auslöste. Entsprechend umfangreich ist auch die einschlägige Literatur, die hier natürlich nicht ausführlich referiert werden kann. Neben den eben schon angeführten Werken seien für den Leser, der vor allem weitere Literaturhinweise sucht, noch H. J. M. Claessen und P. Skalnik, The Early State, 1978 [36] erwähnt. Eine wesentliche Rolle spielt in der gesamten Forschung dabei die alte Frage, ob die inzwischen globale Existenz des Staates sich der Diffusion verdankt oder ob man von mehreren voneinander unabhängigen Entstehungen staatlicher Herrschaft ausgehen muß. Während es sicher ist, daß viele moderne staatliche Gebilde in Afrika und Amerika Ergebnis von Kolonialismus sind, also eindeutig auf Diffusion zurückzuführen sind, stellt sich der Sachverhalt bei den alten Hochkulturen und bei den vorkolonialen afrikanischen Königtümern wesentlich schwieriger dar. Inzwischen besteht in der Forschung Konsensus darüber, daß staatliche Herrschaft mindestens viermal oder sechsmal unabhängig voneinander entstanden ist: Mesopotamien, Ägypten, Industal, Hoanghotal, Mesoamerika, Peru. Einige Forscher gehen von Zusammenhängen zwischen Mesopotamien und Ägypten sowie zwischen Mesoamerika und Peru aus; mehrheitlich scheint sich jedoch die Meinung durchzusetzen, daß es sich bei den erwähnten sechs Fällen um jeweils

---

[36] Vor allem das einleitende Kapitel: The Early State. Theorie and Hypothesis, S. 3–29.

voneinander unabhängige Entwicklungen handelt. Ob spätere
Staatsgründungen im Mittelmeerraum (Kreta, Griechenland usw.)
im selben Sinne autonom sind, ist zumindest zweifelhaft.

Über die voll entwickelte Staatlichkeit der sechs besonders interessanten Fälle liegen weitgehend schriftliche Quellen vor (natürlich
mit Ausnahme von Peru und der noch immer nicht entschlüsselten
Industalschrift), so daß hier Rekonstruktionen möglich sind. Wesentlich schlechter sieht die Lage für die uns hier interessierende
Periode der Herausbildung des Staates aus. Zwar sind die äußeren
Randbedingungen angebbar, die anscheinend in allen Fällen gegeben waren: Seßhaftigkeit, Ackerbau, Handwerk, Erzeugung einer
Surplus-Produktion an Lebensmitteln, Bevölkerungsdruck ohne
Ausweichmöglichkeit nach außen. Diese Randbedingungen kön-
nen uns über die abgelaufenen innergesellschaftlichen Prozesse
keinen Aufschluß geben und demzufolge schon gar nicht Informa-
tionen über den Anteil religiöser Vorstellungen und Riten bei der
Entstehung staatlich verfaßter Gesellschaften. Plausibel ist es, anzunehmen, daß der Staat nicht unmittelbar aus dem Zustand egalitärer
Gesellschaften hervorgegangen ist. Als Zwischenglieder werden
das sog. 'big-man-system' und das Häuptlingtum angenommen.
Zur Beschreibung dieser Zwischenstufen sind wir wieder auf
ethnologisches Material angewiesen.

In einigen Gesellschaften kann man das Phänomen beobachten,
daß eine Person ein Maß an Autorität gewinnt, das wesentlich
dasjenige anderer Individuen übersteigt. Diese Person wurde in der
Literatur in Anlehnung an Termini der Eingeborenensprachen als 'big
man' bezeichnet. Es handelt sich noch nicht um ein institutionali-
siertes Häuptlingssystem, denn die Position des big man ist äußerst
prekär. Er muß sein 'bigness' praktisch dauernd erweisen.[37] Worauf beruht die Autorität eines 'big man'? In der Anlehnung an Max
Webers Terminologie sprechen die meisten Autoren von dem 'Charisma', das ein Individuum besitzen muß, um die Funktion eines
'big man' zu erfüllen. Weber definiert: „. . . die 'natürlichen' Leiter
in psychischer, physischer, ökonomischer, ethischer, religiöser,
politischer Not waren . . . Träger spezifischer, als übernatürlich . . .
gedachter Gaben des Körpers und Geistes."[38] Obwohl Weber

[37] Die Beschreibung eines solchen Systems s. D. L. Oliver, A Salomon
Island Society, 1955.
[38] M. Weber, Wirtschaft und Gesellschaft, Studienausgabe 1956, 2.
Halbbd., S. 832.

mehrfach betont, daß es auf den Glauben an das Charisma einer
Person ankäme, nicht etwa auf den objektiven 'Gehalt' selbst, ist
dem Begriff bei Weber dennoch eine starke religiöse Konnotation
inhärent, die aus der spezifischen Tradition erklärbar ist, der er den
Begriff entnahm: Die kirchenrechtsgeschichtlichen Thesen R.
Sohms und damit letztlich die Verwendung des Wortes Charisma in
der Theologie des Paulus (etwa 1. Kor. 12,4: Διαιρέσεις δὲ χαρισ-
μάτων εἰσίν). Es läge jetzt nahe zu vermuten, daß auch das 'big-
man-system' weitgehend auf religiös-magischen Grundlagen beruhe, daß also der 'big man' sich besonders durch magische
Qualifikationen auszeichnete. Anscheinend steht dieser Aspekt jedoch nicht im Vordergrund, wenigstens sind kaum Fälle bekannt,
daß religiöse Spezialisten (etwa Ekstase-Techniker) in die Rolle
eines 'big man' kamen. Viel eher standen Fähigkeiten wie Streit-
schlichten, Geschenkemachen, Verhandlungsgeschick u. ä. als Voraussetzungen hoch im Kurs. Es ist zweifelhaft, ob die Daten
ausreichen, um mit Sicherheit sagen zu können, daß Religion bei
der Herausbildung ephemerer Herrschaftspositionen keine entscheidende Rolle gespielt hat, aber die vorhandenen Berichte
deuten darauf hin, daß diese mögliche Rolle keineswegs über-
schätzt werden darf. Die Verwendung des Begriffs 'Charisma'
kann hier eher Verwirrung stiften, weil der Sinn des griechischen
Wortes gerade ja den Aspekt der Gabe, des Geschenks enthält,
während er in seiner heutigen Bedeutung in der politischen Soziologie eher den Charakter von 'außergewöhnlicher Fähigkeit' mit
Ausstrahlung auf die Adressaten besitzt. – Eine zweite Überlegung
führt dazu, vorsichtig bei der Annahme einer starken religiösen
Komponente im 'big-man-system' zu sein. Bei einer überwiegend
in Verwandtschaftssystemen organisierten Gesellschaft ist die
verwandtschaftliche Zugehörigkeit des 'big man' von großer Bedeutung. Verwandtschaft ist jedoch auf jeden Fall ein von Religion unabhängiges soziales Ordnungsprinzip, das zwar später
über die Konstruktion mythischer Ahnen religiös thematisiert
werden kann, aber urwüchsig wohl nicht religiös determiniert
war. – Das Problem der auf Dauer gestellten Legitimation von
Herrschaft stellt sich bei dem 'big-man-system' noch nicht und
damit auch noch nicht die Verbindung von Religion und Herrschaft.

Das Häuptlingssystem unterscheidet sich vom 'big-man-system'
durch einen höheren Grad der Institutionalisierung, die sich vor
allem in einer zentralisierten Führung und einem hierarchisch auf-

gebauten Status, sowie häufig durch Erbfolge erweist.[39] Häuptling-
tümer sind sehr weit verbreitet und waren in vielen Fällen wohl
direkte Vorläufer von Staatlichkeit. Eine genaue empirische Abgrenzung zwischen Häuptlingtümern und Königtümern ist oft
schwierig, besonders für den theoretisch sehr interessanten Fall
von Schwarzafrika.[40] Für die idealtypische Betrachtung mag die
Unterscheidung genügen, daß Königtümer einen Verwaltungsstab
besitzen, der nicht primär durch filiale Verbindungen zum König
definiert ist. – Der Häuptling übt zweifelsfrei Herrschaft aus, d. h.,
seine Macht ist mit dem Amt verbunden.[41] In Übernahme der
Theorie vom sakralen Königtum, die uns im nächsten Abschnitt
beschäftigen wird, hat man auch versucht, Elemente des sakralen
Häuptlingtums auszumachen, etwa in Afrika[42] und in Amerika[43].
Besonders die starken Tabu-Vorschriften, die die Person des Häuptlings umgeben, und die Häufigkeit, mit der seine Herrschaft durch
eine Verbindung mit göttlichen Ahnen legitimiert wird, legen es
nahe, an eine enge Verbindung von Religion und Herrschaftsent-
stehung zu denken. Es ist tatsächlich unübersehbar, daß die Para-
phernalien der Häuptlingswürde immer auch religiöse Momente
enthalten. Welche Rolle allerdings religiöse Vorstellungen bei der
Entwicklung des Häuptlingssystems gespielt haben, läßt sich nicht
mehr feststellen, da die Mythen, in denen die religiösen Legitimationen formuliert werden, wohl kaum als Rekonstruktionen ver-
gangener Ereignisse interpretierbar sind. – Gesicherter dagegen ist
der Zusammenhang von Elaboration des religiösen Systems und gesellschaftlicher Differenzierung. Das Häuptlingssystem setzt eine
soziale Entwicklung voraus, die die alleinige Organisation von
Gesellschaft über Verwandtschaftsgruppen transzendiert. Verschiedene Verwandtschaftslinien und Siedlungen müssen in eine Ordnung zueinander gebracht werden, die nicht mehr ausschließlich

---

[39] Service, a. a. O., S. 109.
[40] M. Laubscher, Religiöse Modelle von Staatsbildung, in: B. Gladigow
(Hrsg.), Staat und Religion, 1981, S. 32f. – P. Hadfield, Traits of Divine
Kingship in Africa, 1949 (reprinted 1969).
[41] Vgl. die Definition Webers: „Herrschaft . . . (ist) die Chance, für einen Befehl bestimmten Inhalts bei angebbaren Personen Gehorsam zu
finden." M. Weber, a. a. O., 1. Halbbd., S. 38.
[42] H. von Sicard, Mythe und Staat in Bantu-Afrika, in: H. Biezais
(Hrsg.), The Myth of the State, 1972, S. 128–142.
[43] P. Radin, The Sacral Chief among the American Indians, in: La
Regalità Sacra, 1959, S. 83–97.

durch Abstammung definiert wird, obwohl diese die einzig an-
schauliche Form der Organisation sozialer Beziehungen war. Die
Transponierung der Abstammung in eine mythische Zeit und die
Erklärung der Verzweigung der Linien durch Rekurs auf diese My-
thisierungen setzt ein gewachsenes Potential an religiöser Differenzierung voraus, das zu religiöser Systembildung drängt. In diesem
System kann dann auch die Position des Häuptlings legitimiert werden. Nicht also etwa in einem 'urmenschlichen' Verständnis von
Macht als sakraler Erscheinung liegt die Verbindung von Religion und Herrschaft,[44] sondern in der Verknüpfung von religiöser
und sozialer Evolution.

c) Religion und Herrschaft
vormoderner staatlich organisierter Gesellschaften

In diesem Abschnitt sollen die Beziehungen zwischen Staat und
Religion in den Gesellschaften behandelt werden, die Politik und
Herrschaft staatlich strukturierten, aber nicht der Zeit und dem
Gebiet des okzidentalen Mittelalters zugerechnet werden, weil die-
ses als religionshistorischer Sonderfall erst im folgenden Abschnitt
betrachtet werden wird.

Wegen der großen Anzahl der in Frage kommenden Gesellschaften kann keine auf den Einzelfall zielende Analyse vorgenommen
werden. Im Unterschied zu den beiden vorhergegangenen Abschnitten wird außerdem der Ausgangspunkt diesmal von der Religion genommen und nicht von der institutionalisierten Herrschaft.
Religion erscheint unter den Bedingungen entfalteter Staatlichkeit
in sehr verschieden institutionalisierter Gestalt, so daß es nicht
möglich ist, zwischen Herrschaftsform und der Gestaltung der
Religion gültige Korrelationen herzustellen. Auch kann nicht von
einem 'wesensmäßigen' Konflikt zwischen Staat und Religion gesprochen werden. So war z. B. dem römischen Staat ein solcher
Konflikt völlig fremd, wenn man von den in der spätrepublika-

---

[44] Als Beispiel des kritisierten religionsphänomenologischen Macht-
verständnisses s. G. van der Leeuw, Phänomenologie der Religion, ²1956,
Erster Teil, S. 3–37. Zur Bedeutung des Machtbegriffs in der Religionswissenschaft s. B. Gladigow, Kraft, Macht, Herrschaft. Zur Religionsgeschichte politischer Begriffe, in: B. Gladigow (Hrsg.), Staat und Religion,
a. a. O., S. 7–22.

nischen Zeit verstärkt einströmenden orientalischen Religionen absieht. – Zum Zweck einer besseren Übersichtlichkeit ist es angebracht, zwischen Religionen zu unterscheiden, die als Teil einer Gesamtgesellschaft zu betrachten sind – sog. Volksreligionen – und Religionen, die sich nicht auf eine gegebene soziale Gruppe bezogen – sog. Universalreligionen. G. Mensching hat diese Unterscheidung in vielleicht überzogener Schärfe zum Leitmotiv seiner Religionssoziologie gemacht.[45] Weniger theologisierend kann man von 'organisierter Religion' (organized religion) gegenüber 'diffuser Religion' (diffused religion) sprechen.[46] Zu den Universalreligionen zählen als klarste Ausprägung: Buddhismus und Christentum als älteste Erscheinungen und eine ganze Anzahl von mit ihnen historisch verbundenen Religionen, die in diesem Zusammenhang nicht interessieren. Die Unterscheidung von Universal- und Volksreligion ist für das Verhältnis von Religion und Herrschaft deshalb von besonderem Interesse, weil durch die ersteren eine Loyalitätsbeziehung begründet wird, die nicht identisch ist mit der Loyalität zu der staatlich verfaßten sozialen Gruppe; damit ist der Keim für einen möglichen Konflikt gelegt.

Aber auch in allen anderen Fällen, in denen es nicht zur Herausbildung von Universalreligionen kommt – und das betrifft die Mehrzahl aller Gesellschaften –, wird durch die staatliche Institutionalisierung von Herrschaft die soziale Funktion von Religion auf eine andere Ebene gehoben. Das politische System erfüllt die Funktion, gesamtgesellschaftliche Ziele zu erreichen (Verhinderung von sozialer Devianz, Beziehungen zu anderen Gesellschaften), Religion hat – wie weiter oben ausgeführt wurde – in erster Linie legitimierende Funktion, indem sie 'Begründungen' nicht mehr hinterfragbarer Art für die an sich kontingenten Verknüpfungen im Bereich des sozialen Handelns bereitstellt. Indem die staatliche Organisation der Gesellschaft die politische Funktion auf Dauer spezialisiert und eine Anzahl von Positionen schafft, deren Aufgabe die Erfüllung eben dieser politischen Funktion ist, muß die Gesellschaft im Ganzen reorganisiert werden. Am augenfälligsten geschieht dies im ökonomischen Bereich: Abschöpfung von Sur-

---

[45] G. Mensching, Soziologie der Religion, 1947, S. 98, und ders., Soziologie der großen Religionen, 1966, S. 17.
[46] J. M. Yinger, The Scientific Study of Religion, 1970, S. 259. Yinger übernimmt das Begriffspaar von C. K. Yang, Religion in Chinese Society, 1961.

plus und Redistribution von Gütern unter Einschluß von Dienst-
leistungen. Mit anderen Worten, der Zwangscharakter der Gesellschaft macht sich unmittelbar bemerkbar und damit erhöht sich
auch der Legitimationsdruck für die Herrschenden. Dies hat unmittelbare Auswirkungen für das religiöse System. Langfristig muß
es auf irgendeine Weise mit dem politischen System verknüpft werden. Die Modelle dieser Verknüpfung sind dabei sowohl von der
graduellen Durchdringung der Gesellschaft durch den Staat als
auch von dem Organisationsgrad des religiösen Systems abhängig.

Beginnen wir mit dem letzteren Aspekt: Es kann als gesichert
gelten, daß in vorstaatlichen Verhältnissen Religion in erster Linie
in magischen und ekstatischen Rollen spezialisiert war. Elaborierte
Priestertümer tauchen erst verhältnismäßig spät auf, etwa im kel-
tischen Raum, sofern Caesars Beobachtungen Vertrauen verdienen.
Kultstätten sind lokal definiert und werden in den meisten Fällen in
einem Art 'Familienbetrieb' mit Erbfolge verwaltet worden sein. In
Griechenland haben sich diese Verhältnisse auch unter staatlichen
Bedingungen teilweise erhalten.[47] Eine derart vorstaatlich organisierte Religion wird vor allem dadurch in das staatliche System
integrierbar, indem der vorstaatliche Kult durch die politischen
Instanzen organisiert wird, d. h., die spezialisierten Kultausüber in
ein Abhängigkeitsverhältnis zu den Herrschenden gebracht werden, was am einfachsten durch die Subventionierung des Kultes
geschieht. Am konsequentesten ist dabei eine Monopolisierung an
einem Kultort, der in der Regel zugleich der Ort des Palastes ist.
Historisch greifbar ist uns dieser Vorgang in den Anfängen der
Kultmonopolisierung in Jerusalem in Davidischer und Salomoni-
scher Zeit, wobei auch gleichzeitig die Etablierung einer neuen
Priesterdynastie vorgenommen wurde.[48] In dieser Radikalität ist
die Kultaneignung durch die staatlichen Instanzen nur sehr selten
zu beobachten. Aber Tendenzen dazu bestanden auch in anderen
Gesellschaften. Als wichtigster Motor dieser Entwicklung kann in
erster Linie die Redistributionsübernahme durch den Staat gesehen
werden. Äußerst fragwürdig ist dagegen die oft geäußerte Hypothese, daß der Nucleus staatlicher Herrschaft in einer entfalteten

[47] W. Burkert, Griechische Religion (Die Religionen der Menschheit,
Bd. 15), 1977, und L. Sabourin, Priesthood. A Comparative Study, 1973,
S. 35 ff.
[48] Vgl. dazu: H. Ringgren, Israelitische Religion, ²1982 und H. H.
Rowley, Worship in Ancient Israel, 1967.

Tempelwirtschaft zu sehen sei.[49] Das zur Verfügung stehende
archäologische Material besonders aus dem mesopotamischen
Raum läßt eindeutige Schlüsse in dieser Richtung nicht zu. Redistribution von Gütern setzt eine zumindest teilweise Expropriation
der Produzenten voraus, die in Form von Abgaben, Steuern oder in
Form von Pachten für das bearbeitete Land erfolgen kann. Entloh-
nung für spezialisierte Tätigkeiten ist natürlich älter als die staatliche Herrschaft, und es ist ohne weiteres auch anzunehmen, daß
religiöse Spezialisten unter vorstaatlichen Verhältnissen Teile des
erwirtschafteten Surplus erhielten, aber nirgends sind uns Verhältnisse bekannt, in denen die zwangsweise Wertabschöpfung durch
eine Priesterschaft erfolgte. Das scheinbare Gegenbeispiel der jüdischen Theokratie ist sekundärer Natur und erklärt sich aus dem
Verlust der staatlichen Selbständigkeit, ist also wesentlich jünger als
der israelitische Staat der Königszeit.

Trotz dieser Vorbehalte ist es unbestreitbar, daß die Staatssy-
steme des Alten Orients, die uns als gut dokumentierte Beispiele
von primären Staaten dienen, eine enge Verbindung von Königtum
und priesterlich elaborierter Religion kannten, die so in den späteren mediterranen antiken Staaten nicht mehr auftauchte. Diese
Verbindung war so eng, daß man geradezu von einem 'Sakralen
Königtum' sprach.[50] Inzwischen ist man mit dieser Bezeichnung
etwas vorsichtig geworden. Die schriftlichen Quellen lassen oft
keine eindeutigen Zuordnungen in bezug auf Herrschaft oder Religion zu, so sind schon die Bezeichnungen für 'König' und 'Ober-
priester' nicht durchgängig einsichtig,[51] was aber keineswegs so zu
interpretieren ist, als wären beide Positionen nicht voneinander
unterschieden. Auch wenn nach dem jetzigen Forschungsstand die
These vom 'Sakralen Königtum' oder gar vom 'Altorientalischen
Tempelstaat' nicht mehr aufrechterhalten werden kann, so steht es
dennoch außer Zweifel, daß die altorientalischen Herrscher ihre
Herrschaft in einem erheblichen Maße religiös legitimierten und
sich sehr häufig in explizite Beziehungen zu einem Gott setzten:

[49] So argumentiert immer noch K. Eder, Die Entstehung staatlich
organisierter Gesellschaften, a. a. O., S. 28, und öfter.
[50] I. Engnell, Studies in Divine Kingship, in: The Ancient Near East,
1943; H. Frankfort, Kingship and the Gods, 1948; G. Widengren, Sakrales
Königtum im Alten Testament und im Judentum, 1955.
[51] Kritisch zum Konzept 'Sakrales Königtum': W. Röllig, Zum 'Sakralen Königtum' im Alten Orient, in: B. Gladigow (Hrsg.), Staat und
Religion, a. a. O., S. 114–125.

Vertreter Gottes auf Erden, Sohn Gottes, Verkörperung Gottes;
eine besondere Ausprägung erhielt diese Konzeption im Alten
Ägypten. Da ähnliche Phänomene auch für China, Peru und
Mexiko nachweisbar sind, stellt sich die Frage, ob die dauerhafte
Etablierung von Herrschaft nach dem Modell einer monarchischen
Spitze und einer von ihr abhängigen Beamtenschaft zwangsläufig
von einer Elaboration des religiösen Systems mit Legitimations-
funktion begleitet sein muß. Es ist auffällig, daß in den genannten
Fällen – mit Ausnahme von China – auch Pantheonbildung unter
den Göttern vorgenommen wurde (sehr häufig durch Abbildung
von Verwandtschaftsbeziehungen) und daß ein Gott die Funktion
übernahm, der Obergott der Stadt oder des Staates zu sein. Endgültige Klarheit wird in dieser Frage nicht zu erzielen sein. Nur so
viel kann als gut gesichert angenommen werden, daß – unter Vernachlässigung der Kausalitätsfrage – etablierte staatliche Herrschaft
einen Evolutionsschub für die überlieferten Volksreligionen bedeutete und damit auch andere Mechanismen der Traditionsweitergabe
erreichten. Die enge Symbiose von Herrschaft und Religion schuf
eine gegenseitige Abhängigkeit, die dann besonders ausgeprägt
war, wenn die rituellen Aufgaben wenigstens theoretisch vom Herrscher zu erfüllen waren, wie dies typisch in Ägypten der Fall war.
Aber auch hier sollte es zu denken geben, daß der Pharao gerade die
religiösen Aufgaben regelmäßig delegierte, d. h. doch anscheinend
hier seine Präsenz am entbehrlichsten war.

Die Sachlage wird noch dadurch kompliziert, daß die schriftlichen Quellen zum Verhältnis 'Staat und Religion' in der Regel von
Priestern stammen, die alles Interesse daran hatten, ein ideales Bild
von der Relevanz der priesterlichen Funktionen zu zeichnen. Ausgeprägt ist dies in besonderem Maße für das Alte Indien, wenn
regelmäßig die Bedeutung der Brahmanen überzeichnet wird, während nur gelegentlich die Realität durchschimmert, daß der Herrscher unter den zum Zentrum der Herrschaft drängenden Priestern
souverän seine Hofbrahmanen auswählte und auch vor dem in der
Theorie schlimmsten Verbrechen, der Tötung von Brahmanen,
nicht zurückschreckte.[52]

Neben der Elaboration des religiösen Systems im Zuge der Etablierung staatlicher Herrschaft ist durchgängig eine Indienststellung
der religiösen Spezialisten für Staatszwecke zu beobachten. Tempel

---

[52] Zu diesem Komplex: G. Kehrer, Organisierte Religion, 1982, bes.
S. 60–63, dort auch weitere Literatur.

und Palast (unter Einschluß von Administration) werden zwar
nicht identisch (vielleicht mit Ausnahme von Sumer), aber der Tempel
ist immer auch ein Ort, an dem der Herrscher als Herrscher von
Zeit zu Zeit präsent wird. Das politische Leben ist von Religion
durchdrungen. Wenigstens in der Theorie geschieht nichts politisch
Entscheidendes, ohne daß auch das religiöse System involviert ist.
Ein geradezu klassisches Beispiel ist der römische Staat mit seinem
ausgebildeten Sakralwesen.[53] Auch wenn die Anfänge dieses Systems
in der Königszeit wohl für immer ungeklärt bleiben werden, ist
doch schon seine Existenz unter der Republik von größtem Interesse
für die Religionssoziologie. Die religiöse (rituelle) Durchdringung
der Politik führt niemals zu einer Dominierung der Politik
durch Religion. Das hohe gesellschaftliche Prestige religiöser Ämter
korreliert auffällig mit politischer Einflußlosigkeit: der „flamen
Diālis" (Priester des Jupiter) war politisch so depotenziert, daß das
Amt jahrzehntelang nicht besetzbar war. Selbst wenn man geneigt
ist, Rom als einen Sonderfall zu betrachten, so gilt dies doch nur
für die besondere Schärfe der Ausprägung einer Beziehung von
Religion und Staat, wie sie ähnlich auch in China und anderen vormodernen
Staaten zu beobachten ist: Volksreligionen (diffused religion)
scheinen unter den Bedingungen entfalteter staatlicher Herrschaft
nicht in der Lage zu sein, ein hohes Maß an organisierter
Selbständigkeit zu erreichen. Der Elaboration des rituellen und
(manchmal) theologischen Systems entspricht nicht annähernd eine
strukturelle Verselbständigung der Priesterschaft. So ist es auch
nicht verwunderlich, daß zum einen solche religiösen Systeme auch
unter wechselnden Herrschaftsverhältnissen wenig modifiziert weiterexistieren,
sofern nur die staatliche Unterstützung durch materielle
Zuwendungen erhalten bleibt und zum anderen bei Wegfall
dieser Unterstützung solche Religionen relativ schnell 'untergehen'.
Für beide Vorgänge bietet Ägypten ein lehrreiches Beispiel,
aber auch die seltsame Perseveranz des römischen Kultus und sein
schnelles Ende in den letzten Jahrzehnten des vierten Jahrhunderts
kann zur Illustration herangezogen werden.

Ein völlig anderes Bild ergibt sich, wenn man das Verhältnis von
Universalreligionen (organized religions) und Staat betrachtet.
Läßt man den Sonderfall des Islam außer acht, der zwar eine sog.
gestiftete Religion universalen Typs ist, aber organisatorisch die

[53] G. Wissowa, Religion und Kultus der Römer, ²1912; K. Latte,
Römische Religionsgeschichte, ²1960.

Merkmale einer 'diffused religion' aufweist, so kommen für die vormodernen Staaten vor allem Buddhismus und Christentum in Betracht. Beide Religionen haben ihre Blüte in Gesellschaften erlebt, in denen sie eine Art Staatsreligion waren (einerseits die Länder des Theravada-Buddhismus: Ceylon, Burma, Thailand usw., andererseits die christianisierten Länder Europas). Diese Beobachtung entbehrt nicht einer gewissen Ironie: Sowohl Buddhismus als auch Christentum haben eigenständige, vom Staat unabhängige Organisationen gebildet (sangha und Kirche) und immer eine gewisse Distanz zur 'Welt' betont. Bei näherer Betrachtung zeigt es sich jedoch, daß darin kein unbedingter Widerspruch liegt. 'Organized religions' sind immer in einer prekären Situation, was ihr Überleben anbetrifft. Sie sind – wie alle Religionen – darauf angewiesen, materielle Unterstützung von außen zu erhalten und stehen dabei zunächst in einer Konkurrenzsituation zu anderen Anbietern von Religion. Sobald eine bestimmte Größe überschritten ist und religiöse Berufsrollen geschaffen sind, steigt dieser Bedarf. Besonders im Buddhismus, der ja von Anfang an die erwerbslosen Mitglieder der sangha kannte, wurde das Problem drängend, als Klöster, Dauerresidenzen der Mönche, entstanden. Es stellen sich jetzt wieder dieselben Mechanismen ein, die uns schon bei den Volksreligionen unter staatlichen Bedingungen begegneten: Die Herrscher fördern und alimentieren die Religion.[54] Schwierig ist die Frage der Motivation. Neben der vorhandenen Möglichkeit, daß aus religiöser Überzeugung gehandelt wird, ist bestimmt auch häufig die Überlegung gegeben, daß die Förderung einer 'organized religion' Herrschaft stabilisieren kann. Religionen dieses Typus sind in der Regel organisatorisch gut strukturiert und verfügen über ein beträchtliches Potential an akkumuliertem Wissen, das auf rationale Weise weitergegeben wird. Durch Rekurs auf Stiftungsquellen (kanonisierte heilige Texte) und die dauernde Aufgabe, diese Texte in bezug auf wechselnde Situationen auslegungsfähig zu machen, ist ein hohes Maß an Rationalität und interner Organisation gefordert, das auch für staatliche Aufgaben dienstbar gemacht werden kann. Es ist deshalb nicht verwunderlich, daß – wie in Südostasien teilweise geschehen – eine 'organized religion' (in diesem Fall der Buddhismus) geradezu staatlicherseits importiert wird, um das religiöse System zu innovieren. – Anders verhält es sich, wenn eine 'organized religion' auf ein rationales Staatssystem in voller Entfaltung trifft, wie

[54] Vgl. D. E. Smith, Religion und Politics in Burma, 1965, S. 3–37.

es für das Christentum im römischen Staat der Fall war. Unter
welchen Bedingungen es dabei zu Konflikten kommen muß, bedarf
jeweils der genauen Untersuchung der politischen und religiösen
Fakten. Das wechselvolle Schicksal des Christentums vor Konstantins
Toleranzedikt zeigt auf jeden Fall, daß mit einem 'naturgegebenen'
Spannungsverhältnis nicht ohne weiteres zu rechnen ist.[55] Sobald
mit der neuen Religion als gesellschaftlichem Machtfaktor ernsthaft zu rechnen ist, verändert sich das Verhältnis der Herrschenden
zu dieser Religion. Entscheidend ist dann, wieweit eine mögliche
Übereinstimmung von religiösem und staatlichem Wertsystem von
den Beteiligten angenommen wird. – Die entscheidende Differenz
scheint aber in dem Umstand zu liegen, ob die 'organized religion'
auf ein voll entfaltetes staatliches System trifft, in dem sie ihren
Platz suchen muß, oder ob sie selbst an dem Aufbau einer sich
entwickelnden Staatlichkeit entscheidend partizipiert. Für das
Christentum zeigt sich diese Differenz am deutlichsten im Vergleich
zwischen Byzanz und etwa dem Merowingerreich, für den Buddhismus im Vergleich zwischen Burma und China. Während sowohl in
Byzanz als auch in China Christentum bzw. Buddhismus zwar
Blüten erlebten, blieb doch der politische Einfluß vergleichsweise
gering, ja es konnte sogar noch nach der Anerkennung des Buddhismus in China zu Verfolgungen kommen.[56] Die Herrschaft des
Kaisers in Konstantinopel legitimierte sich nicht durch kirchliche
Bestätigung, eher usurpierte der Kaiser religiöse Legitimationen,
so daß man von Ansätzen eines Cäsaropapismus sprechen kann. –
Ganz anders verhielt es sich im Frankenreich und in Burma. Hier
übernahmen religiöse Führer wichtige Staatsämter. Die Herrschenden bedurften gewissermaßen der religiösen Infrastruktur, um
überhaupt erst eine staatliche Durchdringung der Gesellschaft zu
ermöglichen. Hier war damit auch der Keim zu den Konflikten
zwischen Kaiser und Papst und König und Bischöfen im Mittelalter
gelegt, der uns im nächsten Kapitel beschäftigen wird.

[55] Vgl. neuerdings: E. Herrmann, Ecclesia in Republica, 1980.
[56] J. J. M. de Groot, Sectarianism and Religious Persecution in China,
2 Bde., 1903/4.

d) Religion und Politik im europäischen Mittelalter

Das europäische Mittelalter ist ein religio-politischer Sonderfall. Zum einen wird diese Epoche religiös dominiert von einer etablierten religiös-kirchlichen Organisation, die in dieser Universalität religionshistorisch einmalig war und bleiben sollte. Zum anderen ist die Epoche politisch gekennzeichnet durch die allmähliche Herausbildung des Territorialstaates und die Ablösung des germanischen Königtums. Das Zusammentreffen der beiden Entwicklungsreihen – religiöse Organisation und staatliche Suprematie auf territorialer Grundlage – ist die Basis für den vielbeschworenen Kaiser-Papst-Konflikt des Mittelalters.

In der religionssoziologischen Literatur besteht eine Neigung, das mittelalterliche Staatssystem in seinem Verhältnis zur Religion als eine 'modifizierte Theokratie' zu sehen[57]: „Während der Staat der religiösen Institution und ihren Führern untergeordnet ist, selbst in weltlichen Dingen, existiert er immerhin als eine gesonderte Einheit. Der Staat wird hier als ein Gewaltinstrument der Religion gesehen, als ein notwendiges Instrument wegen der Neigung der Menschen, von den gesellschaftlichen Normen abzuweichen; dennoch bleibt der Staat für seine Herrschaft abhängig von der Religion. Die meisten mittelalterlichen europäischen Gesellschaften, die vom römischen Katholizismus beherrscht waren, gehörten zu diesem Typus." Wer nur ein wenig die Geschichte des Mittelalters kennt, weiß, wie falsch diese Charakterisierung ist. Sie gibt bestenfalls den päpstlichen Anspruch wieder, wie er durch Bonifaz VIII. in dessen Bulle ›Unam sanctam‹ vom Jahre 1302 formuliert wurde, aber sich niemals realisierte. – Die Realität der religio-politischen Beziehungen ist wesentlich komplexer. Um die Hauptzüge besser zu verstehen, ist es am besten, die Anfänge kurz zu skizzieren.[58] Es besteht in der Forschung eine gewisse Einmütigkeit darin,

---

[57] Siehe u. a. R. L. Johnstone, Religion and Society in Interaction, 1975, S. 177.

[58] Aus der unübersehbaren Literatur sei als für den hier interessierenden Aspekt besonders relevant erwähnt: E. Eichmann, Die Kaiserkrönung im Abendland, 2 Bde., 1942; H. Duchhardt (Hrsg.), Herrscherweihe und Königskrönung im frühzeitlichen Europa, 1983; W. Ullmann, The Carolingian Renaissance and the Idea of Kingship, 1969; Th. Meyer (Hrsg.), Das Königtum, 1956; E. H. Kantorowicz, The King's Two Bodies, 1957; L. Rougier, Le caractère sacré de la royauté en France, in: La Regalità Sacra, a. a. O., S. 609 ff.; L. Ejerfeldt, Myths of the State in the West

daß mit der Erhebung Pipins zum König der Franken (rex francorum) im Jahre 751 ein neues Kapitel im abendländischen Staatsverständnis aufgeschlagen wird. Religionssoziologisch ist es nicht so entscheidend, daß die Krönung und Salbung geschah, obwohl der legitime, wenn auch völlig machtlose merowingische König Childerich noch lebte, sondern daß – wohl wegen der gewissen Illegitimität der Usurpation – die religiös-kirchlichen Anteile an dem Akt besonders deutlich wurden. Ist das vormittelalterliche germanische Königssystem noch so konzipiert, daß der König – wenn auch unter Berufung auf eine in den Ursprüngen fiktive Ahnenreihe – Repräsentant des Volkes – der gens – ist und seine Qualifikation damit eher charismatisch und darin dem Häuptlingtum verwandt ist, so reklamiert der fränkische König von den Karolingern an eine religiös-christliche Weihe, die sich expressis verbis auf alttestamentliche Überlieferung stützt: Die Salbung. Obwohl die Salbung schon im Alten Orient bekannt war und ursprünglich wohl keinerlei religiös-politische Bedeutung hatte (außer daß die Salbung immer ein Zeichen der Hochachtung war), gewinnt sie im Christentum eine neue Bedeutung: Zunächst wurden alle Täuflinge gesalbt, später nur noch die Kleriker und besonders die Bischöfe. Indem nun auch die Könige gesalbt werden, erhalten sie fiktiv den Klerikerrang (was sie auch gelegentlich wahrnahmen: Abendmahl in beiderlei Gestalt, Evangelienverlesung in der Kirche), und sie stützen sich zugleich auf ein Heilsgut der organisierten Kirche (tatsächlich wurde manchmal die Königssalbung als Sakrament betrachtet). Unbestreitbar handelt es sich bei der Krönung Pipins um eine Absprache zwischen Papst und Karolinger zum gegenseitigen Nutzen, aber diese Absprache hatte Folgen, die weit über die Motive der Beteiligten hinausgingen.

Das entscheidende soziale Faktum, das die wechselvolle Geschichte von 'Staat' und 'Kirche' im Mittelalter bestimmte, war die veränderte Legitimationsbasis des Königtums. Staat im Sinne von 'res publica' bezeichnete eigentlich nur den römischen Staat und später das byzantinische Staatswesen; bezeichnenderweise spielte deshalb auch in Byzanz bis zum 'lateinischen Kaisertum' die Kirche keine besondere Rolle bei der Kaisererhebung (es gab keine Salbung). Erst im westlichen Europa stellte sich eine neue Situation ein. Einerseits legitimierte sich die Königsmacht von unten nach

European Middle Ages, in: H. Biezais (Hrsg.), The Myth of the State, 1972, S. 160 ff.

oben, andererseits war dieses Prinzip mit einem imperialen Anspruch nicht vereinbar. In diese Lücke konnte ein kirchliches Legi-
timationshandeln eindringen. Erleichtert wurde dies noch durch
den Umstand, daß Reste des antiken Kaisergedankens durch die
Krönung in Rom bewahrt werden konnten, in der Stadt, in der der
Papst auch weltliche Macht hatte, wenn auch durch Berufung auf
gefälschte Privilegien Konstantins, und in der der Papst lange Jahrhunderte hindurch auch vom Volk der Stadt gewählt wurde. Der
Papst selbst mußte, solange die alten Familien Roms noch mächtig
waren, ein Interesse daran haben, den Kaiser als Schutzmacht zu
behalten. So gab es durchaus ein anfängliches Interessengleichgewicht
zwischen Kaiser bzw. König und Papst.

Es liegt nicht in der Natur der Sache, daß Staat und Kirche in ein
Konfliktverhältnis zueinander geraten müssen. Der Grund für den
Konflikt im Mittelalter lag in erster Linie in der Territorialität der
römischen Kirche. Schon in der Spätantike hatte sich die Kirche
anhand der Verwaltungsgebiete des römischen Staates organisiert.
Eine solche Entscheidung impliziert sofort eine Hierarchisierung
der Organisation, die durchaus noch nicht monarchisch ausgerich-
tet zu sein braucht. – Wird in den Missionsgebieten das Territorialprinzip beibehalten bzw. eingeführt, so entsteht ein neues Problem:
Missionsgebiete sind zugleich auch Gebiete, die neu unter die
Herrschaft eines christianisierten Herrschers fallen, wodurch eine
starke Abhängigkeit neu gegründeter Bistümer vom politischen
Herrscher hergestellt wird. Der Keim zum Konflikt zwischen
Kirche und Staat ist schon gelegt, der dann im sog. Investiturstreit
voll erblühen sollte.

Es ist an dieser Stelle nicht notwendig, die bekannten Ereignisse
dieser Epoche zu wiederholen. Religionssoziologisch relevant ist
jedoch die Feststellung, daß es in keiner anderen Gesellschaft und
Epoche zu ähnlichen Erscheinungen kam. Im Islam gab es genügend religiös-politische Konflikte, aber selbst die Bestreitung der
Rechtmäßigkeit des Kalifats durch die Schiiten führte nicht zu
einer vergleichbaren Dialektik von Religion und Politik wie im
europäischen Mittelalter. Es mag auf den ersten Blick als weit her-
geholt erscheinen, wenn man darüber nachdenkt, ob nicht dieser
singuläre historische Konflikt die Grundlage für viel abstraktere
Spekulationen über das Verhältnis von Religion und Gesellschaft
ist. Die relative Selbständigkeit, die dem religiösen Faktor oft zugeschrieben wird, findet ihr Pendant in dem organisatorischen Eigenleben der römischen Kirche des Mittelalters, die bis in das 16. Jahr-

hundert hinein alle Bestrebungen, das Imperium ohne kirchliche Legitimation zu etablieren, verhindern konnte.

Trotz der immensen Bedeutung, die die hier skizzierten Ereignisse für das Europa der Neuzeit haben und deshalb auch in einer doch hauptsächlich okzidental orientierten Religionssoziologie Erwähnung finden müssen, soll immer wieder betont werden, daß man sich vor vorschneller Übertragung auf andere gesellschaftliche und religiöse Gebiete und Epochen hüten muß.

e) Religion und Politik in der modernen Gesellschaft

Die starke Betonung, die in der Soziologie auf die Analyse der modernen Gesellschaft gelegt wird, führt dazu, daß auch für das Verhältnis von Religion und Politik hier ein Schwerpunkt liegt. Bei der näheren Betrachtung der einschlägigen Literatur zeigt es sich jedoch sehr schnell, daß es bis jetzt kaum theoretische Modelle gibt, die die Beziehungen zwischen Religion und Politik im System moderner Gesellschaften befriedigend analysieren. – Geht man von den äußeren Faktoren aus, so ist das wichtigste Kennzeichen moderner Gesellschaften in bezug auf das religiöse System der rechtliche und in vielen Fällen auch der faktische religiöse Pluralismus, der einerseits eine Folge der Reformation und andererseits ein Ergebnis der Bildung von Territorialstaaten ist. Dieser Pluralismus darf nicht verwechselt werden mit der auch in anderen Gesellschaften bekannten religiösen Toleranz, die es – in bestimmten Grenzen – dem Untertanen freistellt, sich in irgendwelchen Kulten zu engagieren, wobei aber immer die enge Verbindung von Staat und einem ihm zugeordneten öffentlichen Kult erhalten blieb (also etwa im Beispiel Roms). Der Pluralismus moderner Gesellschaften tendiert demgegenüber dazu, die Verbindung von Religion und Politik wenigstens theoretisch aufzuheben und Religion zur Privatsache des Bürgers zu erklären. Wir werden noch sehen, daß diese Tendenz nur in wenigen Fällen auch faktisch realisiert ist.

Die Reformation bezeichnet nicht nur das Ende der organisatorischen Einheit des okzidentalen Christentums, sondern zugleich in grober Zeitbestimmung auch den Beginn der Neuzeit. Neben vielen Versuchen, den Erfolg der Reformation in ökonomischen Bedingungen zu suchen, wurde auch der Versuch unternommen, eine Korrelation zwischen den politischen Systemen der Gesellschaften und dem Erfolg bzw. Mißerfolg der Reformation herzustellen. Die

sehr komplexen Überlegungen Swansons[59] gehen auf die schon oft
gemachte Beobachtung zurück, daß die historisch stabilen parla-
mentarischen Demokratien in Europa fast alle in protestantisch
geprägten Gesellschaften anzutreffen sind.[60] Wenn man nicht eine
innere Verbindung von Protestantismus und Demokratie annehmen
will – was für die Reformationsepoche schlicht unmöglich ist –, so
kann man diese Beobachtung in ihrer Fragestellung auch umkehren
und versuchen festzustellen, was im politischen System einer Gesellschaft die Durchsetzung der Reformation begünstigte. Swanson
nimmt als hervorstechendstes Merkmal des protestantischen Christentums die Idee des absolut transzendenten Gottes an, während
im Katholizismus Momente der Immanenz Gottes vorhanden
seien.[61] Swanson differenziert die politischen Systeme Europas der
Reformationszeit danach, ob die Zentralregierung lediglich ihre
eigenen Absichten zu realisieren versuchte, d. h. nicht als Repräsentant von anderen Körperschaften oder Institutionen betrachtet
wurde, oder ob sie ihre innere und äußere Macht mit Repräsentanten solcher Körperschaften zu teilen hatte und demzufolge einen
Kompromiß zwischen eigenen Absichten und denen anderer und
unabhängiger Handlungsträger darstellte. Ohne auf die verwik-
kelte Typologie Swansons einzugehen,[62] kann sein Ergebnis so
referiert werden: Der Katholizismus behauptet sich in Gesellschaften, deren politisches Regime nicht durch repräsentative Elemente
gekennzeichnet ist (entweder auf aristokratischer Basis = Florenz
oder auf monarchischer Basis = Spanien). Während die protestantische Reformation in Gesellschaften erfolgreich war, deren Herrschaftssystem solche Elemente enthielt. Der für Swanson wichtige
Unterschied zwischen lutherischer bzw. anglikanischer Reformation auf der einen Seite und calvinistischer bzw. zwinglianischer
Reformation auf der anderen Seite ist hier vernachlässigt. – Zweifellos ist Swansons Analyse kritikanfällig: Die Vernachlässigung dia-
chronischer Betrachtungsweise zugunsten einer synchronen Typologie ist für jeden Historiker äußerst fragwürdig. Allerdings ist es

[59] G. Swanson, Religion and Regime, 1967.
[60] Siehe S. M. Lipset, Political Man, 1960.
[61] Die Grundgedanken dazu entwickelte er in einem früheren – nicht
auf das Christentum konzentrierten – Buch: G. Swanson, The Birth of the
Gods, 1960.
[62] Er stellt insgesamt fünf Typen auf, deren Abgrenzung voneinander
manchmal etwas problematisch ist. Zusammenfassend: G. Swanson, Religion and Regime, a. a. O., S. 226–241.

bemerkenswert und zugleich den Versuch wert, Gesellschaften einmal unter einem bestimmten Gesichtspunkt unter Außerachtlassung der Entstehungsbedingungen zu typisieren und mit anderen ebenfalls typisierten Merkmalen zu korrelieren. Der Ertrag einer solchen Betrachtung vermag die Theoriebildung voranzubringen, auch wenn im Detail manche Aussagen bedenklich bleiben.

Es wurde deshalb so ausführlich auf die Arbeit Swansons eingegangen, weil das von ihm vorgeführte Beispiel auf eine höchst bedeutsame religionssoziologische Frage hinführt: Bedürfen moderne Gesellschaften ganz bestimmter religiöser Systeme, um ihre politische Struktur aufrechtzuerhalten? Wir wollen uns der Beantwortung dieser Frage über den bewährten Umweg der Betrachtung der Eigentümlichkeiten des politischen Systems moderner Gesellschaften nähern. Moderne Herrschaftssysteme sind in erster Linie gekennzeichnet durch die vollständige Trennung von Amt und Person. Herrschaft wird kraft Amtes ausgeübt, wobei die Person des Amtsinhabers prinzipiell sekundär ist und auch als beliebig austauschbar erscheint. Dem korrespondiert das zweite Merkmal, der immer stärkere Ausbau eines politischen Verwaltungsstabs, einer Bürokratie, die unter Absehung von den jeweiligen Herrschaftsinhabern es überhaupt erst ermöglicht, eine gesamte Gesellschaft dem Herrschaftswillen zu unterwerfen. Dieses Moment der Totalität ist das dritte Merkmal des modernen Staates, der keine staatsfreien territorialen Räume und keine staatsfreien Personen in seinem Herrschaftsbereich zu dulden bereit ist. Dies darf nicht verwechselt werden mit dem vulgären Totalitarismusverdacht: Die Aussparung staatsfreier Räume (etwa sog. Grundrechte des Bürgers) ist davon nicht betroffen. – Wie allgemein bekannt, war es eine lange Geschichte, bis sich dieser Staat über Absolutismus und Revolution im Okzident durchsetzte und erfolgreich alle intermediären-politischen Instanzen zwischen Staat und Bürger entmachtete. – Die Stabilität einer so umfassenden politischen Herrschaft kann nur gewährleistet werden, wenn die Legitimität der politischen Ämter und die des Verwaltungsstabs unabhängig von den jeweiligen Personen, die die Ämter innehaben, gesichert ist, denn jede auf die Person gerichtete Loyalität würde bei einem Amtswechsel das gesamte System fragil machen. Entscheidend ist die Tatsache, daß sich der moderne Staat für seine Legitimation nicht, oder wenigstens nur in sehr geringem Maße, der Religion bedient. Selbst in den sog. Staatskirchenländern (skandinavische Staaten, England) ist der Anteil, den die Staatskirchen am Legitimationssystem haben, nicht bedeutend. Die Gründe für dieses Phänomen sind in der verschlungenen Geschichte der Durchsetzung des modernen Staates einerseits und in der Geschichte der organisierten Religion andererseits zu suchen. Schon das mittelalterliche Herrschaftssystem balancierte das Verhältnis von Kirche und Königtum aus. Seit der Reformation und dem durch sie begründeten Gegensatz zwischen Protestantismus und Katholizismus war die Dominanz eines der religiösen Systeme in einer Gesellschaft ohne staatliche Unterstützung nicht mehr möglich. Das religiöse Territorialprinzip (cuius regio, eius religio) läßt faktisch das Kirchenwesen zu einer Provinz staatlicher Verwaltung werden, wenn auch diese Tendenz in den protestantischen Staaten ausgeprägter wirken konnte als in katholischen. Trotz dieser Abhängigkeit blieb eine gewisse organisatorische und vor allem ideologische Selbständigkeit der Kirchen erhalten, die sich niemals restlos dem Staate unterwerfen konnte. Diese Doppelzügigkeit machte sich deutlich bemerkbar, als die religiöse Homogenität der staatlichen Territorien im Zuge der Bildung der sog. Nationalstaaten unter gleichzeitiger rechtlicher Garantie der religiösen Pluralität der Vergangenheit angehörte. Nationalismus, Übereinstimmung mit Verfassungsbestimmungen, Aufrechterhaltung des nationalen Wohlstands bildeten nun zusammen oder einzeln die Legitimationsgrundlagen des modernen Staates. Wollten die Kirchen nicht jeden Einfluß auf das politische Geschehen verlieren, mußten sie in ihr religiöses System die Grundwerte dieser legitimierenden Werte aufnehmen, obwohl sie ihnen ursprünglich fremd waren. Naturgemäß fiel dies den protestantischen Kirchen leichter als der katholischen, die dieses aggiornamento endgültig erst mit dem Zweiten Vatikanischen Konzil vollzogen hat. Die Unabgeschlossenheit dieses Prozesses läßt sich bis heute an Erscheinungen in den sozialistischen Ländern, in Lateinamerika, aber auch dem Friedensengagement der okzidentalen Kirchen ablesen.

Gegenüber diesen weitreichenden Entwicklungen sind die rechtlichen Gestaltungen des Verhältnisses von Kirche und Staat, die in der religionssoziologischen Literatur unverhältnismäßig viel Raum einnehmen,[63] nur sekundär, denn ob nun eine bestimmte Kirche als Staatskirche eine etwas privilegiertere Stellung hat oder ob die Trennung von Staat und Kirche radikal durchgeführt ist, wie in den

[63] Zum Beispiel R. L. Johnstone, Religion and Society, in: Interaction, 1975, S. 176–195. Das sind fast zwei Drittel des gesamten Kapitels ›Religion and Politics‹.

USA und Frankreich, oder nur halbherzig, wie in der Bundesrepublik Deutschland, ändert wenig an der Tatsache, daß – von wenigen Ausnahmen abgesehen (etwa der Sonderfall der Republik Irland) – die Loyalität des Staatsbürgers gegenüber dem Herrschaftssystem nicht über die Religion vermittelt wird.

Zwei Einwände gegenüber dieser Betrachtung können erhoben werden: 1. Weisen nicht bis zum heutigen Tag zahlreiche Konflikte zwischen Kirche und Staat darauf hin, daß religiöse Thematiken sehr wohl das politische Geschehen beeinflussen und daß religiöse Zugehörigkeit entscheidend für politisches Verhalten (Wahlen) ist? 2. Gibt es nicht eine Renaissance religiös-fundamentalistischer Strömungen, die auch politische Auswirkungen haben, etwa sichtbar am Beispiel des Iran?

Der erste Einwand berührt ein äußerst reizvolles Grenzgebiet politologischer und religionssoziologischer Forschung. Es gibt in den westlichen Gesellschaften tatsächlich eine ganze Reihe von vom Staat zu reglementierenden Handlungsfeldern, auf denen die Kirchen traditionell bestimmte Werte vertreten, die aber nur durch staatliche Gesetzgebung unter Umständen durchsetzbar sind: Empfängnisverhütung, Schwangerschaftsabbruch, religiöse Erziehung in den Schulen, Ehescheidung – um nur die wichtigsten zu nennen. Je nach Mehrheitsverhältnissen wechseln die Chancen der Kirchen, ihre Positionen als staatlich sanktionierte realisieren zu können. Betrachtet man jedoch langfristig die Entwicklung in den westlichen Gesellschaften, so ist es unverkennbar, daß es nur in den seltensten Fällen den Kirchen gelungen ist, Entwicklungen aufzuhalten oder gar zu verhindern, meistens beschränkten sich ihre Möglichkeiten auf das Anbringen einiger Korrekturen. Diese Beobachtung steht in einem scheinbaren Gegensatz zu der gesicherten Erkenntnis, daß in vielen Gesellschaften Wahlentscheidungen anscheinend auch durch religiöse Zugehörigkeit bedingt sind,[64] obwohl auch hier Nivellierungstendenzen sich bemerkbar machen. Hier ist zu berücksichtigen, daß Parteipräferenzen sehr stabil sind und regional auf eine lange Tradition zurückblicken können. So ist z. B. die starke Position der CDU in ländlich-katholischen Gebieten eine Erbschaft des alten Zentrums und geht damit in die Zeiten des Kulturkampfes zurück, während die ländlichen Wähler dersel-

---

[64] Für Deutschland: E. Blankenburg, Kirchliche Bindung und Wahlverhalten, 1967; für die USA immer noch: G. Lenski, The Religious Factor, 1961, dt.: Religion und Realität, 1967.

ben Partei etwa in Schleswig-Holstein diese als Nachfolgerin der DNVP wählen. Ähnliches läßt sich für die USA zeigen: Das leichte Übergewicht der Demokraten bei den katholischen Wählern resultiert nicht aus der katholischen Ausrichtung der Partei, sondern eher daraus, daß die Demokraten besonders in den städtischen Ballungsgebieten des Ostens die Interessen der unteren Schichten vertraten, zu denen nun auch die relativ spät eingewanderten katholischen Iren, Italiener und Polen gehörten. – Regelrechte kirchliche Essentials werden so gut wie nie zum Wahlkampfthema sog. christlicher Parteien gemacht, sofern diese eine reelle Chance auf Machterwerb haben.

Der zweite Einwand kann in seiner Tragweite heute noch nicht überblickt werden. Ob es sich im Iran um einen Sonderfall handelt, der erklärbar ist aus der besonderen Situation eines Landes, in der die Shia zur Staatsreligion wurde und damit ein besonders prekäres Verhältnis von Staat und Religion begründete,[65] oder ob sich hier tieferliegende Trends bemerkbar machen, kann nicht entschieden werden. Sicher ist jedoch, daß Gesellschaften in Krisensituationen auf Elemente religiöser Tradition zurückgreifen können, die historisch überholt erscheinen.[66]

f) Religion und Krieg[67]

Im Zeichen einer sich verstärkenden Bemühung der christlichen Kirchen um die Erhaltung des Weltfriedens ist es nötig, darauf hinzuweisen, daß religionshistorisch gesehen zwischen Religion und Krieg kein Widerspruch besteht. Wir verstehen unter 'Krieg' eine staatlich regulierte, auf Gewalt basierende Austauschbeziehung mit anderen Gesellschaften. In allen Gesellschaften mit 'diffused religions' bestehen anscheinend keine Probleme, Religion in das

---

[65] H. G. Kippenberg, Religion und Politik im Iran, 1981.

[66] W. Mühlmann et. al., Chiliasmus und Nativismus, 1961. Zum Phänomen des Krisenkults gibt einen guten Überblick: M. Laubscher, Krise und Evolution, in: P. Eicher (Hrsg.), Gottesvorstellung und Gesellschaftsentwicklung, 1979, S. 131–147. Zum Thema Religion und politische Modernisierung: D. E. Smith (Hrsg.), Religion and Political Modernization, 1974.

[67] Lit. zum Thema 'Krieg, Frieden, Religion': F. Bammel, Die Religionen der Welt und Frieden auf Erden, 1957; E. J. M. Kroker (Hrsg.), Die Gewalt, 1976; J. A. Aho, Religious Mythology and the Art of War, 1981.

Kriegsgeschehen zu integrieren. So waren religiöse Handlungen ein untrennbarer Teil der römischen Kriegführung. Selbst wenn das religiöse System schon so weit verselbständigt war, daß spezifisch kriegsfeindliche Werte dominierten, etwa in Indien, so gab es doch genügend theologische Möglichkeiten, Kriegführung zu legitimieren; die Bhagavad-Gita ist ein grandioses Beispiel dafür. Auch vom Buddhismus bestimmte Gesellschaften in Südasien haben Krieg geführt. Es scheint auch in diesem Fall so zu sein, daß religiöse Motive gesamtgesellschaftlich sich nicht gegen grundlegende Strukturen durchzusetzen vermögen. Es ist an dieser Stelle nicht möglich und auch nicht notwendig, die Stellung der verschiedenen Religionen zu Krieg und Frieden zu referieren (entsprechende Literaturhinweise sind in der Anmerkung 67 gegeben). Auch die wechselvolle Geschichte der sog. historischen Friedenskirchen (Mennoniten, Quäker u. a.) steht hier nicht zur Diskussion, entscheidender ist der Hinweis, daß der unbestreitbare Pazifismus einiger Weltreligionen, Christentum und Buddhismus sind vor allem zu nennen, und die gleichzeitige soziale Nötigung, daß sich auch die Religionen mit der Tatsache des Krieges abfinden mußten, zu einer reichen theologischen Typologie der Kriege und zu einer Kasuistik ihrer Rechtfertigung führte, die bis heute zwischenstaatliche Argumentationen bestimmt. An erster Stelle ist hier die aus antiken Modellen entnommene Kategorie des gerechten Krieges (bellum iustum) zu nennen. Den Legitimationsdruck, unter den die Kriegführenden gerieten, gab es zwar auch schon bei den bekannten Kriegen in der Antike, aber er wurde nochmals durch das Christentum verstärkt. Demgegenüber spielt die Denkfigur des 'Heiligen Krieges' im Islam, aber auch im Christentum bekannt (Kreuzzüge), nur eine untergeordnete, wenn auch in Krisenzeiten jederzeit wieder aktivierbare Rolle.

g) Schlußbetrachtung

Wir haben gesehen, daß 'politische' Prozesse in allen uns bekannten Gesellschaften ablaufen, wenn auch die Ausdifferenzierung in einem System 'Staat' erst rezenten Ursprungs ist, wobei allerdings dieses System sich als evolutionsförderlich erwies, so daß sein Siegeszug über den Globus (teils als Folge von Imperialismus und Kolonialismus) unaufhaltsam gewesen ist. Im Zuge dieser Entwicklung verlieren die außerstaatlichen Mechanismen der Konformitätserzwingung – Etikette, Sitte und auch Ritus – an Bedeutung, ohne jedoch völlig zu verschwinden.

Mit Bedacht wurde der Bereich 'Religion und Politik' an den Anfang des Kapitels ›Religion und Gesellschaft‹ gestellt, weil die Transformationen des politischen Systems für das religiöse System von entscheidender Bedeutung sind. Im Vordergrund stehen dabei Veränderungen in der Organisationsstruktur von Religion. In dem Maße, in dem für die Subsistenz der religiösen Spezialisten Leistungen des Staates, als des wichtigsten Empfängers von Surplus-Produktion, gesucht werden, kommt es zu einer engen Verflechtung staatlicher und religiöser Interessen, wobei die staatlichen Instanzen letztendlich entscheidend sind. Selbst in einer Situation des religiösen Pluralismus mit Trennung von Kirche und Staat, wie sie heute in vielen Gesellschaften gegeben ist, spielen Mechanismen der Steuerbefreiung und steuerlichen Anrechenbarkeit von privaten Leistungen an die religiösen Organisationen eine entscheidende Rolle für das Wachsen und die Existenz religiöser Gruppen.

Es bleibt zum Schluß noch kurz das Problem zu berühren, ob der Staat der religiösen Legitimation bedarf, um über die physischen Zwangsmittel hinaus seine Existenz zu sichern. Diese Frage berührt eng das im Kapitel II behandelte Problem der Definition von Religion. Jeder Staat rekurriert in seinem Handeln gelegentlich – in Krisensituationen und bei feierlicher Selbstdarstellung – auf ein Wertesystem, als dessen Repräsentant und Vollstrecker er sich interpretiert und das für alle Bürger verpflichtend sein soll. Talcott Parsons spricht für die Sowjetunion davon, daß „der Marxismus-Leninismus eine halbreligiöse Stellung (einnehme)"[68] und Robert N. Bellah sieht in einem vagen Deismus und einer säkularisierten Exodus-Theologie das Grundschema einer 'Civil religion' in den USA, wie er sie in den Antrittsreden amerikanischer Präsidenten glaubte festmachen zu können.[69] Wir werden im Schlußkapitel dieses Buches noch einmal auf diese Thesen eingehen; hier sei nur soviel festgehalten: Nicht jede Legitimation ist notwendig eine religiöse. In Gesellschaften, deren Bevölkerung noch stark von religiösen Organisationen beeinflußt wird, müssen auch die staat-

[68] T. Parsons, The System of Modern Societies, 1969; dt.: Das System moderner Gesellschaften, 1972, S. 159.
[69] R. N. Bellah, Civil Religion (zuerst 1967), Wiederabdruck in: R. N. Bellah, Beyond Belief, 1970. Zum Thema außerdem: R. N. Bellah an P. E. Hammond, Varieties of Civil Religion, 1980.

lichen Instanzen bei der Legitimierung ihres Handelns religiöse
Motive berücksichtigen, weil diese den denkbar weitesten Horizont von Legitimationswissen thematisieren. Fragwürdig ist es
dagegen, ob Legitimationen, die im Sinne eines substantiellen Reli-
gionsbegriffs explizit nichtreligiös sind, allein durch den Umstand,
daß sie dieselbe Funktion erfüllen, als religiöse zu bezeichnen sind.
Der in dieser Einführung gewählte Ansatz zwingt dazu, die Frage
negativ zu beantworten.

3. Religion und Wirtschaft

Jedes Individuum und jede soziale Gruppe hat das Problem zu
lösen, wie sie durch Austauschprozesse mit der Natur die biologische Existenz der Individuen und deren Reproduktionsfähigkeit
sicherstellen kann. „Sie (die Menschen) selbst fangen an, sich von
den Tieren zu unterscheiden, sobald sie anfangen, ihre Lebensmittel zu *produzieren*, ein Schritt, der durch ihre körperliche Organisation bedingt ist. Indem die Menschen ihre Lebensmittel produzieren, produzieren sie indirekt ihr materielles Leben selbst."[70]
Diese Produktion von Lebensmitteln ist schon in der Phase des
Sammelns und Jagens gegeben, wenn zu diesen Tätigkeiten Werkzeuge benutzt werden und Kooperation bei diesen Tätigkeiten
stattfindet. Bis heute gilt als sicherstes Kriterium für Menschsein in
vorgeschichtlicher Zeit die Existenz von Werkzeugen und die Benutzung des Feuers. Werkzeugherstellung bedeutet, eine Tätigkeit
auszuüben für einen Zweck, der in der Tätigkeit selbst nicht enthalten ist, also die Projektion des Vorgestellten auf einen zukünftigen
Zweck hin oder, mit anderen Worten, die Herstellung eines komplexen Zweck-Mittel-Zusammenhangs. Teil und Grundlage jedes
ökonomischen Handelns ist demnach immer auch die Technologie.
Es bedarf keiner weiteren Begründung um einzusehen, daß die Art
des Wirtschaftens unmittelbar von der zur Verfügung stehenden
Technologie abhängig ist. In diesem Abschnitt sollen aber die Fragen der Technologie nicht erörtert werden, sondern die spezifischen Organisationsformen des wirtschaftlichen Handelns und
deren Beziehungen zu religiösen Formen.
Im engeren Sinne verstehen wir unter wirtschaftlichem Handeln
den individuellen und/oder kollektiven Einsatz von Mitteln zum

---

[70] K. Marx und F. Engels, Die deutsche Ideologie, MEW, Bd. 3, S. 21.

Erreichen von gewünschten Zielen. Aber selbst diese Definition ist noch zu weit, denn sie umfaßt auch Tätigkeiten, die traditionell nicht unter den Begriff des Wirtschaftens fallen. Eine Begrenzung des Definitionsbereichs durch Ersetzung des Begriffs 'gewünschte Ziele' durch 'Waren' wäre jedoch wiederum zu eng, da der Begriff der Waren nur in einer marktorientierten Wirtschaftsform sinnvoll ist. Wir werden deshalb die Ziele auf solche beschränken, die direkt oder indirekt Güter betreffen, die der Reproduktion des einzelnen und der Gattung dienen, wobei auch diese Bestimmung eine große Bandbreite von sog. Grundgütern (Nahrungsmittel usw.) bis zu sog. Luxusgütern umfaßt.

Für die soziologische Analyse des Wirtschaftens ist neben der auch von der Nationalökonomie postulierten Knappheit der erstrebten Güter (im Überfluß vorhandene Dinge werden nicht Gegenstand des Wirtschaftens) vor allem die soziale Organisation des ökonomischen Handelns von Bedeutung, also spezifische Formen der Arbeitsteilung und der Verteilung der erwirtschafteten Güter. Entscheidend ist bei dieser Betrachtung vor allem, ob ein Surplus produziert wird, das über die Befriedigung der Grundbedürfnisse der Produzenten hinaus verteilt werden kann. Menschheitsgeschichtlich gesehen kann man die Geschichte des Wirtschaftens unter dem Aspekt der Produktion eines immer größeren Surplus betrachten, besonders in bezug auf die technologisch fortgeschrittensten Gesellschaften. Es ist deshalb naheliegend, an eine Typologie des Wirtschaftens zu denken, die von den unterschiedlichen Weisen der Aneignung des Surplus und der damit zusammenhängenden Organisation der Produktion in bezug auf Produzenten und Surplus-Aneigner ausgeht. Am konsequentesten hat diesen Ansatz die marxistische Gesellschaftstheorie verfolgt, die von einer Abfolge von Urgesellschaft, asiatischer Produktionsweise, Sklavenhaltergesellschaften, Feudalismus und Kapitalismus ausgeht. Ob es sich dabei tatsächlich um eine historische Sequenz handelt und ob diese fünf Formationen erschöpfend sind, kann hier weder diskutiert noch entschieden werden. Dennoch soll dieser Versuch zunächst den folgenden Überlegungen zugrunde gelegt werden.

Welche Funktion hat Religion im Prozeß des wirtschaftlichen Handelns? Zunächst einmal kann konstatiert werden, daß die unterschiedliche Technologie unterschiedliche soziale Organisationsformen bedingt und daß damit auch unterschiedliche Verhältnisse des Menschen zur Natur, zur Gesellschaft und zu sich selbst hergestellt werden, die nicht ohne Einfluß auf die religiösen Vorstellungen bleiben können. Karl Marx geht diesen Weg konsequent: „Die Technologie enthüllt das aktive Verhalten des Menschen zur Natur, den unmittelbaren Produktionsprozeß seines Lebens, damit auch seiner gesellschaftlichen Lebensverhältnisse und der ihnen entquellenden geistigen Vorstellungen. Selbst alle Religionsgeschichte, die von dieser materiellen Basis abstrahiert, ist – unkritisch. Es ist in der Tat viel leichter, durch Analyse den irdischen Kern der religiösen Nebelbildungen zu finden, als umgekehrt aus den jedesmaligen wirklichen Lebensverhältnissen ihre verhimmelten Formen zu *entwickeln*. Die letztere ist die einzig materialistische und daher wissenschaftliche Methode."[71] Dieses Programm ist bis heute auch von der marxistischen Religionsforschung nicht erfüllt worden. Die sowjetischen Standardwerke gehen von den konkreten Religionen aus und versuchen, deren materiellen Grundlagen zu analysieren.[72] Auch Versuche bürgerlicher Wissenschaftler, in Anlehnung an Marx den Zusammenhang von Religion und Wirtschaftsform näher zu bestimmen, blieben in relativ allgemeinen Formulierungen stecken. Einer dieser Versuche, der von François Houtart,[73] wird uns noch näher beschäftigen.

Neben der soeben skizzierten globalen Fragestellung tritt in der religionssoziologischen Forschung das Problem der ökonomischen Realisierung von Religion, also die Frage, wie Religion an der Verteilung des Surplus partizipiert, etwas in den Hintergrund. Die dazu vorliegenden Ergebnisse (teilweise aus anderen Disziplinen) werden in einem weiteren Abschnitt behandelt werden. In der Folge von Max Webers Studie über den Zusammenhang von kapitalistischer Wirtschaftsgesinnung und Protestantismus[74] entstanden eine große Zahl von Arbeiten zum Problem der Wirtschaftsmentalität und deren Beziehung zur Religion; die Grundzüge der Ergebnisse dieser Arbeiten sind ein weiterer Gegenstand dieses Kapitels.

a) Religion und Produktionsweise

Unter Produktionsweise wird hier in Anlehnung an die marxistische Terminologie nicht in erster Linie die technologisch be-

---

[71] K. Marx, Das Kapital, 1960, S. 389, Anm. 89.
[72] S. H. Tokarev, Die Religion in der Geschichte der Völker, 1968.
[73] F. Houtart, Religion et modes de production précapitalistes, 1980.
[74] Siehe Kap. IV dieser Einführung.

stimmte Art des Produzierens, sondern die soziale Gestaltung der Produktion verstanden. So ist zum Beispiel für die kapitalistische Produktionsweise konstitutiv, daß die Produktionsmittel in privatem Eigentum sind und daß diese Eigentümer einen Vertrag mit Lohnarbeitern eingehen, wobei das produzierte Gut Eigentum des Eigentümers der Produktionsmittel wird und der Arbeiter den vereinbarten Lohn erhält.

Wir gehen von dem rekonstruierbaren und in einigen wenigen Fällen in jüngster Vergangenheit noch zu beobachtenden Zustand [75] einer Gesellschaft aus, in der kein Surplus erwirtschaftet wird. Die meisten Jäger- und Sammlergesellschaften, aber auch einige frühe Gartenbaugesellschaften sind diesem Typ anzurechnen. Die soziale Struktur dieser Gesellschaften ist durch die Verwandtschaftslinien bestimmt, und es scheint eine sehr frühe Arbeitsteilung zwischen Männern (Jagd) und Frauen (Sammeln) gegeben zu haben. Da die auf einem Territorium jagenden und sammelnden Gruppen sehr klein waren (einige Dutzend Menschen), entsteht das Problem der Verteilung der erbeuteten Nahrung nur bei der Verteilung der selten erlegten Großtiere, da die nicht vorhandene Konservierung zum sofortigen Verzehr zwingt. Während die von den Frauen gesammelten Nahrungsmittel wohl im Familienverband verbraucht wurden, kam es bei dem Verzehr von Großtieren, die ja auch kollektiv gejagt wurden, zu einer Verteilung, die über den Rahmen der Familie hinausging. Unterschiedliche Wertschätzung der einzelnen Fleischteile machten eine ungleiche Teilung notwendig. Unabhängig davon, welchen Kriterien diese Ungleichheit gehorchte, führt die Perpetuierung der gleichen Muster zu einer Art von Ritualisierung, in der einige Forscher Vorstufen des Opfers in späteren Gesellschaften sehen wollten. Besonders im Anschluß von K. Meuli [76] haben klassische Philologen und Religionshistoriker eine Fülle von Material aufbereitet, [77] das diese These zumindest plausibel macht, obwohl naturgemäß manches Spekulation bleiben muß. Die Religionssoziologie hat bisher von diesen Forschungen kaum Gebrauch gemacht. Ob auch Jagdzauber unter Einschluß von ritueller Bestattung der Tierknochen Anfänge von Religion signalisieren, ist

---

[75] C. Lévi-Strauss, Traurige Tropen, 1978.

[76] K. Meuli, Griechische Opferbräuche, in: Phyllobolia, 1946, S. 185–288.

[77] W. Burkert, Homo Necans, 1972, und G. Baudy, Exkommunikation und Reintegration, 1980.

zwar nicht sicher, aber höchstwahrscheinlich.[78] – François Houtart
geht in seinem schon erwähnten Buch einen anderen Weg. Er analysiert anhand einer monographischen Untersuchung einer einfachen
Gesellschaft in Südindien[79] den Zusammenhang zwischen Religion
und Produktionsweise, wobei er zwischen drei Ebenen der Religion unterscheidet: in bezug auf die Natur, dem Lieferanten der
Lebensmittel, in bezug auf das Verwandtschaftssystem, der sozialen Organisation der Gesellschaft und in bezug auf den globalen
Sinn des Universums. Bei den religiösen Vorstellungen der ersten
Ebene dominieren Geisterglaube und Magie, auf der zweiten
Ebene totemistische Vorstellungen und auf der dritten Ebene ein
mit den religiösen Vorstellungen der zweiten Ebene verbundener
Glaube an eine männliche Gottheit, die als Quelle allen Lebens
gedacht wird. Houtart stellt die Hypothese auf, daß auf der Stufe
dieser Gesellschaftsformation alle Vorstellungen und rituellen Praktiken in der religiösen Sphäre ihren Platz haben und daß die drei
von ihm unterschiedenen Sequenzen eine relative Autonomie gegen-
einander aufweisen.[80] Ob es sich hierbei um eine generalisierungs-
fähige These handelt, ist bei dem bisherigen Forschungsstand nicht
entscheidbar. Auf jeden Fall ist es sicher, daß lange prominent
gewesene Vorstellungen von der Ohnmacht des 'Wilden' gegenüber
der Natur, die nach Friedrich Engels auch die Quelle der Religion
vor dem Entstehen der Klassengesellschaft gewesen sein soll – eine
Vorstellung, die auch heute noch in der sowjetischen Religionsforschung dominiert[81] –, durch die Forschung seit Jahrzehnten als
widerlegt gelten können: Eine völlige Vermischung von ökonomi-
schem Handeln und Religion ist nicht feststellbar.[82] – Der entscheidende Unterschied im religiösen System auf der Stufe dieser Gesellschaftsformation gegenüber allen anderen besteht darin, daß das
nicht vorhandene Surplus keine Möglichkeit zuläßt, daß religiöse
Spezialisten, die dauerhaft von der Produktion des Lebens freigestellt
sind, sich der Elaboration religiöser Vorstellungen widmen können.
Das heißt nicht, daß diese Vorstellungen einfach oder gar primitiv
sein müßten, sondern lediglich, daß sie immer einen, und zwar den

---

[78] A. de Waal-Malefijt, Religion and Culture, 1968, S. 106–144.

[79] G. Lemercinier, Religion et Idéologie au Kerala, document ronéo-
typé, o. J.

[80] F. Houtart, a. a. O., S. 40 ff.

[81] D. M. Ugrinowič, Wwedenije w. Religiowedenije, ²1985.

[82] R. Firth, Primitive Economies of the New Zealand Maori, 1929, und
ders.: Primitive Polynesian Economy, 1939.

wesentlichen Bezug zum ökonomischen und sozialorganisatorischen Leben der Gesellschaft haben, in der sie wirksam werden.

Sobald eine Gesellschaft ein wirtschaftliches Surplus erzielt, stellt sich die Frage, wer über dieses verfügt. Man kann dieses Problem auch von einer anderen Seite betrachten: Führt die Möglichkeit der Surplus-Produktion automatisch auch zu deren Realisierung? Genauso gut vorstellbar ist es, daß in dieser Gesellschaft weniger gearbeitet wird. In den historisch bekannten Fällen der Aneignung von Surplus durch bestimmte Gruppen besteht immer eine enge Verbindung zwischen dieser Aneignung und der Herausbildung von politischer Herrschaft. Auch auf der Stufe der sog. asiatischen Produktionsweise, wie Marx sie nennt, existiert mindestens ein Häuptlingssystem, sehr häufig sogar schon ein Königtum. Die Aneignung des Surplus geschieht in der Form des Tributs, den die – meistens Ackerbau betreibende – bäuerliche Bevölkerung an bestimmte Personen und/oder Gruppen zu leisten hat. Dabei greifen die Tributempfänger in der Regel nicht in das Produktionsgeschehen ein. Damit ist zugleich eine Schichtung der Gesellschaft gegeben, die auf externe (Eroberung) oder interne (arbeitsteilige Differenzierung) Gründe zurückgeführt werden kann. Diese Tributwirtschaft hat sich in vielen Teilen der Erde sehr lange gehalten, so ist z. B. das vortatarische Rußland wahrscheinlich auf einem solchen System aufgebaut gewesen. Der Übergang vom Tributsystem zu einer geregelten Steuereinnahme ist fließend.

Für das religiöse System auf dieser Wirtschaftsstufe ist es von entscheidender Bedeutung, daß sich eine gewisse Differenzierung bemerkbar macht. Während die aus der vorhergehenden Stufe hervorgegangene Religion auf der Ebene der unmittelbar Produzierenden erhalten bleibt, ergeben sich auf der Ebene der Tributempfänger u. U. Änderungen. Da die Gegenleistung der Surplus-Abschöpfer in tatsächlichem oder fiktivem Schutz der Zahlenden besteht, spielen militärische Komponenten in der Ideologie – auch der religiösen – eine gewisse Rolle. Außerdem stellt sich eine Tendenz zur Hierarchisierung der Göttergestalten ein, wodurch eine die Struktur der Herrschaftsgruppe widerspiegelnde Harmonisierung ursprünglich unverbundener Kulte ermöglicht wird. Prinzipiell gesehen bleibt jedoch ein lokal definierter Pluralismus im Bereich der Religion bestehen. Die Herrschaftsinhaber können sich als Beschützer sehr verschiedener Kulte und Religionen verstehen.[83]

[83] F. Houtart, a. a. O., S. 60.

Dennoch haben die Kulte, die im Zentrum der Herrschaft ihren Platz haben, eine besondere Bedeutung, so daß die peripheren Kulte sehr oft in den Rang von 'Volksreligionen' absinken können. – Ein ausgesprochener Sonderfall ist, wenn die Lokalkulte zugunsten des hauptstädtischen Kultes zurückgedrängt oder gar aufgehoben werden, wie es in Israel unter David und vor allem Salomo zu beobachten ist. Die Gründe dafür waren ausschließlich politischer und ökonomischer Natur. Überhaupt sind die Auswirkungen der Tributwirtschaft auf dem religiösen Sektor in der Regel nur indirekter Natur und machen sich auf dem Umweg über das System der sozialen Schichtung bemerkbar, das uns im nächsten Abschnitt dieses Kapitels beschäftigen soll.

Für die marxistische Wirtschaftsgeschichtsforschung ist der Vorläufer des Feudalismus die Sklavenwirtschaft. Darunter wird eine Wirtschaftsform verstanden, in der sowohl das konstante Kapital (Grund und Boden, Werkzeuge) als auch das variable Kapital (Arbeitskraft) in privatem Eigentum sind und somit der Gesamtertrag des Wirtschaftens den Eigentümern zufällt. Sklavenhaltergesellschaften hat es nicht überall gegeben, und sie bilden auch kein notwendiges Zwischenglied zwischen Tributwirtschaft und Feudalismus. So war der Landwirtschaftssektor der Südstaaten der USA bis zum Bürgerkrieg sklavenwirtschaftlich organisiert, während in anderen Sektoren kapitalistische Produktionsweisen vorherrschten. Eine der wichtigsten Voraussetzungen für eine Sklavenwirtschaft ist der dauernde Zufluß von Sklaven durch Kriegszüge und Sklavenhandel, weil durch die in vielen Gesellschaften bekannte Schuldknechtschaft (der zahlungsunfähige Schuldner muß sich in die oft zeitlich befristete Knechtschaft des Gläubigers begeben) niemals eine reine Sklavenwirtschaft realisiert werden kann.

Es muß auf jeden Fall zwischen dem System der Schuldknechtschaft und des reinen Typs der Sklavenwirtschaft unterschieden werden. Die im Alten Testament enthaltenen ausführlichen Bestimmungen über die Behandlung der Schuldknechte[84] können deshalb nicht als typische religiöse Thematisierung der Sklavenfrage betrachtet werden. Soweit überhaupt Quellen zur Religion der Sklaven in der Antike vorliegen,[85] beziehen sie sich in erster Linie auf

[84] H. G. Kippenberg, Die Entlassung aus Schuldknechtschaft im antiken Judäa: Eine Legitimationsvorstellung von Verwandtschaftsgruppen, in: G. Kehrer (Hrsg.), „Vor Gott sind alle gleich", 1983, S. 74–104.
[85] F. Bömer, Untersuchungen über die Religion der Sklaven in Griechenland und Rom, 3 Teile, 1957/1960/1961.

die sog. Hausklaven, die in gewisser Weise zu der Familie des pater familias gehören, oder auf Freigelassene, also auf eine eher städtische Schicht ehemaliger Sklaven, während die Religion der Plantagen- und Bergwerkssklaven weitgehend im dunkeln bleibt. Auffallend ist das anscheinend geringe religiöse Legitimationsbedürfnis des Sklavensystems von seiten der Sklavenhalter. Während es im Bereich der Philosophie nicht an Versuchen zur Rechtfertigung der Sklavenhaltung gefehlt hat (Aristoteles), aber auch nicht an der Betonung, daß Sklaven und Freie gleich seien aus Menschenwürde,[86] bleiben die religiösen Systeme dieser Epoche seltsam stumm gegenüber dieser Frage. Die wenigen Bemerkungen im Neuen Testament (Paulus) darüber gehen anscheinend von der nicht hinterfragten Existenz des Sklavensystems aus. Die berühmte Stelle im 3. Kapitel des Galaterbriefs (Vers 28) enthält keinerlei Kritik am System der Sklavenhaltung, sondern negiert alle Unterschiede zwischen Sklaven und Freien nur coram Deo, so wie auch die Unterschiede zwischen Jude und Grieche, Mann und Frau negiert werden, ohne daß ihre soziale Bedeutsamkeit überhaupt nur thematisiert wird. Stellen aus dem 6. Kapitel des 1. Briefes an Timotheus und der gesamte Brief an Philemon zeigen sehr deutlich, daß das Institut der Sklaverei niemals in Frage gestellt ist. – Da es uns hier noch nicht um das Problem der schichtenspezifischen Religion geht, sondern darum, wie eine bestimmte Produktionsweise mit einem bestimmten religiösen System korrespondiert, so läßt sich abschließend nur ein eher negatives Ergebnis formulieren: Das Sklavenhaltersystem wird religiös in den uns bekannten Religionen der Sklavengesellschaften weder positiv legitimierend noch negativ kritisierend thematisiert. Ein Grund für dieses Schweigen ist in der juridischen Behandlung der Sklavenfrage zu sehen. Der reinste Typ der Sklavenwirtschaft verwirklichte sich im republikanischen Rom, in dem soziale Fragen und Probleme sehr weitgehend durch rechtliche Normierungen gelöst werden sollten. Außerdem standen die großen Massen der durch Kriegszüge und Sklavenhandel erworbenen Sklaven außerhalb des Gesellschaftssystems der römischen Gesellschaft. Ihre Behandlung als lebendes Inventar der Latifundien und Minen verlangte keine Integration in das Sozialsystem. Völlig anders sah die Situation bei den städtischen Sklaven aus, die teil-

---

[86] H. Cancik, Gleichheit und Freiheit. Die antiken Grundlagen der Menschenrechte, in: G. Kehrer (Hrsg.), „Vor Gott sind alle gleich", a. a. O., S. 190–211.

weise zu den unteren Mittelschichten zählten und als Freigelassene
(d. h. als Freigekaufte) anscheinend einer der Hauptträger des Kaiser-
kultes waren, was durch den langsamen Verfall der gentilizischen
Kulte erklärbar ist.

Die Stufe der feudalistischen Produktionsweise ist gekennzeichnet durch Grundbesitz und das regelmäßige Abgabensystem der
den Boden bearbeitenden Bauern, die formal frei, dennoch an die
Scholle gebunden waren und obwohl sie sehr häufig eine Art von
Erbanspruch auf die Kultivierung eines bestimmten Stückes Land
hatten, dennoch dieses Land aus der Hand des Grundherrn
empfingen. Die Abgaben waren theoretisch genau definiert. Hinzu
kommt der Umstand, daß das Lehnssystem mehrfach geschichtet
war und (in der Theorie) vom Kaiser bis zum Lehnsbauern über
verschiedene Stufen den Lehnsbesitz nach unten übertrug. Mit der
Belehnung waren zumeist auf den Zwischenstufen politische
Pflichten verbunden. Die bestbekannte Ausprägung des Feudal-
systems ist im mittelalterlichen Okzident gegeben und ist tief mit
der Geschichte der katholischen Kirche dieser Epoche verbunden.
Die Kirche, in Gestalt von Bistümern, Klöstern usw., konnte auf
allen Stufen dieses Lehnsystems auftreten und wurde somit ein entscheidendes Moment im Feudalismus.

Das soziologisch entscheidende Moment des Feudalismus ist
dessen in Stufen gedachte Hierarchisierung, wobei jede Schicht
durch Loyalitätsbeziehungen an die vertikal benachbarten Schichten gebunden ist. Diese Hierarchisierung fand ihr exaktes Pendant
in der im Stufensystem aufgebauten Soziallehre der Scholastik.
Zwar wurde diese Soziallehre in ihrer reifsten Form bei Thomas
von Aquin durch die Einführung aristotelischer Kategorien teilweise durchbrochen, etwa in der Konzeption der societates perfec-
tae (Staat und Kirche), aber der Grundzug blieb erhalten: Keine
Einheit ist lebensfähig ohne die unter und über ihr befindlichen
Einheiten, wobei es wesentlich ist, daß vor allem keine übergeordnete Einheit die Funktionen der niedriger geordneten übernimmt.
Hier sind die Grundlagen des sog. Subsidiaritätsprinzips, das,
später schärfer formuliert, heute große Teile der Sozialpolitik unserer
Gesellschaft bestimmt. Auf der ideologischen Ebene ergeben sich
für eine monotheistische Religion wie das Christentum gewisse
Schwierigkeiten, ein strikt hierarchisches System theologisch zu
thematisieren, während Religionen, die polytheistische Elemente
bewahrt haben, mehr Möglichkeiten besitzen, auch eine Hierarchisierung im Pantheon durchzuführen. Ein interessantes Beispiel ist

das feudalistische System in Kandy (Sri Lanka) bis zur Ankunft der Engländer. Obwohl offiziell buddhistisch in seiner strengen Form (Theravada), wurde der Buddha-Kult vor allem in der Hauptstadt gepflegt, während darunter nationale Gottheiten (teilweise hinduistischer Herkunft) und lokale Gottheiten angesiedelt waren, die ziemlich genau dem Aufbau des Lehnssystems folgten.[87] Es bedürfte genauerer Untersuchungen der historischen Religionssoziologie, um festzustellen, ob eine ähnliche Hierarchie im Heiligenkult des Mittelalters dieselbe Funktion erfüllte. Die große Anzahl nur lokal relevanter Heiliger legt eine solche Vermutung nahe. – Entscheidender ist jedoch die Verortung der organisierten Religion im Feudalsystem, die Partizipation an den ökonomischen Mechanismen und ihre politischen Konsequenzen. Neben den direkten wirtschaftlichen Auswirkungen ist im Okzident immer wieder zu beobachten, daß der organisatorische und ideologische Universalismus des Christentums gelegentlich die Legitimationsstrukturen der feudalistischen Hierarchisierung durchbrach. Durch Rückgriff auf religiös konzipierte Gleichheitsvorstellungen mischten sich Ketzerbewegungen und soziale Revolten.[88] Das religiöse System als Ganzes war jedoch zu sehr Teil des sozialen Systems, als daß es dessen Ende hätte herbeiführen können.

Über das Verhältnis von Religion und kapitalistischer Wirtschaftsweise ist, was den Ursprung des Kapitalismus angeht, religionssoziologisch in der Folge mit der sog. Max-Weber-These gearbeitet worden. Es wird dazu auf das vierte Kapitel dieser Einführung verwiesen. Unter Absehung vom Problem der Wirtschaftsmentalität, das später behandelt werden soll, stellt sich die Frage, ob und wieweit der entfaltete Kapitalismus der religiösen Legitimierung bedarf. Weber meinte, daß diese verzichtbar sei, und tatsächlich bieten die theologischen Systeme des 19. und 20. Jahrhunderts keine direkten Rechtfertigungen des Kapitalismus, wenn sie auch einen besonderen Nachdruck auf die Tugenden legen, die das Funktionieren einer kapitalistischen Wirtschaft erst ermöglichen: Arbeitsamkeit, Bedürfnisaufschub und Verantwortungsbewußtsein.[89] Dies bedeutet jedoch keine Bejahung kapitalistischer Produk-

---

[87] F. Houtart, a. a. O., S. 76–91, und H. L. Seneviratne, Ritual of the Kandyan State, 1978.
[88] H. Grundmann, Religöse Bewegungen im Mittelaler, ²1961.
[89] Ein besonders gutes Beispiel bietet dafür W. Hermann, Ethik, 1900, in der er die Arbeitspflicht als christliche Forderung aufstellt.

tionsweise. – In Konfliktfällen haben Vertreter der christlichen Kirchen gelegentlich Positionen des Klassenkampfes 'von oben' vertreten.[90] Aber es hat insgesamt den Anschein, als könne das kapitalistische Wirtschaftssystem ohne religiöse Legitimation leben. – Diese Feststellung ist m. E. auf die anderen Stufen der Produktionsweise übertragbar. Nirgends läßt sich eine kausal eindeutige Entsprechung zwischen Produktionsweise und Religion dergestalt konstatieren, daß Religion als legitimierender Reflex auf die Produktionsweise zureichend zu verstehen sei. Allerdings scheint auch nirgends die Religion ein entscheidendes Hindernis beim Übergang von einer Formation zu einer nächsten gewesen zu sein. Retardierende oder beschleunigende Wirkungen sind nicht abzustreiten. Aber entscheidender ist der Zwang für die Inhaber religiöser Berufsrollen, sich an veränderte Produktionsweisen und damit an veränderte Weisen der Surplus-Aneignung anzupassen, also sicherzustellen, daß das materielle Substrat von Religion erhalten bleibt.

b) Die ökonomische Realisierung von Religion

Auf einer sehr einfachen Stufe sozialer Entwicklung sind die Kosten für Religion nahezu vernachlässigbar. Man kann vielleicht noch weitergehen und behaupten, daß religiöse Rituale ökonomisch und ökologisch regulierende Wirkung haben können. Ein gutes Beispiel sind dafür die von Roy Rappaport analysierten Riten der Tsembaga: In einer fast ausschließlich auf Gartenbau basierenden Gesellschaft stellt die daneben betriebene Aufzucht von Schweinen eine potentielle Störung des mühsamen Gleichgewichts dar, vor allem wenn die Gefahr droht, daß die Herden zu umfangreich werden. Da die Herden frei umherschweifen, ist auch immer die Gefahr der Territoriumsverletzung gegeben. Zyklisch stattfindende rituelle Schlachtungen halten die Herden auf einem ökologisch erträglichen Stand. In diesem Modell kann man im strengen Sinne nicht von Kosten sprechen, vielmehr dienen religiöse Praktiken eher dem Verhindern von sozialen Kosten.[91]
Die entscheidende Differenz gegenüber nichtarbeitsteiligen

[90] Siehe J. M. Yinger, The Scientific Study of Religion, 1970, S. 357 ff.
[91] R. A. Rappaport, Rituelle Regulierung der Umweltbeziehungen bei einem Neuguinea-Volk, in: K. Eder (Hrsg.), Seminar: Die Entstehung von Klassengesellschaften, 1973, S. 223–245.

Zuständen ist mit der Existenz von religiösen Spezialisten gegeben. Hier muß – in moderner Terminologie – zwischen religiösen Teilzeitrollen und religiösen Berufsrollen unterschieden werden. So sind die meisten Schamanen keine berufsmäßigen Spezialisten. Sie üben ihre Dienste zwar oft gegen geringe Gegenleistungen aus, die aber nicht zum Lebensunterhalt ausreichen. – Religiöse Berufspositionen, deren Inhaber aus dem unmittelbaren Prozeß der Gebrauchsgüterproduktion ausscheiden, hat es aller Wahrscheinlichkeit nach nicht vor der Herausbildung politischer Institutionen gegeben, also erst nach der Durchsetzung von Arbeitsteilung. Gesichert ist die Existenz von Berufspriestern im Alter Orient, in Ägypten, Indien, Griechenland, Judäa, um nur die wichtigsten Beispiele zu nennen. In jeder dieser Gesellschaften wurden sehr verschiedene Wege beschritten, um den Unterhalt für diese Priester zu sichern.

Man kann dabei zumindest folgende – durchaus auch in Kombination auftretende – Formen unterscheiden:
– Direkte Finanzierung durch die Herrscher,
– Landbesitz durch die Tempel,
– ökonomische Tätigkeit durch die Tempel,
– Stiftungen,
– Anteil an Opfergaben,
– Spenden,
– Steuern.

Im alten Indien wurde durch Monopolisierung des Opferwesens und der Rituale durch die Brahmanenkaste ein Zustand erreicht, daß sämtliche Verrichtungen, bei denen ein Brahmane amtieren mußte, nur gegen entsprechende Leistungen geliefert wurden. Dies führte zu einer prinzipiellen Marktsituation, bei der es entscheidend wurde, wer wem seine Dienste anbot. Am begehrtesten war natürlich das Amt des Hofbrahmanen (purohita), der die Möglichkeit hatte, bei entsprechender Gutwilligkeit des Herrschers enorme Reichtümer zu erwerben,[92] obwohl die in der brahmanischen Literatur erwähnten Größenordnungen sehr oft wohl Wunschvorstellungen waren. Die direkte Finanzierung durch die Herrschenden findet sich auch bei der erstmaligen Errichtung von Tempeln und – im buddhistischen Bereich – Klöstern. Es macht sich jedoch sehr schnell die Tendenz bemerkbar, die Einkommen von solchen reli-

[92] H. Zimmer (Sen.) Altindisches Leben, 1879, vgl. W. Rau, Zur vedischen Altertumskunde, 1983.

giösen Einrichtungen auf eine dauerhaftere Basis zu stellen, als es die wandelbare Gunst der Fürsten ist. In einem Lehnssystem bietet sich dabei die Überlassung von Ländereien an. Dieser Weg wurde folgerichtig auch von den Religionen beschritten, die eigentlich individuell für manche Gruppen das Ideal der Eigentumslosigkeit vertraten: Christliche und buddhistische Klöster durften die Reichtümer erwerben, die zu besitzen den Mönchen verboten war.

Neben der Belehnung mit Land spielt die Finanzierung durch Stiftungen und Spenden eine bedeutende Rolle. Stiftung unterscheidet sich von Belehnung dadurch, daß im ersten Fall nur bestimmte Erträge eines Besitzes übertragen werden. Spenden wiederum sind unregelmäßig und begründen von seiten des Empfängers keinen Rechtsanspruch auf weitere Spenden. Ein äußerst interessantes Beispiel für Stiftungen ist das im islamischen Bereich weit verbreitete Institut des Waqf[93]: Ein Besitz wird einer Moschee übertragen, die damit (d. h. mit den Erträgen) bestimmte Aufgaben erfüllen soll, wobei durchaus auch Auflagen üblich waren. Damit war das Funktionieren von organisierter Religion sichergestellt. Erträge aus einem Waqf waren und sind steuerfrei. Für den Stifter ergaben sich auch bestimmte Vorteile: Solange er sich zu Lebzeiten ausbedungen hatte, daß er an den Erträgen des Waqf partizipierte, kam auch er in den Genuß der Steuerfreiheit. Mit der Zeit entwickkelte sich ein System, das der Familie des Stifters die Verwaltung und einen großen Teil des Nießbrauchs überließ und der Moschee einen geringen Teil, so daß letztlich beide Parteien profitierten: die eine von der Steuerbefreiung, die andere dadurch, daß sie überhaupt in den Genuß von Einnahmen kam.

Ein Mischsystem der Finanzierung stellt der Jerusalemer Tempel dar, über den wir relativ gut unterrichtet sind.[94] Neben dem Anteil am Opfer (Brustfleisch und vor allem die Haut des Opfertieres) wurden Kopfsteuern, Erstlingsabgabe, Zehnte und noch andere kleinere Abgaben erhoben. Finanziert wurde dadurch neben dem ständigen Tempeldienst mit turnusmäßig wechselnden Priestern auch die Anhäufung eines Tempelschatzes, dessen Höhe leider un-

---

[93] T. W. Juynball, Handbuch des islamischen Gesetzes, 1910, § 60; D. Santillana, Institutzioni di diritto musulmano malichita, 1926, I, S. 345 ff.

[94] E. Schürer, The History of the Jewish People, Vol. II, [1]1885, rev. ed. 1979; W. H. Allen, The World History of the Jewish People, Vol. 8: Society and Religion, 1977; H. H. Rowley, Worship in Ancient Israel, 1967.

bekannt ist, über dessen Umfang jedoch märchenhafte Gerüchte im Umlauf waren.

Vergleichsweise bescheiden war demgegenüber die Dotierung der sacra publica in Rom. Sieht man von den Tempelbauten einmal ab, so genügte zur Unterhaltung die Bereitstellung eines Anteils vom staatlichen Grundbesitz, aus dessen jährlichem Pachtzins die Kosten für den Unterhalt des Tempels bestritten wurden. Für weitere Arbeiten konnten von Fall zu Fall Staatssklaven dem Tempel zugewiesen werden.[95] Diese Sparsamkeit wurde dadurch ermöglicht, daß es keine religiösen Berufsrollen im strengen Sinne gab.

Die äußerst interessante Frage, welcher Anteil am Volksvermögen (= Nettosozialprodukt zu Faktorkosten, d. h. Summe der Löhne und Gewinne) in einer Gesellschaft für Religion aufgewendet wird, ist komparativ leider nicht zu beantworten. Ganz abgesehen von der Schwierigkeit, volkswirtschaftliche Gesamtrechnungen für antike Gesellschaften und auch für moderne, nicht für den Markt produzierende Gesellschaften zu erstellen, sind die Einkommensquellen der einzelnen Religionen und auch ihr Bedarf so unterschiedlich, daß solche Kalkulationen immer fiktiv bleiben müßten. Die Anhäufung von Grundbesitz in der Hand von religiösen Organisationen, der in manchen Fällen bis zu einem Drittel des gesamten Grund und Bodens gehen konnte (in einigen Ländern des Theravada-Buddhismus, aber auch im europäischen Mittelalter), spricht nicht für die Verflechtung des religiösen Systems mit dem ökonomischen und auch nicht unbedingt für die Religiösität einer Gesellschaft, sondern ist in den meisten Fällen das Ergebnis der Tatsache, daß das akkumulierte Grundvermögen nicht in der beliebigen Verfügungsgewalt von privaten Eigentümern stand, sondern einer Organisation gehörte, deren Mitglieder als Einzelpersonen dem Armutsideal verpflichtet waren, also nur in den Nießbrauchgenuß kommen konnten. – Schon weiter oben wurde erwähnt, daß das hier angesprochene Gebiet religionssoziologisch wenig untersucht ist. Es sind genauere Studien notwendig, um zu erhellen, welche soziale Austauschbeziehungen zwischen Spendern und Empfängern religiös definierter Gaben bestanden und bestehen. In den meisten Fällen ist als dritter Partner der Staat mit seiner Steuerhoheit involviert, wie es am Beispiel des Waqf-Systems deutlich wird.

Veränderungen im Wirtschaftssystem einer Gesellschaft zwingen auch die religiösen Systeme zur Änderung ihrer ökonomischen

---

[95] G. Wissowa, Religion und Kultus der Römer, ²1912.

Grundlagen. Man kann dies unter dem Aspekt der Adaptation von
Religion auf sich wandelnde Umweltbedingungen interpretieren.
Einer der tiefgreifendsten Wandlungsprozesse war der Übergang
zur kapitalistischen Produktionsweise mit dem folgenden Rückgang
der Bedeutung landwirtschaftlich genutzten Bodens und der Ver-
städterung des Lebens. Im 19. Jahrhundert wurde dieser Prozeß
für die Kirchen noch beschleunigt durch den zu Beginn des Jahrhunderts erfolgten Verlust an Grundeigentum. Die Umstellung von
Einkommen aus Grundbesitz auf regelmäßige steuerähnliche
Abgaben gelang nicht in allen europäischen Staaten, da hier die
Mithilfe der politischen Instanzen notwendig war. Aus der unterschiedlichen Ausgangslage resultieren bis heute wesentliche Ein-
kommensgefälle zwischen den Kirchen in den europäischen Gesellschaften. – Es scheint eine Tatsache sich modernisierender Gesellschaften zu sein, ein ungeregeltes ökonomisches Austauschverhältnis
zwischen Bevölkerung und religiösem System zu bremsen. Man
kann dies an den vielfältigen Versuchen der indischen Regierungen,
das religiöse Stiftungswesen staatlicher Kontrolle zu unterwerfen,[96]
ablesen.

c) Religion und Wirtschaftsmentalität

Obwohl das Wirtschaften eine der Grundbedingungen mensch-
licher Existenz ist, stellt es sich historisch betrachtet in sehr variabler
Gestalt dar. Diese Variabilität ist in erster Linie durch die jeweilige
technologische Ausstattung einer Gesellschaft und die ihr entsprechende soziale Organisation der Arbeit bedingt. Daneben spielt
aber auch die Mentalität der Wirtschaftssubjekte eine heute nicht
mehr bestrittene Rolle. Wenn es auch sicher ist, daß auf lange Sicht
gesehen jede Produktionsweise die geeigneten Wirtschaftssubjekte
erzeugt, so kann es doch unterschiedlich adäquate mentale Aus-
gangsbedingungen geben, die den Prozeß der Einführung einer
neuen Produktionsweise beschleunigen oder verlangsamen können. Die Religion kann bei der Herausbildung von Wirtschafts-
mentalitäten eine wichtige Rolle spielen. Die großangelegten
Arbeiten Max Webers zu den Weltreligionen (Hinduismus, Buddhismus, Taoismus und Konfuzianismus sowie Judentum) hatten

---

[96] J. J. Preston, Commercial Economy of an Urban Temple in India: A
Shift from Inheritance to Consignment Rights, in: B. Misra and J. J. Preston (Hrsg.), Community, Self, and Identity, 1978, S. 27–35.

unter dem ursprünglichen Titel ›Wirtschaftsethik der Weltreligionen‹ diese Fragestellung im Auge, wenn auch unter der Zuspitzung auf das Problem, warum es außerhalb des Okzidents nicht zu einer voll entfalteten Rationalisierung kam.[97] Eine Darstellung der Weber- schen Ergebnisse ist in extenso hier nicht möglich und sinnvoll, zumal neuere Forschung auch die historisch unsichere Basis der Schlußfolgerungen Webers in manchen Punkten erwiesen hat.[98] Nur soviel sollte erwähnt werden: Max Webers religionssoziologi- sche Studien (mit der Ausnahme der Protestantismusarbeit) gingen sehr stark auf die realsoziologische Verankerung der religiösen Systeme in den jeweiligen Gesellschaften ein. So sah er z. B. im Konfuzianismus den ethisch-religiösen Ausdruck einer in erster Linie auf Sippe und Familie bezogenen Loyalität mit grundsätzlich posi- tiver Lebenshaltung, deren Grundprinzip das der Pietät war, womit eine unübersehbare Tendenz zur Statik gegenüber der dynami- schen Konzeption im asketischen Protestantismus gegeben war. Der ständige Vergleich mit dem Okzident ließ Weber die nicht- christlichen Religionen vor allem unter dem Aspekt der Differenz zu der rationalsten Gestalt der christlichen Religion sehen. Trotz dieser Einschränkungen sind diese Aufsätze bis heute lesenswert und enthalten eine Fülle von Anregungen für weitere Forschung.

Es war zu erwarten, daß in der Folge der Protestantismus-Kapi- talismus-These Webers die Frage auftauchte, ob nicht auch andere Religionen Glaubenssysteme hervorgebracht haben, die eine ähn- liche Funktion erfüllten wie der asketische Protestantismus. In den 50er und 60er Jahren wurde eine Fülle kleinerer Studien veröffent- licht, die alle versuchten zu zeigen, daß auch außerhalb der vom Calvinismus geprägten Gesellschaften bestimmte religiöse Grup- pen dem Protestantismus vergleichbare Ergebnisse – wenn auch auf niedrigerer Ebene – hervorgebracht hatten. Eine gute Übersicht findet sich in dem von Robert N. Bellah herausgegebenen Buch über Religion und Fortschritt im modernen Asien.[99] Aber auch über die Rolle der russischen Altgläubigen wurde gearbeitet,[100]

[97] M. Weber, Gesammelte Aufsätze zur Religionssoziologie, 3 Bde., ⁴1947.

[98] W. Schluchter, Die Entwicklung des okzidentalen Rationalismus, 1979, und die Beiträge in: W. Schluchter (Hrsg.), Max Webers Sicht des antiken Christentums, 1985.

[99] R. N. Bellah (Hrsg.), Religion and Progress in Modern Asia, 1965.

[100] P. Kovalevsky, Le „Rascol" et son rôle dans le développement indu- striel en Russie, in: Archives de Sociologie des Religions 3 (1957), S. 37 ff.

und selbst die Black Muslims in den USA galten als Träger einer zielgerichteten Wirtschaftsmentalität.[101] Teilweise gehen diese Arbeiten auf schon vor Max Weber geäußerte Vermutungen zurück, daß religiöse Minderheiten den Motor modernisierender Wirtschaftsstile bilden. Demgegenüber wird auch immer noch die von Weber stark vernachlässigte Funktion des Staates und der Bürokratie für das wirtschaftliche Wachstum betont.[102] – Die Arbeit, die jedoch ohne jeden Zweifel in diesem Bereich am stärksten Aufsehen erregte und viele andere Studien beeinflußte, ist das 1957 erschienene Buch von Robert N. Bellah über die Voraussetzungen der raschen Modernisierung Japans.[103] Dieses ostasiatische Land bietet in seiner streng traditionalistischen, gruppenorientierten Wertstruktur eigentlich die schlechtesten Voraussetzungen für eine Modernisierung. Bellah ist als Parsons-Schüler und Funktionalist davon überzeugt, daß die Religion das Zentrum jedes die Gesellschaft bestimmenden Wertsystems ausmacht. Er bleibt jedoch dabei nicht bei den direkt sichtbaren religiösen Systemen (Buddhismus, Shintoismus und konfuzianische Ethik) stehen, sondern sucht hinter ihnen die Struktur der japanischen Religion. Diese ist zwar diesseitig und partikularistisch, kennt aber in allen drei religiösen Systemen Ansätze zu einer Transzendentisierung. Verbunden mit der Forderung nach strikter Gruppenloyalität, konnten die disziplinierten Samurai unter dem Einfluß der asketischen Shingaku-Bewegung Träger der Industrialisierung Japans werden. Dazu war allerdings auch noch notwendig, daß in der Meiji-Periode (1868–1912) die japanischen politischen Autoritäten glaubten, die westliche Herausforderung nur durch Übernahme moderner Staats- und Regierungsformen wirkungsvoll beantworten zu können. Das Beispiel Japans zeigt, daß auch auf eher indirektem Weg die Religion die Wirtschaftsmentalität beeinflussen kann.

Auch in einer entfalteten Industriegesellschaft lassen sich noch Unterschiede in der Wirtschaftsmentalität der Bevölkerung feststellen, die auf religiöse Ursachen zurückgeführt werden können. Schon Max Weber hat auf solche hingewiesen, auch wenn er dazu ausschließlich auf Daten der amtlichen Statistik angewiesen war, die sich nur auf das Ergebnis des wirtschaftlichen Handelns bezie-

[101] C. E. Lincoln, The Black Muslims in America, 1961.

[102] W. F. Wertheim, La religion, la bureaucratie et la croissance économique, in: Archives de Sociologie des Religions 15 (1963), S. 49 ff.

[103] R. N. Bellah, Tokugawa-Religion, 1957.

hen, die sein Schüler Offenbacher für das Großherzogtum Baden gesammelt hatte. Inzwischen sind die Methoden der empirischen Sozialforschung so verfeinert worden, daß auch wirtschaftsmentale Attitüden annähernd erfaßbar sind. Eine sich an der Weberschen Fragestellung orientierende Arbeit hat unter anderem zu diesem Komplex Gerhard Lenski in den 50er Jahren in der Detroit-Area in den USA durchgeführt.[104] Dabei spielten auch Fragen der Wirtschaftsmentalität eine Rolle.[105] Auch bei Konstanthalten von Schichtunterschieden und dem unterschiedlichen Einwanderungsdatum (Amerikaner der 1., 2. oder 3. Generation) zeigte sich, daß z. B. die weißen Protestanten insgesamt eine eher positive Einstellung zur Arbeit haben (Arbeit ist in sich gut, ein Selbstzweck). Weiße Protestanten der Arbeiterklasse mißbilligen stärker den Ratenkauf als weiße Katholiken derselben Schicht. Eine bei Lenski wiedergegebene Tabelle gibt zusammenfassend diesem Befund Ausdruck. Weil diese Tabelle instruktiv ist, soll sie hier abgedruckt werden. Die Prozentzahlen stellen Mittelwerte der Antworten auf 12 Fragen dar, die mit dem 'Geist des Kapitalismus' vereinbar sind.

Sozioreligiöse Gruppe: Grad der Kirchlichkeit	Mittelklasse %	N	Arbeiterklasse %	N
Weiße Protestanten: aktive Mitglieder	53	43	40	33
Weiße Protestanten: Randmitglieder	45	74	35	116
Weiße Katholiken: aktive Mitglieder	38	74	29	101
Weiße Katholiken: Randmitglieder	40	17	31	35

Wie nicht anders zu erwarten votieren die weißen kirchlich aktiven Protestanten am stärksten für eine Wirtschaftsmentalität des Typus 'Geist des Kapitalismus'. Unerwartet ist jedoch, daß selbst die Randmitglieder der Arbeiterklasse unter den weißen Protestanten eine fast ebenso hohe 'kapitalistische' Wirtschaftsmentalität aufweisen wie die weißen Katholiken der Mittelschicht. Diese Daten sind nicht anders deutbar als durch Rekurs auf das religiös geprägte Wertsystem der Befragten. Wenn auch die Unterschiede die Tendenz haben, sich einzuebnen, so kann man dennoch immer noch Bestände von religionsspezifischer Mentalität ausmachen.

[104] G. Lenski, The Religous Factor, 1961; dt.: Religion und Realität, 1967.
[105] Die Ergebnisse finden sich auf S. 87–121 der deutschen Ausgabe.

Für diese Hypothese sprechen auch Untersuchungen, die auf den Daten der kommerziellen Meinungsforschung in Deutschland beruhen.[106]

4. Religion und soziale Schichtung

a) Begriff der sozialen Schichtung

Die Beobachtung, daß Menschen in einem gegebenen sozialen System ungleich sind, ist schon immer Gegenstand philosophischer Erörterung gewesen, wobei es immer auch um die Berechtigung von Ungleichheit überhaupt geht oder um die speziellen Mechanismen, die konkrete Ungleichheit herstellen. Die erfahrungswissenschaftlich orientierte Soziologie nimmt an diesen Erörterungen nur vermittelt teil. Sie fragt, ob soziale Ungleichheit eine soziologische Universalie ist, ob es eine Gesellschaft ohne soziale Ungleichheit gab oder gibt, wodurch die soziale Ungleichheit generell und in spezifischen Gesellschaften hergestellt wird und wie ein gesamtes System sozialer Ungleichheit funktioniert. Die moralische und die praktisch-politische Dimension findet keine Berücksichtigung. – In der soziologischen Terminologie wird man den Begriff 'soziale Ungleichheit' seltener finden als den Begriff 'soziale Schichtung', der den mit vielen Konnotationen belasteten Begriff 'Klasse' weitgehend abgelöst hat, wenn dieser auch gelegentlich bewußt in Abgrenzung zum Begriff der Schichtung verwendet wird.[107] In der amerikanischen Soziologie, in der die marxistische Tradition keine so starke Rolle spielte, wird öfters 'social class' synonym zu 'social stratum' (soziale Schicht) gebraucht.

Lexikalisch kann soziale Schichtung (social stratification) definiert werden als „differentielle Rangordnung von menschlichen Individuen, die ein gegebenes soziales System bilden und ihre Behandlung als höher oder niedriger in bezug zueinander in bestimmten sozial relevanten Hinsichten"[108]. Diese Definition ist nur scheinbar unnötig kompliziert, denn sie enthält die notwendigen Ele-

---

[106] G. Schmidtchen, Protestanten und Katholiken, 1973.

[107] So z. B. R. Dahrendorf, Soziale Klassen und Klassenkonflikt in der industriellen Gesellschaft, 1957, der den Begriff der sozialen Klasse durch Herrschaft konstituiert sein läßt.

[108] G. D. Mitchell (Hrsg.), A New Dictionary of Sociology, 1979, S. 194 (die im Text gegebene Definition folgt Talcott Parsons).

mente einer soziologischen Schichtungsdefinition: Soziale Schichtung bezieht sich immer auf eine irgendwie geartete Rangordnung *in* einem sozialen System und hat Auswirkungen auf die Behandlung der in eine Rangordnung gebrachten Individuen, wobei die Bewertung und Behandlung anhand von Merkmalen geschieht, die für die betreffende Gesellschaft bedeutsam sind. Der Terminus 'Rangordnung' darf bei dieser Definition nicht allzu eng aufgefaßt werden; es ist nicht gemeint, daß die gesamte Population vom ersten bis zum letzten Individuum in eine ununterbrochene Skala eingeordnet werden kann, in der jeder Mensch seinen individuellen unverwechselbaren Platz hat. Vielmehr erfolgt die Rangordnung anhand von Merkmalen, die einzeln oder kombiniert Schichtungsgrenzen bestimmen, innerhalb derer man von Schichtungsgruppen sprechen kann, die dann zum Zweck der Vereinfachung häufig mit der Umgangssprache entlehnten Begriffen bezeichnet werden: Oberschicht, Mittelschicht, Unterschicht, um nur *ein* (sehr grobes) Modell zu erwähnen.

Schichtungsmodelle sind nicht universell verwendbar, schon aus dem einfachen Grund, weil die schichtungsrelevanten Merkmale von Gesellschaft zu Gesellschaft variieren können. Obwohl die Tatsache der sozialen Ungleichheit – verstanden als interpersonell differentielle Bewertung von Mitgliedern einer Gesellschaft – anscheinend empirisch universal ist, lassen sich Schichtungsmodelle, die größere Quanta der Bevölkerung Schichtungsgruppen zurechnen, nur für komplexere bevölkerungsreiche Gesellschaften aufstellen. In der modernen Gesellschaft ist anscheinend eine Kombination von Beruf, Ausbildung und Einkommen, die wiederum untereinander korrelieren, maßgeblich für die Einschätzung eines Menschen in bezug auf seine Rangordnung in der Gesellschaft.

Die Zuordnung eines Individuums in eine Schichtungsgruppe ist auch in sehr traditionellen Gesellschaften kein unbedingt unveränderbares Schicksal. Es gab und gibt immer – wenn auch in unterschiedlichem Ausmaß – individuelle (intragenerationelle) und intergenerationelle Mobilität: Aufstieg und Abstieg. Die Erforschung der Mechanismen der Mobilität gehört zur Soziologie der sozialen Schichtung hinzu. – Es wird in den folgenden Abschnitten gezeigt werden, wie Religion zum System der sozialen Schichtung beiträgt und welche Rolle Religion bei dem Prozeß der sozialen Mobilität spielt.

b) Religion als Kriterium der sozialen Ungleichheit

Kann Religion ein sozial relevantes Merkmal sein, das die Schichtungsgrenzen ausreichend definiert? Um diese Frage zu beantworten, muß eine Unterscheidung zwischen religiös homogenen und religiös pluralen Gesellschaften getroffen werden. In Gesellschaften, deren Mitglieder verschiedenen Religionen zugerechnet werden, ist es in manchen Fällen zu beobachten, daß die Zugehörigkeit zu einer bestimmten Religion insgesamt den sozialen Status der betreffenden Individuen mitbestimmt. Als Beispiel wären etwa die Kopten in Ägypten zu nennen, deren Prestige eher geringer ist als das der islamischen Majorität. Allerdings ist in diesem Fall zu beachten, daß die Kopten eine klare Minorität darstellen in einem Land, das sich offiziell als islamisch versteht. Außerdem ist eine Prestigeordnung nicht automatisch identisch mit sozialer Schichtung,[109] vielmehr kann das Prestige direkt den üblichen Schichtungskriterien zuwiderlaufen, etwa wenn eine in der Prestigeordnung tiefer angesiedelte Gruppe in Einzelfällen oder sogar in beträchtlichen Teilen gemessen an Schichtungskriterien (Einkommen, Beruf, Erziehung usw.) höher rangiert als die prestigemäßig hoch bewertete Gruppe. Das westeuropäische Judentum im 19. Jahrhundert ist ein gutes Beispiel für diese Zusammenhänge. Ein weiteres – nichtreligiöses – Beispiel läßt sich in der rassenmäßigen Rangordnung der Südstaaten der USA aufzeigen.[110] Gesellschaften, die solche Erscheinungen kennen, neigen oft dazu, durch Betonung der Unüberwindbarkeit der rassischen und/oder religiösen Grenzen eine einheitliche Schichtstruktur für die gesamte Population zu vermeiden, so daß man faktisch von mehreren Subgesellschaften in einer Gesellschaft sprechen kann, die jeweils ihre besonderen Werte, Normen und entsprechenden Schichtungssysteme haben. In weniger ausgeprägten Fällen hat man in der Literatur von Versäulung gesprochen. Dieser Begriff wurde zunächst für die Niederlande geprägt, in denen in der ersten Hälfte dieses Jahrhunderts die Beobachtung gemacht wurde, daß Protestanten und Katholiken dazu tendierten, alle Bereiche des Lebens in konfessionsspezifischen Gruppen und Einrichtungen zu organisieren.[111] Man

[109] H. Kluth, Sozialprestige und sozialer Stauts, 1957.
[110] G. Myrdal, An American Dilemma, 1944.
[111] W. Goddijn, Katholieke Minderheid en Protestantse Dominant, 1957; J. P. Kruijit und W. Goddijn, Versäulung und Entsäulung als soziale

kann dabei nur in sehr eingeschränktem Maße von einem auf Religion beruhenden Schichtungssystem sprechen.

Der extremere Fall, daß zwischen Rassen- und/oder Religionsgruppen so unüberwindbare Grenzlinien gezogen werden, daß nicht mehr von *einer* Gesellschaft gesprochen werden kann, hat gelegentlich dazu geführt, daß man von einer Kastenordnung sprach, weil alle Formen des Connubiums und des Commerciums zwischen den Gruppen ausgeschlossen wurden. Zweifellos sind hier einige Merkmale der Kastenstruktur zu beobachten, z. B. das strikte Endogamiegebot. Allerdings lassen sich auch erhebliche Bedenken gegen die Verwendung des Kastenbegriffs für die beschriebenen Phänomene geltend machen. Das wichtigste ist die Tatsache, daß in Kastengesellschaften ein einheitliches hierarchisierendes religiöses Merkmal oder Merkmalsbündel alle Individuen in eine Rangordnung bringt und nicht in sich komplexe Gruppen voneinander in einer Dominanz-Minoritäten-Struktur abschottet.[112] Darüber hinaus ist der Begriff 'Kaste' so eng mit der indischen Gesellschaft verbunden, daß es problematisch erscheint, ihn auf damit schlecht vergleichbare Erscheinungen zu übertragen.

Die indische Kastenordnung gibt jedoch das Beispiel eines durchgängig religiös definierten Systems sozialer Ungleichheit ab, so daß es für jeden Religionssoziologen unumgänglich ist, sich damit näher zu befassen.[113] Schon der Begriff 'Kaste' selbst enthält Probleme, denn er ist den indischen Sprachen nicht bekannt, sondern geht auf eine portugiesische Wortbildung zurück. In Indien selbst sind zwei Begriffe bekannt, die das Phänomen bezeichnen, aber durchaus nicht synonym sind: varna und jāti. Während varna (eigentlich 'Farbe') nur die vier großen Gruppen der Brahmanen, Kshatriya, Vaishyas und Shudra bezeichnet, spielen für das tägliche Leben die jāti eine wesentlich größere Rolle; in der indologischen

---

Prozesse, in: J. Matthes (Hrsg.), Soziologie und Gesellschaft in den Niederlanden, 1965, S. 115 ff.

[112] L. Dumont, Caste, Racisme et Stratification, in: Cahiers Internationaux de Sociologie 29 (1960), S. 91 ff.

[113] Über das indische Kastensystem umfassend: L. Dumont, Homo hierarchicus. Le système des castes et ses implications, 1966, ²1978. Die zweite Auflage enthält auch die Auseinandersetzung mit der Kritik (Préface, S. I–XL). Außerdem: P. Schreiner, Das indische Kastensystem im Spiegel westlicher Interpretationen, in: G. Kehrer (Hrsg.), „Vor Gott sind alle gleich", 1983, S. 116–128 und S. A. Upadhyaya, Kaste und Religion im heutigen Indien, in: ebd., S. 129–139.

und in der soziologischen Literatur wird der Begriff häufig mit 'Unterkaste' übersetzt, da alle jāti jeweils einer varna zugerechnet werden können. Ausgangspunkt des idealtypisch reinen Kastensystems ist die Unterscheidung zwischen 'rein' und 'unrein' als religiöse Kategorien. Diese Dichotomie wird in eine hierarchische Ordnung gebracht, indem es eine Unzahl von Möglichkeiten der Unreinheit gibt. Jedes Individuum – oder besser: jede Gruppe – kann in dieser hierarchischen Ordnung entsprechend ihrem Grad der Reinheit genau loziert werden. Auch extremste Formen der Unreinheit (z. B. Rindfleischessen) finden ihren legitimen Platz in dieser Ordnung, wenn auch ganz am Boden der Hierarchie. Entscheidend für eine reine Kastenordnung ist es, daß alle anderen Differenzierungen in der Gesellschaft, die zu Rangunterschieden führen könnten, in das 'Reinheits-Unreinheits'-Schema inkorporiert werden können. Dies gilt in erster Linie für berufliche Differenzierungen und für die reale Herrschaftsverteilung, also der Machtstruktur einer Gesellschaft. Schon in dem Abschnitt ›Religion und Politik‹ wurde darauf hingewiesen, daß auch in klassischer Zeit in Indien die reale Macht bei den Fürsten lag, die der Kaste der Kshatriya angehörten und damit in der religiös definierten Hierarchie unter den Brahmanen rangierten. Bezeichnend für die Elaboration des Kastensystems ist es, daß diese offensichtliche Diskrepanz auf der ideologischen Ebene durchgehalten wurde, während zum Beispiel im Okzident immer die Tendenz bestand, dem Herrscher auch sakrale, priesterliche Qualitäten zuzuschreiben. Dumont sieht in dem Auseinanderfallen von Status und Macht (statut et pouvoir) geradezu das wesentliche Merkmal einer Kastenordnung, während in einer ideologisch der Gleichheit verpflichteten Gesellschaft reale Macht (politisch und/oder ökonomisch) die abstrakte Gleichheit der Individuen in Frage stellt.[114] Ob man soweit gehen soll wie Dumont, um in der Konstruktion des 'homo hierarchicus' ein universelles Moment anzunehmen, kann nicht entschieden werden. Unbezweifelbar ist jedoch, daß selbst in egalitären Gesellschaften, in denen Macht und Erfolg scheinbar allein über die Schichtzugehörigkeit entscheiden, Elemente der 'Reinheit-Unreinheit'-Dichotomie spürbar sind, wenn z. B. Alter des vorhandenen Reichtums, Abstammung von alten, 'guten' Familien usw. ein besonderes Prestige verleihen. Warners Studien zur Klassenstruktur in Neuengland haben Ergebnisse gebracht, die in diese

[114] L. Dumont, Homo aequalis, 1977.

Richtung interpretierbar wären. [115] Allerdings kann man auch hier nicht von einer Kastenordnung sprechen, da die auf Fremdeinschätzung beruhende Schichtordnung von anderen Momenten (Beruf, Einkommen, Wohngegend usw.) dominiert ist.

Über die Herkunft des indischen Kastensystems, das in dieser Form einmalig ist, wurde viel diskutiert. Schon über sein Alter besteht keine völlige Klarheit. Ob es schon in vedischer Zeit in nuce vorhanden war, darüber gehen die Meinungen auseinander. Sicher ist jedenfalls, daß es in der uns bekannten vollen Ausbildung erst wesentlich jüngeren Datums ist. Wieweit die Tatsache der indogermanischen Einwanderung auf dem indischen Kontinent den entscheidenden Anstoß gab, ist nicht zu klären. Versuche, das Kastensystem auf Rassenunterschiede allein zurückzuführen, müssen als gescheitert gelten. Eine mitentscheidende Rolle spielte auf jeden Fall die Ritenmonopolisierung durch die Brahmanen, die damit eine erste scharfe Differenzierung zwischen 'rein' und 'unrein' in bezug auf den Kult in die Gesellschaft einführen konnten.

Unbezweifelbar ist jedoch, daß dieses System der religiös definierten Hierarchisierung sich als außerordentlich flexibel und langlebig erwiesen hat: Ganze Stämme konnten auf dem Wege der Definition als Kaste in die hinduistische Gesellschaft integriert werden; soziale Mobilität kollektiver Art war zwischen den Generationen durch Übernahme von Reinheitsvorschriften möglich; durch außerweltlich orientierte Askese konnte der einzelne das Kastensystem für sich überhaupt nihilieren, ohne deshalb der Mißbilligung zu verfallen. Schließlich gab es immer wieder religiös motivierte Gruppen ('Sekten'), deren Anhänger zunächst wenigstens außerhalb der Kastenordnung lebten, wenn auch im Laufe der Generationen die Gesellschaft oft genug auch sie wieder unter ihrem Dach aufnahm. – Selbst alle Anstrengungen des unabhängig gewordenen Indiens, das Kastenwesen zu ignorieren, führten bisher noch nicht zu durchgreifenden Erfolgen, wenn auch unter großstädtischen Bedingungen Berührungsverbote nicht mehr realisierbar sind.

c) Schichtspezifische Religiosität

In dem berühmt gewordenen § 7 seiner Religionssoziologie in ›Wirtschaft und Gesellschaft‹ behandelte Max Weber den Zusam-

---

[115] W. L. Warner et al., Social Class in America, 1949.

menhang von 'Stände, Klasse und Religion'.[116] Dabei ging es ihm um die Feststellung von Affinitäten zwischen bestimmten Ausprägungen von Religion und den Angehörigen von Schichtungsgruppen. Wenn auch in diesem Paragraphen die Begriffsbildung, was die Schichtungskriterien betrifft, nicht völlig eindeutig ist, so sind doch die von Weber getroffenen Zuordnungen von weiterführendem Interesse. Er vermeidet bewußt einfache kausale Zuordnungen und gibt mit der Kategorie der 'Affinität' die Möglichkeit an die Hand, Mentalitätsstrukturen der Schichtangehörigen mit den Formen und Inhalten von Religionen in Beziehung zu setzen. Ohne auf Einzelheiten einzugehen, soll nur referiert werden, daß Weber im groben zwischen bäuerlicher, adeliger (ritterlicher), bürokratischer, bürgerlicher und negativ privilegierter Religiosität unterscheidet, um nur die bedeutsamsten zu nennen. Schon diese Aufzählung macht deutlich, daß Weber den Ausgangspunkt nicht bei einem konkreten Schichtungssystem nimmt, sondern danach fragt, welche Schicht typischer Träger einer bestimmten Religiosität werden konnte und war. Dabei richtet sich sein Hauptaugenmerk auf die Träger der Erlösungsreligiosität. „Jedes Erlösungsbedürfnis ist Ausdruck einer 'Not' und soziale oder ökonomische Gedrücktheit ist daher zwar keineswegs die ausschließliche, aber naturgemäß eine sehr wirksame Quelle seiner Entstehung." [117] Weber zeigt dies an Beispielen der jüdischen Religiosität, des frühen Christentums und verschiedener Sektenreligiositäten. Allerdings betont er auch, daß eine Erlösungsreligiosität sehr wohl ihren ersten Ursprung innerhalb sozial privilegierter Schichten haben kann. Ein klassisches Beispiel ist der frühe indische Buddhismus, wobei später allerdings durch Einführung des Boddhisattvaideals Momente einer auf Nichtprivilegierte bezogenen Erlösungsreligiosität sich bemerkbar machten.

Der hier kurz angesprochene Paragraph im Werk Max Webers ist ein frühes Beispiel für eine konsequent religionssoziologische Behandlung einer Problemstellung. Er läßt die Frage nach den 'authentischen' religiösen Wurzeln einer bestimmten Religiosität offen und wendet sich der Frage zu, welche realsoziologischen Gründe für Übernahme und Ausbreitung dieser Religiosität angenommen werden können. Dabei geht er von den Bedürfnissen rele-

---

[116] M. Weber, Wirtschaft und Gesellschaft, Studienausgabe 1956, 1. Halbbd., S. 368–404.
[117] Ebd., S. 385.

vanter gesellschaftlicher Schichten aus und konstatiert, daß z. B.
positiv Privilegierte eher Legitimationsbedürfnisse entwickeln,
während negativ Privilegierte eher einer Verheißungsreligiosität
anhängen werden, weil für sie das, was sie nicht sind, sich erst in
der Zukunft ereignen kann.

Die von Max Weber aufgegriffene Problemstellung ist in der
Religionssoziologie von verschiedenen Ansätzen aus weiterverfolgt
worden. Dabei stand die Rolle der negativen Privilegierung bei der
Entstehung und Ausbreitung messianischer Religiosität im Vordergrund. Die Stichworte, die hier besonders zu erwähnen sind, lauten: Chiliasmus,[118] Erlösung und Protest.[119] Im Laufe differenzierter Einzelforschung wurden die Weberschen Begriffe verfeinert
und auch die kausalen Zurechnungen differenzierter. Von einer ein-
linigen Verursachung chiliastischer Religiosität durch Deprivation
kann nicht mehr die Rede sein, vielmehr muß sorgfältig untersucht
werden, um welche Form von Deprivation es sich handelt: ökonomische, soziale, psychische, politische usw. Auch scheint das absolute Ausmaß der negativen Privilegierung nicht ausschlaggebend
zu sein, sondern die erlebte Differenz zwischen erstrebtem und
realisiertem Zustand. Dieser Forschungsansatz wurde unter dem
Begriff 'relative Deprivationstheorie' bekannt.[120]

Während der Zusammenhang von negativer Privilegierung und
Erlösungsreligiosität (besonders in der ausgeprägten Gestalt des
Chiliasmus) in der Forschung umfangreich untersucht wurde, haben
die Ansätze Webers zu einer Soziologie der Religiosität anderer
Schichten nur wenig Nachfolger gefunden. Ältere Arbeiten etwa
von Theodor Geiger über die Mentalität der sozialen Schichten in
Deutschland, die auch für die Religionssoziologie bedeutsam sind,
wurden kaum rezipiert.[121] Eine gewisse Abhilfe für soziologische
Untersuchungen können die Arbeiten zur religiösen Volkskunde[122] schaffen, die sich besonders mit der bäuerlichen Reli-

[118] N. Cohn, The Pursuit of Millenium, ²1961,; S. L. Thrupp (Hrsg.),
Millenial Dreams in Action, 1962; W. E. Mühlmann et. al, Chiliasmus und
Nativismus, 1961; B. Wilson, Magic and the Millenium, 1973.
[119] R. Wallis, Salvation and Protest, 1979; O. Rammstedt, Sekte und
soziale Bewegung, 1966; P. Worsley, The Trumpet Shall Sound, 1957.
[120] D. Aberle, A Note on Relative Deprivation Theory as Applied to
Millenarian and Other Cult Movements, in: S. L. Thrupp (Hrsg.), Millenial
Dreams in Action, a. a. O., S. 209 ff.
[121] T. Geiger, Die soziale Schichtung des deutschen Volkes, 1932.
[122] W. Boette, Religiöse Volkskunde, 1925.

giosität beschäftigen und die praktisch-theologischen Studien zur
Kirchenkunde, [123] jedoch ziehen die rein deskriptiven Ansätze und
der bisweilen romantisierende Unterton hier deutlich Grenzen.

Die Erforschung schichtbedingter Religiosität ist nach wie vor
ein Desiderat der Religionssoziologie, das vor allem interkulturelle
Studien verlangt, damit unterhalb der offiziellen Religionen die den
jeweiligen Schichten gemeinsame religiöse Mentalität in den Blick
kommen kann. Wesentlich günstiger sieht die Forschungslage aus,
wenn man die organisierte Ebene der Religion berücksichtigt, also
danach fragt, inwieweit in religiös pluralen Gesellschaften Reli-
gionszugehörigkeit und soziale Schichtung zusammenhängen.
Dies soll im nächsten Abschnitt behandelt werden.

d) Soziale Schichtung und religiöser Pluralismus

Wir kennen eine große Zahl von Gesellschaften, die in religiöser
Hinsicht pluralistisch sind: Großbritannien, Bundesrepublik
Deutschland, Niederlande, Libanon, USA, um nur die größten zu
nennen. Bei der Verwendung des Begriffs 'religiöser Pluralismus'
sind verschiedene Bedeutungsgehalte zu unterscheiden: Erstens
den rechtlichen Pluralismus, d. h. die verfassungsmäßige Garantie
der Existenz religiöser Gruppen; dies ist in fast allen Staaten wenigstens nominell heute gewährleistet. Zweitens den faktischen Pluralismus aufgrund des Zusammenschlusses mehrerer Teilgebiete; ein
gutes Beispiel dafür boten einige Territorialstaaten im frühen
19. Jahrhundert: Preußen, Bayern, Württemberg; man kann in diesen Fällen von einem regional gegliederten Pluralismus sprechen.
Drittens den faktischen Pluralismus aufgrund von Migration (frei-
williger oder erzwungener); Beispiele dafür sind die USA, Kanada,
Australien, also in erster Linie typische Einwanderungsländer, aber
auch Gesellschaften mit ursprünglich regional strukturiertem Pluralismus, in denen eine starke Binnenwanderung stattfand, die
dann Regionen mit religiösem Pluralismus zustande brachte; zu
denken ist an Regionen wie das Ruhrgebiet, aber auch Städte wie
Berlin, Glasgow usw. Viertens den faktischen Pluralismus aufgrund der Binnenentwicklung neuer religiöser Gemeinschaften mit
Missionierungstendenzen. – Es ist offensichtlich, daß für die Frage
des Zusammenhangs von sozialer Schichtung und religiösem Plura-

---

[123] P. Drews (Hrsg.), Evangelische Kirchenkunde, 7 Bde., ab 1902.

lismus besonders der vierte Typus von Interesse ist, denn in den anderen Fällen kann die unterschiedliche Verteilung der Bevölkerung auf die verschiedenen religiösen Denominationen zwanglos durch Migration erklärt werden bzw. durch sozioökonomische Eigenarten der unterschiedlichen Regionen.

Religiöser Pluralismus des vierten Typus ist religionshistorisch gesehen nicht sehr häufig, wenn man einmal von spätantiken Verhältnissen absieht, wobei uns jedoch für diese Zeit die entsprechenden sozialgeschichtlichen Daten über die Zusammensetzung der Anhängerschaft der verschiedenen religiösen Kulte nicht in befriedigendem Maße zur Verfügung stehen.[124] Eine Ausnahme macht nur in gewissen Grenzen der Mithras-Kult, dessen soldatische Klientel ziemlich gesichert ist.[125] Beschränken wir uns auf die Neuzeit, so sind vor allem drei Beispiele einigermaßen gut greifbar: Die Reformation im 16. Jahrhundert, das britische Freikirchenwesen im 19. Jahrhundert und der amerikanische Denominationalismus des 19. und 20. Jahrhunderts.

Die Reformation hatte ihren Ausgang zunächst aus einer rein innerreligiösen Problematik genommen. Allerdings hat sie sehr schnell eine soziale Komponente bekommen, die es ermöglichte, wenigstens versuchsweise die Schichten zu bestimmen, die Träger der Reformation wurden. Zunächst ist es auffällig, daß vor allem die freien Städte sich in großer Zahl schon sehr früh der Reformation öffneten. Obwohl das Christentum von seinen Anfängen an eher als Stadtreligion[126] bezeichnet werden kann und deshalb die Bereitschaft der Städte, die reformatorische Predigt anzunehmen nicht überraschen wird, ist die Affinität zwischen den frühbürgerlichen Schichten und der Theologie der Reformatoren unübersehbar. Besonders die marxistische Forschung hat immer wieder betont, daß die Reformation als Ideologie des Bürgertums im 16. Jahrhundert interpretierbar sei.[127] Trotz aller Standortgebundenheit dieser For-

---

[124] Zu dem religiösen Pluralismus im Römischen Reich s. immer noch: F. Cumont, Die orientalischen Religionen im römischen Heidentum, ³1931.

[125] F. Cumont, Les Mystères de Mithra, ³1913, und R. Merkelbach, Mithras, 1984.

[126] A. Harnack, Die Mission und Ausbreitung des Christentums in den ersten drei Jahrhunderten, ⁴1924.

[127] Aus der Fülle der Literatur sei nur genannt: F. Engels, Der Deutsche Bauernkrieg, MEW, Bd 7: M. M. Smirin, Wirtschaftlicher Aufschwung und revolutionäre Bewegung in Deutschland im Zeitalter der Reforma-

schungsrichtung kann nicht geleugnet werden, daß Zusammenhänge zwischen der nicht primär sakramental argumentierenden
Theologie der Reformatoren und den Emanzipationsbestrebungen
des Bürgertums auszumachen sind. Befreit man die Argumentation
von ideologischem Ballast, also etwa von der fruchtlosen Frage
nach der möglichen Selbständigkeit von Ideen und beschränkt sich
auf durch Daten belegbare Erscheinungen, so geht es um das Problem, ob eine bestimmte Religion in bestimmten Schichten ihre
typischen Träger findet. Dies ist für die Reformation eindeutig zu
bejahen, wenn auch nicht übersehen werden darf, daß auch reale
Herrschaftsinteressen manche Fürsten zu Parteigängern der Reformation machten. – Nicht nur die marxistische Forschung hat sich
dem hier skizzierten Zusammenhang angenommen. In Auseinandersetzung und kritischer Weiterführung von Max Weber (s. Kap. IV)
wurde die scheinbare Einseitigkeit der Weber-These von der Entstehung des Geistes des Kapitalismus modifiziert. Richard H. Tawney
konnte zeigen, daß die kontinentale Reformation und ihr englisches
Gegenstück, aber auch die puritanische Bewegung im 17. Jahrhundert auch als religiöser Ausdruck ökonomischer Veränderungen
und des damit verbundenen Aufstiegs neuer sozialer Schichten verstanden werden kann.[128] Norman Birnbaum bemühte sich um eine
Versöhnung marxistischer und Weberscher Ansätze. Besonders
seine Studien zu der Zwinglischen Reformation in Zürich haben
erbracht, daß eine rein ideenorientierte Interpretation der Reformation wesentliche Fakten außer acht läßt.[129] – Insgesamt bietet
die Reformation nur indirekt einen Beleg für die Korrelation von
sozialer Schichtung und religiösem Pluralismus, weil man lediglich
ganze Gebiete zueinander in Beziehung setzen kann, aber nur in
seltenen Fällen direkt auf die individuell feststellbare Anhängerschaft zu rekurieren vermag.

tion, in: Sowjetwissenschaftliche gesellschaftswissenschaftliche Beiträge 11
(1958); M. Steinmetz, Deutschland von 1476–1648. Von der frühbürgerlichen Revolution bis zum Westfälischen Frieden, 1965; A. Laube, M. Steinmetz, G. Vogler, Illustrierte Geschichte der frühbürgerlichen Revolution,
²1982.
[128] R. H. Tawney, Religion and the Rise of Capitalism, 1926, dt.:
Religion und Frühkapitalismus, 1946.
[129] N. Birnbaum, Conflicting Interpretations of the Rise of Capitalism,
Marx and Weber, in: Brit. Journal of Sociology 4 (1953), S. 125–141, und
ders., The Zwinglian Reformation in Zurich, in: Archives de Sociologie
des Religions 8 (1959), S. 15–30.

Erst mit der Durchsetzung des garantierten rechtlichen Pluralismus ist die sozial relevante Möglichkeit gegeben, daß sich die Angehörigen der verschiedenen Schichten aus eigenem Antrieb für unterschiedliche religiöse Möglichkeiten entschieden. Sowohl das englische als auch das schottische kirchliche Establishment erfuhr im 18. und 19. Jahrhundert eine große Anzahl von Schismen aus den unterschiedlichsten Anlässen, die teilweise auf die 'Verweltlichung' der etablierten Kirchen zurückgeführt werden können, teilweise aber auch staatskirchenpolitische Gründe haben. Es ist nun in vielen Fällen nachweisbar, daß die Träger der Schismen zu Schichten gehörten, die als aufstrebende Klassen in der Gesellschaftsordnung nicht ausreichend verankert waren. Als Beispiel für eine ins Detail gehende Analyse dieser Zusammenhänge soll eine Studie über das Schisma der 'Church of Scotland' im Jahre 1843 herangezogen werden.[130] MacLaren untersucht in ihr die sozialen Komponenten dieses Schismas in der Stadt Aberdeen, wobei er besonderes Gewicht auf die Klassenstruktur legt, die sich in den Ereignissen widerspiegelt und die zu der Errichtung der mächtigen 'Free Church' führte. Interessant ist dabei, daß die Zusammenhänge zwischen sozialer Schichtung und Entstehung der 'Free Church' nicht durch eine regionale Analyse der Hauptverbreitungsgebiete der neuen Kirche erhellt werden können, sondern nur durch eine minuziöse Betrachtung der Kirchenmitglieder und ihres sozialen Hintergrunds. Es zeigt sich, daß der Erfolg des Schismas, der die 'Church of Scotland' tiefer traf als die zahlreichen Schismen des 18. Jahrhunderts, teilweise wenigstens durch den Umstand erklärt werden kann, daß die Unterschiede zwischen den alten Dynastien der herrschenden Familien und den aufstiegsorientierten neuen bürgerlichen Schichten in den religiösen Differenzen ihren Ausdruck finden konnten.

Das klassische Land für die Untersuchung des Zusammenhangs von sozialer Schichtung und religiösem Pluralismus sind die Vereinigten Staaten von Amerika. Zwar verwischen auch hier regionale und ethnische Differenzen häufig klare Schichtungskriterien, etwa bei den katholischen Bevölkerungsteilen, aber dennoch sind Tendenzen so klar erkennbar, daß Zufälligkeiten auszuschließen sind. An einem Beispiel soll das verdeutlicht werden: Die kongregationalistische Kirche bezog ihre Mitglieder zu 67% aus der Ober- und Mittelschicht, die Baptisten dagegen nur zu 32%.[131] Im Laufe der

---

[130] A. A. MacLaren, Religion and Social Class, 1974.
[131] L. Pope, Religion and Class Stucture, zuerst 1948, Abdruck in:

letzten Jahrzehnte haben sich diese Unterschiede vor allem infolge erhöhter Migration etwas eingeebnet, sie sind aber immer noch vorhanden. Geht man von der richtigen Annahme aus, daß religiöse Zugehörigkeit in der Regel eher zugeschrieben als erworben wird, müßten eigentlich die religiösen Gruppen sich im Laufe der Generationen immer gleichmäßiger auf das Schichtungsgefüge verteilen. Daß dies nicht der Fall ist, hängt einmal mit dem Umstand zusammen, daß Intergenerationsmobilität nicht so ausgeprägt ist, wie aus ideologischen Gründen gerne behauptet wird, aber auch damit, daß die Angehörigen der verschiedenen Schichtungsgruppen offensichtlich unterschiedliche religiöse 'Bedürfnisse' haben. Die verschiedenen Kirchen, Denominationen und Sekten erfüllen diese Bedürfnisse in unterschiedlichem Maße. Einige Kirchen betonen die ritualistische und die bürokratische Komponente stärker, während andere eher spontaneistische, emotionale Momente in den Vordergrund stellen. Untersuchungen haben gezeigt, daß Mittelschichtangehörige in größerem Maße zu ritualisierter und intellektualisierter Religiosität neigen, während die Angehörigen der unteren Schichten eine emotionale Religionsausübung bevorzugen.[132] Obwohl diese Zusammenhänge zunächst unabhängig von der organisatorischen Zugehörigkeit sind, ist doch zu erwarten, daß in einer Gesellschaft mit ausgeprägtem faktischen Pluralismus sich diese Optionen langfristig auch in Mitgliedschaften niederschlagen werden. – Der religiöse Pluralismus berührt sich hier eng mit der im vorigen Abschnitt behandelten schichtspezifischen Religiosität.

e) Religiöse Sanktionierung des Schichtungssystems

Obwohl soziale Ungleichheit und davon abgeleitet soziale Schichtung in allen uns bekannten Gesellschaften anzutreffen ist – eine Tatsache, die der theoretischen Soziologie immer wieder die Frage nach der Funktion dieser Erscheinung stellt[133], bedarf ein

R. Bendix and S. M. Lipset (Hrsg.), Class, Status and Power. A Reader in Social Stratification, 1954, S. 319.

[132] R. R. Dynes, Church-Sect-Typology and Socio-Economic Status, in: American Sociological Review 20 (1955), S. 555 ff.

[133] Besondere Beachtung verdienen dabei die sog. funktionalistischen Schichtungstheorien: K. Davis, A Conceptual Analysis of Stratification, in: American Sociological Review 7 (1942), S. 309–321; K. Davis and

konkretes Schichtungssystem der Legitimation, d. h. es muß
sichergestellt sein, daß die differentielle Rangordnung von den
Individuen als gerechtfertigt erlebt wird. Warum dies gerade bei
Schichtungssystemen der Fall ist, kann durch den Umstand erklärt
werden, daß mit der Rangordnung meistens auch unterschiedliche
soziale Belohnungen gegeben sind, wobei sich die Belohnungen auf
den empfangenen Anteil an knappen, aber begehrten Gütern beziehen. Im zweiten Abschnitt dieses Kapitels wurde am Beispiel des
indischen Kastensystems gezeigt, daß es auch möglich ist, das
Belohnungssystem ideologisch vom Ungleichheitssystem abzukop-
peln und das letztere so vollständig in religiösen Kategorien zu
definieren, daß sich die Frage der Legitimation nicht stellt. – Völlig
anders liegen die Verhältnisse in einer Gesellschaft, die ideologisch
die Gleichheit aller Menschen betont, aber dennoch soziale Schichtung kennt. Eine nichtreligiöse Möglichkeit der Legitimation wird
beispielsweise in der modernen Gesellschaft verwendet, wenn man
die jeweilige Rangstellung als Ergebnis der individuellen Anstrengung und Leistung betrachtet. Gleichheit bezieht sich dann auf die
Ausgangslage. Diese Legitimation ist nur in Gesellschaften plausibel
zu machen, welche ein gewisses Maß an vertikaler Mobilität aufweisen, also den sozialen Status wenigstens prinzipiell als erworben
und nicht als zugeschrieben betrachten.

Gesellschaften mit einem weitgehend immobilen Schichtungssystem, das selbst nicht auf religiösen Kriterien beruht, kennen
häufig eine sakrale Legitimation der konkreten Ungleichheit, wenn
nicht auf angeborene Unterschiede zurückgegriffen wird (Aristoteles). Entscheidend ist dabei, ob die legitimierende Religion in religiöser Hinsicht egalitär ist oder nicht. Das Christentum gehört zu
den egalitären Religionen: das ewige Heil ist unabhängig von der
Stellung im System der sozialen Schichtung. Es ist deshalb nicht
verwunderlich, daß es bis heute nicht an Versuchen gefehlt hat, religiös soziale Gleichheit zu postulieren und bestehende Ungleichheit
als widergöttlich zu bekämpfen. Dem steht gegenüber, daß die

W. E. Moore, Some Principles of Stratification, in: American Sociological
Review 10 (1945), S. 242–249, und die sich anschließende Diskussion zwischen Buckley und Davis in dieser Zeitschrift 1958 und 1959. T. Parsons,
A Revised Analytical Approach to the Theory of Social Stratification,
1953, in: ders., Essays in Sociological Theory, rev. ed. 1964, S. 386–439.
Einen guten Überblick gibt: H. W. Pfautz, The Current Literature on Social Stratification, in: American Journal of Sociology 58 (1953), S. 391–418.

christliche Religion im Laufe ihrer langen Geschichte sich in Gesellschaften entfaltete, die äußerst differenzierte und sich wandelnde Systeme von sozialer Schichtung aufwiesen, deren Kriterien
auch bei äußerster Anstrengung nicht im Kontext des religiösen
Systems allein zu legitimieren waren. Es ist interessant zu beobachten, wie die scholastische Soziallehre des Mittelalters auf natur-
rechtlich-antike Traditionen zurückgreifen mußte, um einzelne
Elemente der ständischen Ordnung zu begründen. Man kann noch
einen Schritt weitergehen und behaupten, daß die gesamte Archi-
tektonik dieser Lehre kongenial zu dem Aufbau der Gesellschaft
konstruiert war[134] und damit weniger eine Einzelfallegitimation
lieferte als eine Sanktionierung des gestuften Systems im ganzen.
Der schwierige Balanceakt bestand darin, die religiöse Irrelevanz
der Schichtung und ihrer Legitimation in bezug auf das Seelenheil
festzuhalten und gleichzeitig die göttlich-natürliche Begründung
nicht zu untergraben. Eine Aufgabe, die um so delikater war, als
kein Rekurs auf die Verursachung des gegenwärtigen Status durch
vorhergegangene Existenzen möglich war, also die plausible Lösung
der Karma-Lehre ausfiel, die in buddhistischen Gesellschaften herangezogen werden kann.

Eine zu weit gehende Differenzierung von legitimer sozialer
Ungleichheit und religiöser Ideologie kann zu einer Indifferenz in
bezug auf die im Schichtungssystem selbst zu erfüllenden Leistungen
führen. Das reformatorische Christentum – insbesondere Luther –
begegnete dieser Gefahr mit einem prinzipiellen sozialen Konser-
vativismus bei gleichzeitiger Betonung des Dienstcharakters, der
für jede gesellschaftliche Stellung gelten soll.[135] Jeder soll in seinem
Stand bleiben, in den ihn Gott gerufen hat, und darin seinem
Nächsten dienen. – Diese Legitimationsstrategie ist für mobili-
tätsorientierte Gesellschaften nicht brauchbar, und so ist es nicht
verwunderlich, daß unter veränderten Bedingungen solche Sozial-
theologien sich durchsetzen, die eher aktivistische Elemente betonen, wie etwa der Calvinismus, der die Mitarbeit des Christen an
dem Königreich Christi betonte und dies über einige Umwege mit
Erfolgsstreben und Aufstiegsbewußtsein verbinden konnte.

Nur in wenigen Fällen ist Religion selbst das entscheidende Vehikel

---

[134] Vgl. dazu: T. F. Hoult, The Sociology of Religion, 1958, S. 282 ff.
[135] M. Luther, Sermon von den guten Werken, 1520, in: Luthers Werke
(O. Clemens), Bd. 1, S. 227–298; ders., Von Weltlicher Obrigkeit, 1523,
a. a. O., Bd. 2, S. 360–394.

für die Legitimation konkreter Ungleichheit. Vielmehr scheint
es so zu sein, daß durch die Monopolisierung von Legitimation in
den Händen von religiösen Spezialisten diese erst gezwungen werden, auch zu diesem relevanten Aspekt der sozialen Wirklichkeit
wertend Stellung zu nehmen. Soll die Religion dabei nicht dauerhaft gesellschaftlich unbedeutend werden, muß eine positive Legitimierung des Bestehenden erfolgen, auch wenn die letzte reservatio
religiosa bestehen bleibt, daß vor Gott – nach dem Tode – eine
andere Ordnung gelten wird.

f) Soziale Mobilität und Religion

Soziale Mobilität wird hier (im Unterschied zu Migration) verstanden als die Aufwärts- oder Abwärtsbewegung von Individuen
und/oder Gruppen in einem Schichtungssystem. Diese Mobilität
kann im Laufe eines individuellen Lebens (Intragenerationenmobi-
lität) oder zwischen den Generationen (Intergenerationenmobilität)
erfolgen. Die verschiedenen Schichtungssysteme lassen unter-
schiediche Grade der Mobilität zu.

Im Anschluß an die Max-Weber-These wurden viele Versuche
unternommen, um zu zeigen, daß Protestanten aufstiegsorientierter
seien als Katholiken. Die dabei gewonnenen Daten zeigten ein
zunächst verwirrendes Bild. Einerseits machten die Mobilitätsraten
deutlich, daß z. B. in den USA nach dem Zweiten Weltkrieg keine
signifikanten Unterschiede zwischen Katholiken und Protestanten
bestanden,[136] andererseits konnte eine verfeinerte Analyse, die
auch die Stadt-Land-Differenzierung berücksichtigte, doch noch
höhere Mobilität bei den Protestanten nachweisen,[137] allerdings ist
das letztere Ergebnis auf Detroit beschränkt. Die Frage ist deshalb
so schwierig zu beantworten, weil mehrere Faktoren auf Mobili-
tätsbereitschaft und faktische Mobilität einwirken: Soziale Herkunft, ethnische Zugehörigkeit, Stadt-Land-Gefälle und eben auch
Religion. Alle diese Größen müssen sorgfältig kontrolliert werden,
bis gesicherte Aussagen möglich sind, was wiederum recht große

---

[136] S. M. Lipset and R. Bendix, Social Mobility in Industriel Society,
⁵1963, und R. Mack, R. Murphy, S. Yellin, The Protestant Ethic, Level of
Aspiration and Social Mobility, in: American Sociological Review 21
(1956), S. 295 ff.
[137] G. Lenski, The Religious Factor, ²1963, S. 82 ff.

Stichproben notwendig macht, um noch signifikante Unterschiede zu gewährleisten.

Ein anderes Moment im Zusammenhang von sozialer Mobilität und Religion ist in der Tatsache zu sehen, daß deviante religiöse Gruppen, etwa Sekten, dazu tendieren, ihren Mitgliedern insgesamt im Laufe der Zeit zu einem sozialen Aufstieg zu verhelfen. Dabei spielt es für manche Gesellschaften offenbar eine entscheidende Rolle, daß die Sektenmitglieder in kulturell dominanten Werten sozialisiert werden: Fleiß, Sparsamkeit, Gewissenhaftigkeit usw., und auf diese Weise die Voraussetzungen für eine soziale Mobilität nach oben erwerben.[138] Für die letzten Jahrzehnte ist dies vor allem für die Pfingstbewegung, aber auch für die Black Muslims behauptet worden.[139] Allerdings ist diese These von der intrinsischen Mobilitätsorientierung qua Sektenzugehörigkeit auch schon früh bestritten worden. Liston Pope entnahm seinen Untersuchungsergebnissen in einer Textilarbeiterregion in North Carolina, daß die 'Aufwärtsbewegung' von Sekten im Laufe der Jahre weniger auf die individuelle Mobilität von deren Mitgliedern, sondern auf die Attraktivität der Gruppen für mittlere Schichten zurückzuführen sei.[140] Ein dem genau entsprechendes Ergebnis läßt sich für den württembergischen Pietismus nachweisen: In einer pietistischen Hochburg, in Fellbach, erklären sich die ökonomischen Verbesserungen der Angehörigen der pietistischen Gemeinschaften ausschließlich aus dem Zufluß reicherer Familien ab 1820.[141] Schon diese Befunde machen deutlich, daß im Verlauf der Differenzierung religionssoziologischer Fragestellungen und Forschungsansätze einfache kausale Zurechnungen nicht mehr möglich sind. Gerade auf diesem Gebiet korrigieren Einzelstudien oft für unangreifbar gehaltene Theoreme.

Ein anderes Problem wird angesprochen, wenn danach gefragt wird, wieweit Religion in einem engeren Sinne Vehikel der sozialen Mobilität sein kann. Dabei ist an zwei unterschiedliche Phänomene zu denken: Einmal an die Übernahme von Religion und/oder religiös definierten Sitten und Gebräuchen, um damit den kollektiven oder individuellen Platz in der Rangordnung zu verbessern, und

---

[138] B. Johnson, Do Holiness Sects Socialize in Dominant Values?, in: Social Forces, 1961, S. 309 ff.

[139] L. P. Gerlach and V. H. Hine, People, Power, Change, 1970.

[140] L. Pope, Millhands and Preachers, 1942.

[141] H.-V. Findeisen, Pietismus in Fellbach 1750–1820, 1985, S. 236 ff.

zum anderen an die Möglichkeit, durch religiöse Ämter sozial auf-
zusteigen. Der erste Fall kann nur dort eintreten, wo soziale Ungleichheit mit religiösen Merkmalen verbunden ist. Für Indien ist
das Phänomen der sog. Sanskritisierung bekannt, daß ganze Gruppen (Kasten) Gebräuche der Zweimal-Geborenen (keine Witwen-
verheiratung, vegetarische Ernährung) annehmen und unter Zu-
hilfenahme von etwas geschönten Genealogien versuchen, einen
höheren Kastenstatus zu erlangen.[142] In der Vergangenheit sind in
den europäischen Gesellschaften manche Konversionen von Juden
zum Christentum deshalb erfolgt, weil bestimmte in der sozialen
Schichtung hoch rangierende Positionen für Juden verschlossen
waren. Ähnliches läßt sich für christlich-islamische Konversionen
nachweisen. Voraussetzung ist jedesmal, daß eine Religion sozial
und kulturell dominant in einer bestimmten Gesellschaft ist. Auch
die Abwendung von einer Religion zur Religionslosigkeit überhaupt ist unter den Bedingungen einer der Religion ablehnend
gegenüberstehenden dominierenden Klasse eher möglich. – In allen
diesen Fällen handelt es sich nicht immer um blanken Opportunis-
mus, sondern häufig um eine längerfristige Anpassung von Minderheiten an die dominante Kultur, die nur um den Preis einer in
sich stabilen religiös determinierten Subkultur aufgehalten werden
kann.

Religiöse Ämter sind im System der sozialen Schichtung eingeordnet. Ob sie einen hohen oder niedrigen Rang innehaben,
bestimmt sich nach mehreren Faktoren: Institution, der das Amt
zuzurechnen ist, Vergleichbarkeit mit nichtreligiösen Positionen,
Bedeutung der Religion in der Gesellschaft usw. So ist z. B. in unserer
Gesellschaft der akademisch gebildete Pfarrer einer der großen Kirchen angesehener als der Sektenprediger. Das religiöse Amt als Vehikel des sozialen Aufstiegs ist besonders dort anzutreffen, wo die
Vererbung religiöser Berufspositionen nicht die Regel ist, also etwa
in dem durch den Zölibat an Selbstrekrutierung verhinderten
katholischen Priestertum. So rekrutieren sich etwa 40 % der Päpste,
deren soziale Herkunft bekannt ist, aus den Unter- und Mittelschichten.[143] Allerdings ist zu beobachten, daß im Mittelalter die
oberen Ränge der kirchlichen Hierarchie auch für die Angehörigen

---

[142] Für die Gegenwart vgl.: S. A. Upadhyaya, Kaste und Religion im
heutigen Indien, in: G. Kehrer (Hrsg.), „Vor Gott sind alle gleich", 1983,
S. 129–138.
[143] P. A. Sorokin, Social and Cultural Mobility, ³1959, S. 167 ff.

des Hochadels attraktiv wurden, so daß es in vielen Familien dieser Kategorie üblich wurde, einen oder mehrere Söhne sich auf die Übernahme von Bischofsämtern vorbereiten zu lassen. – Aber auch die niedrigen Ämter in der kirchlichen Hierarchie boten für Aufstiegswillige oft die einzige Chance des Vorwärtskommens unter den Bedingungen einer festgefügten ständischen Gesellschaft auf agrarischer Grundlage. Ein Teil des Priestermangels in der heutigen katholischen Kirche in Westeuropa kann neben innerreligiösen Gründen (Zölibat) auch darauf zurückgeführt werden, daß mehr Aufstiegskanäle geöffnet sind und vor allem durch die Einbeziehung des ländlichen Bereichs in das weiterführende staatliche Schulsystem die Kirche ihre Funktion als Begabungsentdecker und -förderer verloren hat.

5. Religion und Familie

Obwohl die von der Familie zu leistenden Funktionen zweifellos zu allen Zeiten und in allen Gesellschaften von familienähnlichen Gruppen erfüllt wurden, ist der Begriff Familie sowohl von seiner Etymologie her als auch in seiner Definition alles andere als klar und eindeutig. Das Wort ist lateinischen Ursprungs, seine indogermanischen Wurzeln aber nicht völlig geklärt. Der Begriff ist aus dem römischen Recht auf uns überliefert. Er bezeichnete in früher greifbarer Zeit in Rom sowohl ein Vermögen als auch eine Personengruppe. Später definierten die Digesten Familie als eine Gruppe von Personen, die von demselben Erzeuger abstammten. Diese Definition ist eindeutig patrilinear konzipiert und bezeichnet somit eine, aber eben nur eine Möglichkeit der Organisation von Familie und ist darüber hinaus soziologisch darin ungenau, daß sie zwar Abstammungslinien bestimmt, aber nur äußerst ungenau, wenn überhaupt, die soziale Gruppe 'Familie' umschreibt.

a) Formen der Familie

Aufgrund der extrem langen Abhängigkeitsperiode des Neugeborenen kann man davon ausgehen, daß der Mensch einer sozialen Gruppe bedarf, die als sog. sozialer Uterus fungiert. Nimmt man noch hinzu, daß neben diese soziale Abhängigkeit in den ersten Lebensjahren auch noch ein biologisch-physisches Angewiesensein tritt, so ist die universale Verbreitung der Mutter-Kind-Dyade leicht erklärlich. Dies bedeutet jedoch nicht, daß alle Familienformen um diese Dyade organisiert sind. Man kann im Gegensatz dazu feststellen, daß in vielen Gesellschaften konträr zu dieser soziobiologisch am sichersten zu begründenden Beziehung die Vater-Kind-Beziehung als sozial bedeutsamer und letztlich ausschließlich Loyalitäten begründend definiert wird. Die verwirrende Vielfalt der Familienformen kann abstrakt reduziert werden, indem man zunächst diese Formen nach der Koinzidenz oder Nichtkoinzidenz von zwei sozialen Funktionen differenziert, die in unserer Gesellschaft in der Familie wahrgenommen werden: Sexualität und Aufzucht des Nachwuchses. Unter Zugrundelegung der Universalität des Inzesttabus zwischen Geschwistern lassen sich zwei Familienformen unterscheiden: die konsanguine und die konjugale Familie.[144] Die letztere ist dadurch gekennzeichnet, daß die sexuellen Beziehungen zwischen Mann und Frau in derselben sozialen Einheit ihren Platz haben wie die Aufzucht der Kinder. Man kann auch von einer engen Affinität von Ehe und Familie sprechen. Die erstgenannte Familienform hat dagegen die sexuellen Beziehungen zwischen Mann und Frau aus der Einheit ausgelagert, die sozial für die Aufzucht der Kinder zuständig ist.[145] Dies bedeutet üblicherweise, daß der Bruder der Kindsmutter für die soziale Existenz seiner Schwesterkinder verantwortlich ist. Die Tatsache, daß der Mensch die Relation zwischen diesen beiden Funktionen (sexuelle Gratifikation und Aufzucht der Kinder) frei variieren kann, spricht dafür, daß die Notwendigkeit des Vorhandenseins von zwei verschiedengeschlechtlichen Individuen für die Aufzucht des Nachwuchses im Bereich des tierischen Lebens nicht unbedingt anzunehmen ist. Tatsächlich ist im Tierreich in der Regel das weibliche Elterntier ausreichend, um das Aufwachsen des Jungen zu realisieren. Die sog. naturwüchsige Arbeitsteilung zwischen Mann und Frau, die jedoch – soweit uns bekannt – auch eine Prestigedifferenzierung impliziert und die höchstens rudimentär biologisch fixiert ist und deshalb erlernt werden muß, macht beim Menschen die Anwesenheit männlicher Sozialisationsagenten zu einem dringenden Postulat.

[144] R. Linton hat diese Unterscheidung in ›Study of Man‹, 1936, S. 159 ff. entfaltet.
[145] Die extremste Ausgestaltung findet diese Konstellation in der Institution der sog. Besuchsehe, wie sie etwa bei den Nayar üblich war. Vgl. C. Nakane. The Nayar Family in a Disintegrating Matrilineal System, in: J. Mogey (Hrsg.), Family and Marriage, 1963, S. 17–28.

Eine weitere Differenzierung ergibt sich durch die unterschiedliche Zurechnung der Abstammungsverhältnisse. Obwohl in fast allen Gesellschaften die Tatsache der biologischen Zeugung bekannt ist, impliziert dies nicht, daß Kinder soziologisch mit Vater und Mutter gleich verwandt sind. Vielmehr lassen sich drei Zurechnungstypen unterscheiden: Matrilinearität, Patrilinearität und Bilinearität. In der modernen okzidentalen Gesellschaft herrscht das Prinzip der bilinearen Abstammung vor. Dies hat weitreichende Konsequenzen für das Verwandtschaftssystem, das damit auch den gleichen bilateralen Parallelismus aufweist.

Eine andere Unterscheidung in bezug auf die Familienformen ist: Groß- resp. Kleinfamilie, eine Gegenüberstellung, die in der jüngeren Vergangenheit eine gewisse Prominenz erhalten hat. Inzwischen ist durch die historische Familienforschung [146] diese im Rang eines Dogmas stehende Unterscheidung etwas relativiert worden, wobei allerdings zu beachten ist, daß die moderne Zwei-Generationen-Familie als einzig übliche Familienform so erst im 20. Jahrhundert dominant wurde.

Diese unterschiedlichen Ausprägungen von Familie sind immer zu berücksichtigen, wenn man von den Beziehungen zwischen Religion und Familie sprechen will. Sowenig es *die* 'Religion' als eine von Zeit und Raum unabhängige Größe gibt, sowenig gibt es *die* 'Familie' schlechthin, wenn auch gerade religiöse Normierungen bestimmte Familienformen zur Normalgestalt gottgewollter Sozialform erklären konnten.

b) Familie als sozioreligiöse Einheit

Familie in irgendeiner ihrer Ausgestaltungen gehört zu den ältesten Formen sozialen Lebens des Menschen. Wie schon oben in dem Abschnitt über ›Religion und Politik‹ festgestellt wurde, kann es als gesichert gelten, daß Verwandtschaft die ursprünglichste Organisationsform von Gesellschaft ist und daß im Rahmen des Verwandtschaftssystems auch die Familie ihren Platz fand. In einem Zustand geringer Differenzierung werden auch die religiösen Handlungen im Rahmen der ältesten Organisationsstruktur stattgefunden haben. Von dieser Überlegung ausgehend haben im

---

[146] P. Laslett, Household and Family in Past Time, 1972; E. Shorter, The Making of the Modern Family, 1976.

19. Jahrhundert verschiedene Autoren angenommen, daß die Familie der gegebene natürliche Ort für Religion gewesen sei, ja daß die Familie überhaupt nur als religiöse Einheit zu verstehen sei. Der Autor, der dieser Sicht in der Literatur besonderes Gewicht gab, ist Numa Denis Fustel de Coulanges in seinem berühmten Buch ›La Cité Antique‹.[147] Während Fustel Daten aus der mediterranen Antike benutzte, hat einige Jahrzehnte später der britische Orientalist und Alttestamentler W. Robertson Smith, dessen Werk großen Einfluß auf Emile Durkheim ausübte, eine strukturell ähnliche These für die altarabische Gesellschaft aufgestellt.[148] Interessanterweise ist aber in den meisten Texten eigentlich nicht von Familie im strengen Sinne die Rede, sondern viel eher von Phänomenen, die meistens mit dem lateinischen Namen 'gens' wiedergegeben werden und die anscheinend eine Sozialform darstellen, der heute kein Pendant in den modernen Gesellschaften entspricht. Dabei ging Fustel davon aus, daß die Familie ursprünglich die einzige Form der Gesellschaft war («La familie a été d'abord la seule forme de la société»[149]). Es ist aus dem Kontext der Stelle klar ersichtlich, daß er dabei die gens im Auge hatte und nicht die im historisch greifbaren römischen Bereich durchaus vorhandene Familie in unserem Sinne. Diese Bezeichnung der gens als Familie wäre nicht weiter problematisch, wenn nicht gerade in der Religionssoziologie die These von der sozioreligiösen Einheit 'Familie' an einem Sozialverband erwiesen würde, der eben mehr ist als die Familie in unserem modernen Verständnis. Da in historischer Zeit in Rom die gens in erster Linie als Kultverband noch Bestand hatte, was besonders durch die gemeinsame Begräbnisstätte belegbar ist, ist zumindest der Verdacht nicht von der Hand zu weisen, daß relativ rezente Phänomene dazu dienten, eine Position zu vertreten, die nicht ohne Zusammenhang mit kulturkritischen Tendenzen des 19. Jahrhunderts war. Deutlich wird dies bei einem der katholischen Tradition verpflichteten Autor wie Frédéric Le Play.[150] In der von der Religionsphänomenologie beeinflußten Religionssoziologie Joachim

[147] N. D. Fustel de Coulanges, La Cité Antique, 1864 (zahlreiche Neuauflagen). Dt. Ausgabe zuletzt: 1961.
[148] W. Robertson Smith, Kinship and Marriage in Early Arabia, 1885, und ders., The Religion of Semites, 1889.
[149] N. D. Fustel de Coulanges, a. a. O., S. 127 (zitiert nach der 4. Auflage).
[150] F. Le Play, L'organisation de la famille selon le vrai modèle signalé par l'histoire de toutes les races et tous le temps, ³1884.

Wachs, Gustav Menschings und Gerardus van der Leeuws wird es dann fast zu einem Dogma, daß die ursprüngliche religiöse Dimension der Familie, einmal im Zuge der Säkularisierung und zum anderen durch die individualisierende Tendenz der Universalreligionen, aufgelöst wurde.[151] Die Unterschiede zwischen Le Play und Fustel liegen vor allem darin, daß dieser das Christentum zu den zerstörerischen Kräften rechnet, während jener den Katholizismus als Hauptgaranten der Bewahrung sieht.

Trotz dieser kritischen Bemerkungen darf nicht der Wahrheitskern an der These von der sakralen Einheit 'Familie' übersehen werden. Tatsächlich spielen sich in vielen Gesellschaften religiöse Riten im Rahmen der Familie ab, und daß das Herdfeuer in indogermanischen Gesellschaften als sakral betrachtet wurde, ist gesichert. Man wird also, auch wenn die universale Gültigkeit der These umstritten bleiben muß, doch davon sprechen können, daß Familie sehr häufig der Ort der Religionsausübung war und manchmal noch ist.[152] Allein schon die Tatsache, daß viele der sog. Passageriten im Kontext der Familie zunächst angesiedelt sind, weist auf diesen Umstand hin. Allerdings ist immer zu berücksichtigen, daß die in Frage stehende Einheit sehr häufig nicht die Gruppe ist, die wir als Familie zu bezeichnen gewöhnt sind. Trotz der umfangreichen ethnographischen Arbeiten zum Thema Familie sind bis heute die Funktionsweisen der verschiedenen Familienformen nicht völlig geklärt; so ist schon der zentrale Begriff 'joint family' oder der der 'extended family' nicht ganz eindeutig.[153] Deshalb muß in jedem Fall sehr genau bestimmt werden, wer, d. h. welche Personengruppen, die Träger der Passageriten sind. Darüber hinaus ist auch ein Schluß von der Existenz solcher Riten auf die religiöse Relevanz der sie tragenden Gruppen manchmal voreilig. Kulturvergleichende Untersuchungen haben ergeben, daß zwischen der Elaboration von Hochzeitsriten und der Menge der durch Eheschließungen bewegten Güter ein enger Zusammenhang besteht.[154]

[151] G. van der Leeuw, Phänomenologie der Religion, ²1956, S. 281; J. Wach, Religionssoziologie, 1951, S. 68; G. Mensching, Soziologie der Religion, 1947, S. 27f. und S. 98.
[152] Vgl. auch: H. Mol, Identity and the Sacred, 1976, S. 135–141.
[153] Vgl. T. N. Madan, The Joint Family: A Terminological Clarification, in: J. Mogey, Family and Marriage, a. a. O., S. 7–16.
[154] P. C. Rosenblatt and D. Unangst, Marriage Ceremonies: An Exploratory Cross-Cultural Study, in: G. Kurian (Hrsg.), Cross-Cultural Perspectives of Mate Selection and Marriage, 1979, S. 227–242.

Es kann keinem Zweifel unterliegen, daß in vielen Gesellschaften Institutionen, die mit der biologischen und/oder soziokulturellen Prokreation des Nachwuchses befaßt waren, auch kultische Momente kannten.[155] Interessant ist es, daß in der modernen okzidentalen Gesellschaft die noch von der Mehrheit der Bevölkerung in Anspruch genommenen Riten der christlichen Religionsorganisationen gerade die zu sein scheinen, die sich auf die Familie beziehen. Dieser Umstand vermag vielleicht die allgemeine Problematik der Sakralisierung der Familie zu erhellen. Es bedarf keiner näheren statistischen Nachweise,[156] daß die sog. kirchlichen Amtshandlungen die rituelle Basis der modernen Volkskirchen ausmachen, und nicht die ohne ersichtliche soziale Grundlage vorgenommenen sonstigen rituellen Veranstaltungen wie Gottesdienste, Abendmahlsfeiern etc. Diese Beobachtung, kombiniert mit einigen theoretischen Überlegungen Malinowskis über die Funktion von Bestattungsriten,[157] führte besonders Theologen dazu, in der Familie eine unzerstörbare Grundlage der kirchlich organisierten Religion zu erblicken. Betrachtet man jedoch die in Frage stehenden Riten genauer, so ergeben sich einige überraschende Tatsachen:
– die entsprechenden Riten können auch ersatzlos wegfallen;
– die soziale Einheit, in der die Riten vollzogen werden, ist durchaus nicht genau bestimmt;
– die Familie ist in der Regel überhaupt nicht der Ort der sozialen Riten.
Während man bisher häufig von der Meinung ausging, Geburt, Eheschließung und Tod bedürften auf jeden Fall der rituellen Begleitung, scheint es heute ohne weiteres möglich zu sein, zu heiraten, ohne daß ein ritueller Akt (sieht man von der Formalität der standesamtlichen Trauung[158] ab) erkennbar ist. Bekanntlich kennen auch einige Stammesgesellschaften die Eheschließung als einfachen fait accompli, der ohne viel Aufhebens von der Umgebung zur Kenntnis genommen wird. Hier scheint die Situation in der modernen Gesellschaft durchaus vergleichbar manchen matrilinearen

---

[155] Siehe dazu die Aufsätze ›Family‹ in: Encyclopedia of Religion and Ethics, 1926.

[156] G. Kehrer, Stabile Kirche in einer stabilen Gesellschaft, in: D. Henke, G. Kehrer, G. Schneider-Flume (Hrsg.), Der Wirklichkeitsanspruch von Theologie und Religion, 1976, S. 133–150.

[157] B. Malinowski, Magic, Science and Religion, a. a. O., S. 47 ff.

[158] Außerdem ist die rituelle Überformung der Eheschließung nicht universal und war es nie.

Gesellschaften, in denen durch Eheschließung bestehende soziale Geflechte kaum tangiert werden.

Ähnliche Überlegungen ließen sich auch für Taufe und Bestattung durchführen, wobei beim Totenritus der Gedanke im Vordergrund stehen müßte, daß in Anbetracht der Tatsache, daß die moderne Gesellschaft in einem bisher unbekannten Maße den Tod zu einer Erscheinung des Alters machte, es keine soziale Gruppe mehr gibt, die durch den Tod eines Mitglieds bedroht ist. – Betrachtet man die noch vollzogenen Riten jedoch genauer und analysiert die Teilnehmer, so zeigt sich, daß in vielen Fällen keine klar erkennbaren sozialen Gruppen mehr die Riten tragen. Das ist einmal bedingt durch die Reduktion unseres modernen Verwandtschaftssystems – die schon durch die Armut der Verwandtschaftsbezeichnungen gekennzeichnet ist –, und zum anderen durch die Tatsache, daß lediglich die durch die unterschiedlichen sozialen Positionen gegebenen Sozialkontakte in den rituellen Überformungen zunehmend rein privater Veränderungen nochmals aktualisiert werden.

Die Familie (im Sinne von Kernfamilie) ist anscheinend kein selbstgenügsamer Nucleus für Ritualisierungen, obwohl in der modernen Gesellschaft die noch vorkommenden kirchlichen Rituale sich auf Ereignisse beziehen, die entweder Familie offiziell begründen oder vergrößern oder verkleinern. Dies führt zu der Frage, ob die Familie dieser Nucleus je war bzw. überhaupt jemals qua Familie als Grundeinheit für die Produktion von Sakralisierungen dienen konnte.

In der modernen Gesellschaft scheint ein enger Zusammenhang von Religion in ihrer organisierten Gestalt (Kirchen) und Familie zu bestehen. In einer Untersuchung stellen D. Nash und P. Berger fest, daß „Frauen und Kinder die meiste Aufmerksamkeit von seiten der Kirchen erhalten und die meisten kirchlichen Aktivitäten tragen"[159]. Eine nur oberflächliche Übersicht über die von den Kirchen angebotenen Veranstaltungen zeigt das Überwiegen familienbezogener Themen, wodurch u. a. die Überrepräsentation von Frauen in kirchlichen Veranstaltungen erklärt werden kann. Auf einer rein theoretischen Ebene thematisiert T. Parsons den gleichen Sachverhalt.[160] Er geht von der Beobachtung aus, daß sowohl

[159] D. Nash and P. Berger, The Child, the Family and the 'Religious Revival', in: Suburbia; Wiederabdruck in: J. E. Faulkner, Religion's Influence in Contemporary Society, 1972, S. 107–118.

[160] T. Parsons, Family and Church as 'Boundary' Structures, zuerst

Familie als auch organisierte Religion in der modernen Gesellschaft
ihren Einfluß nicht durch „organisatorische Kompetenz über bestimmte Lebenssphären" haben, sondern durch 'motivationales
Engagement' (Familie) und 'Werte-Engagement' (Kirche) der Individuen. Parsons sieht dies als Resultat gesellschaftlicher Differenzierung, in deren Verlauf sowohl Kirche als auch Familie zu spezialisierten Einheiten wurden. Die organisatorische 'Machtlosigkeit'
beider Institutionen wird 'kompensiert' durch die Bedeutung für
die Aufrechterhaltung der Gesellschaft, die gerade darin liegt, daß
sie gewissermaßen an den 'Rändern' der Gesellschaft einmal, besonders in der präödipalen Phase, „die Grenzstruktur zwischen
den Wurzeln der Persönlichkeit des Individuums und der beginnen-
den Teilnahme in der Gesellschaft" bilden, und zum anderen durch
Rekurs auf eine 'letzte Realität' nicht mehr von dieser Welt sind.
Parsons bezieht seine Analyse nur auf die moderne Gesellschaft:
„Die Tatsache, daß beide institutionelle Komplexe in den Prozeß
der Differenzierung eingebettet waren, bedeutet, daß ein Graben
zwischen ihnen entstand, welcher früher in diesem Ausmaß nicht
existierte." Obwohl auf den ersten Blick der Befund von Nash und
Berger auf der einen Seite und die Analyse von Parsons auf der
anderen zu unterschiedlichen Ergebnissen kommen, besteht doch
eine wesentliche Parallelität: bei Nash und Berger gibt es den Befund, daß fast alle neuen Mitglieder der Presbyterian Church in
einem Vorort von Hartford wegen ihrer Kinder Mitglied der Kirche
geworden waren; Parsons betont, daß die Rolle der Kirchen in der
Sozialisation vor allem dann beginnt, wenn die präödipale An-
hänglichkeit an die Mutter allmählich durch die Übernahme gesellschaftlicher Werte abgelöst wird. Dabei legt er besonderen Wert auf
die mit der Adoleszenz verbundenen Passageriten. Bricht man die
Überlegung an dieser Stelle ab, so käme man zu einer vereinfachen-
den These des 'Bedeutungsverlustes' von Religion und Familie
durch soziale Differenzierung. Es läßt sich nicht abstreiten, daß
Parsons durchaus Anklänge an diese These hat. Damit wäre auch
erklärt, warum die moderne Familie in scheinbarem Widerspruch
zu der Familie der Vergangenheit nicht mehr ursprüngliche soziale
Einheit ist.

Kehrt man zu der Beobachtung Fustel de Coulanges zurück, daß
es eigentlich die gens war, die den Ort des Religiösen bildete, und

1964, Wiederabdruck in: N. Birnbaum and G. Lenzer (Hrsg.), Sociology
and Religion, S. 423–429.

verbindet man damit die Feststellung, daß anscheinend sehr häufig
Familienkulte und sakralisierte Genealogien zusammengehören, so
ist es naheliegend anzunehmen, daß trotz aller soziologischer Klarheit bei der Unterscheidung von Familie und gens (Clan) anscheinend im Kultischen die Unterschiede nicht so deutlich sind.[161]
Obwohl in vielen Haushalten von sog. Kernfamilien in den unterschiedlichsten Gesellschaften religiöse Symbole zu finden sind,
spricht dies noch nicht für die These, daß die Familie als solche
sakralisiert wird. Vielmehr erscheint eine Sakralisierung der Familie
unwahrscheinlich, weil sie als soziale Einheit viel zu ephemer ist,
als daß sie dauerhaftere Formen der sakralen Repräsentation annehmen könnte. Unabhängig von der Wahl des Wohnortes (patrilo-
kal, matrilokal oder neolokal) ist es unter den Bedingungen vormoderner Sterblichkeitsverhältnisse nicht zu erwarten, daß mehr
als drei Generationen zusammenleben. Geht man weiter davon
aus, daß unter normalen Bedingungen die meisten Gesellschaften
hohe Heiratsziffern aufweisen, so kommt es bei Neolokalität zu
sehr kleinen Familiengrößen, bei Patri- oder Matrilokalität entweder sehr schnell zu Erscheinungen wie Clan-Bildung oder – und
nur das ist empirisch wahrscheinlich – die Zahl der potentiell zu-
sammenlebenden Geschwister mit ihren Ehegatten ist von Anfang
an gering, sofern überhaupt ein familiales Zusammenleben von
Ehegatten mit gemeinsamen Kindern vorgesehen ist. Wenn Religion
im Sinne Durkheims 'la vie sérieuse' ist, dann impliziert das eine
gewisse Dauerhaftigkeit der sakralisierten Sache. Die Familie ist
nun aber in den meisten Gesellschaften durchaus nicht die dauer-
hafteste soziale Institution. Die Kinder werden meist nur unilateral
zugerechnet; Eingehen und Auflösen der Ehe ist von beiden oder
wenigstens von einer Seite oft recht einfach möglich. Kaum aufheb-
bar scheint dagegen die Zugehörigkeit zu einer "lineage" zu sein.
Diese Zugehörigkeit wird religiös dargestellt. Die im strikten Sinne
familialen religiösen Riten sind dagegen in das 'Private' hineingenom-
mene Stücke von allgemeiner Religion, wobei es unproblematisch
ist, daß bestimmte Stücke eine besondere Affinität zur Familie
haben. Besonders verwirrend ist es, daß auch im rein familialen
Raum häufig Bezug auf die Ahnen genommen wird: Selbst die
moderne Gesellschaft mit ihrer Reduktion der Bedeutung der
Abstammung beschwört in ihren Familienfeiern auf unbeholfene

---

[161] A. C. Mayer, Caste and Kinship in Central India, 1960, kommt für
Indien zu einer gegenteiligen Meinung.

Weise die Ahnen, wenn sie versucht, mehrere Generationen zu versammeln und Ähnlichkeiten zwischen Neugeborenen und Urgroßeltern auszumachen.

Die relativ dauerhafte Beziehung zwischen wenigen Personen und dem Neugeborenen über einige Jahre hinweg als Soziabilisierungsphase [162] ist wohl empirisch universal. In dieser Phase passiert das, was psychologisch als Bildung von Urvertrauen bezeichnet wird. Es gibt keinen Anlaß, die Institution, in der diese Soziabilisierung geschieht, nicht Familie zu nennen. Es kann keinem Zweifel unterliegen, daß damit Familie – in diesem sozialisationstechnischen Sinne – von höchster Bedeutung für den Bestand jeder Gesellschaft ist. Darüber hinaus kann eine Familie noch eine ganze Reihe von Funktionen übernehmen, sie hat diese aber nicht qua Familie. Die genuinen Aufgaben der Familie sind jedoch so auf die Intimität ihrer Mitglieder (häufig genug: Mutter und Kleinkind) bezogen, daß sie sich zu einer verobjektivierenden Darstellung nicht eignen.

c) Normierung der Familie durch die Religion(en)

Die ambivalente Haltung der großen Erlösungsreligionen gegenüber der Familie ist notorisch. Auf der einen Seite ist die Loyalität gegenüber dem Familienverband eine Konkurrenz für die exklusive Loyalität gegenüber der religiösen Gruppe, auf der anderen Seite behaupten die Vertreter etablierter Erlösungsreligionen, daß gerade die Religion die sicherste Gewähr für die Stabilität der Familie sei. Diese Ambivalenz ist aus dem Entstehungsprozeß der sog. Weltreligionen, sofern sie nicht aus Volksreligionen hervorgegangen sind, erklärbar. Ein gutes Beispiel dafür ist das Verhältnis der christlichen Religion zur Familie und zu Familienpflichten. Während das Judentum zur Zeit Jesu Familiengründung und Kinderzeugen zur sittlich-religiösen Pflicht erhob, wurde in Jesus zugeschriebenen Aussagen eine eher negative Haltung gegenüber familialen Loyalitäten ausgedrückt (Matth. 12, 46 ff.), die bis zur Ablehnung der Pflicht, für den verstorbenen Vater die Bestattung zu besorgen, gehen konnte (Matth. 8, 19 ff. und Luk. 9, 57 ff.). Selbst das paulinische Schrifttum weist bei aller positiven Schätzung des unauffälligen, bürgerlichen Lebens eher eine Tendenz zur Familienlosigkeit auf (1. Kor. 7, 29–35).

[162] Zum Begriff der Soziabilisierung vgl. D. Claessens, Familie und Wertsystem, 1962.

Aber schon in den Pastoralbriefen und in den Pseudopaulinen und noch stärker in den nichtkanonisierten frühen Schriften, etwa den Didaskalia, wird die Norm des eher konservativen Familienlebens mit der Verantwortung des Ehemanns und Vaters betont.[163]

Auch andere große Erlösungsreligionen haben einen Weg finden müssen, um die gesellschaftlich notwendigen Funktionen der Familie zu sichern und zugleich mit den gesellschaftsindifferenten Grundimpulsen zu vereinbaren. Im Buddhismus wurde dies durch die Unterscheidung zwischen der Mönchsgemeinde (sangha) und der Laienanhängerschaft erreicht. Konsequentes Verzichten auf Familie würde die Religion selbst zum Erlöschen bringen. Nur durch Adoption ist es z. B. den Shakers gelungen, die rigorose Norm über Generationen aufrechtzuerhalten und dennoch in der Zeit zu überdauern.[164]

Es entbehrt nicht einer gewissen Ironie, daß ausgerechnet die christliche Religion, die in ihren Anfängen eine eher skeptische, wenn nicht sogar negative Haltung zu Ehe und Familie hatte, im Laufe ihrer Entwicklung zum Hauptvertreter einer ausformulierten Familienmoral wurde. Dabei ist die Durchsetzung christlicher Ehe- und Familienvorstellungen ein langsamer Prozeß gewesen, der erst seit dem Spätmittelalter als einigermaßen abgeschlossen gelten kann. Die rigorose christliche Ehelehre (Unauflöslichkeit, Verbot außerehelicher Beziehungen) war überhaupt wohl zu keiner Zeit realisiert. Selbst das kirchliche Recht ließ über die Möglichkeit der Nichtigkeitserklärung einer Eheschließung immer Auswege offen, und die protestantische Konsistorialpraxis erlaubte schon bald die Ehescheidung aufgrund schwerwiegender Eheverfehlungen.

Daß dennoch die Ehelehren der Konfessionen sich auf das Familienverhalten auswirkten, zeigen Untersuchungen, die das familienbezogene Handeln unterschiedlicher Konfessionsangehöriger zum Gegenstand haben. Bei diesen Studien, die größtenteils in den Vereinigten Staaten durchgeführt wurden, standen Aspekte der sozioreligiösen Kontrolle im Vordergrund: Mischehe, Abtreibung, Scheidung, Kinderzahl, voreheliche Sexualität.[165] Daten, die bis in

[163] Zum gesamten Komplex s. M. Gartner, Die Familienerziehung in der Alten Kirche, 1985.

[164] H. Desroche, Les shakers américains, 1955, und R. M. Kantner, Commitment and Community, ⁶1977.

[165] W. V. D'Antonio. W. M. Newman, St. A. Wright, Religion and

die sechziger Jahre unseres Jahrhunderts reichen, beweisen deutlich, daß die Katholiken im Vergleich zu den Protestanten seltener Mischehen eingehen, weniger abtreiben, geringere Scheidungsraten haben, eine höhere eheliche Fruchtbarkeit aufweisen. Diese Ergebnisse sind zunächst als Erfolg der kirchlichen Sozialisation zu interpretieren. Gerhard Lenski hat aber schon in seiner Detroiter Studie den Nachweis erbracht, daß höchstwahrscheinlich unterschiedliche Wertorientierungen zwischen Protestanten und Katholiken den Ausschlag geben. So waren Katholiken stärker verwandtschaftsorientiert als Protestanten, die sich dafür stärker in der Nachbarschaft orientierten. Außerdem definierten Protestanten (und Juden) personale Autonomie als wichtigsten Erziehungswert, während Katholiken stärkeres Gewicht auf Gehorsam als Erziehungsziel legten. Die damit korrelierende höhere Mobilität der Protestanten fand auch ihr Pendant in familialer Mobilität, denn Scheidung ist ja interpretierbar als Beendigung einer Beziehung, die für einen oder beide Partner nicht das angestrebte Ziel der Glückserfüllung realisierte. Auch die geringere Kinderzahl der Protestanten findet ihre Erklärung in dem dominanten Erziehungswert: Personale Autonomie verlangt sorgfältige Erziehung und (kostspielige) Ausbildung, was eine Begrenzung der Kinderzahl zwingend macht.[166]

Es gehört zu den erstaunlichen Phänomenen sozioreligiösen Wandels, daß in den letzten 25 Jahren sich in fast allen westlichen Industriegesellschaften diese noch Ende der 50er Jahre konstatierten Unterschiede einebneten, und zwar in die Richtung, daß auch die katholischen Bevölkerungsteile die 'protestantischen' Wertmuster übernahmen.[167] Dieses Phänomen spricht dafür, daß die als 'protestantisch' apostrophierten Werte – unabhängig von ihren möglichen religiösen Ursprüngen – zugleich die soziokulturell dominanten waren, denen gegenüber auch religiös legitimierte andere Werte langfristig keine Chance auf Durchsetzung hatten.

Ein gutes Beispiel für diese These ist die faktische Nichtbeachtung des kirchenamtlichen Verbots der Empfängnisverhütung durch

Family Life, in: Journal for Scientific Study of Religion 21 (1982), 3, S. 218–225.

[166] G. Lenski, Religion und Realität, 1967, S. 122–159.

[167] W. V. D'Antonio, The Family and Religion: Exploring a Changing Relationship, in: Journal for the Scientific Study of Religion 19 (1980), 2, S. 89–104.

das katholische Kirchenvolk in den entwickelten Industriegesellschaften.

Wandlungsprozesse im Rahmen von Familienstruktur und
Familienwerten sind äußerst langwierige Prozesse, in die Religion
beschleunigend oder retardierend eingreifen kann. Ob es aber je
religiöser Normierung gelang, langfristig Entwicklungen eine
andere Richtung zu geben, darf bezweifelt werden, wenn man von
kleinen, religiös zentrierten Gruppen absieht.

VI. ORGANISIERTE RELIGION

1. Die soziale Gestaltung von Religion

Für die Religionssoziologie existiert Religion nur als ein von mehreren Menschen geteiltes gemeinsames Glaubenssystem. Die religiöse Idee, wie sie von einem einsamen Denker ersonnen und ausgesponnen wird, ist noch nicht Gegenstand der Religionssoziologie. Diese Beschränkung auf Phänomene, denen Gruppen zuzuordnen sind, entspricht auch dem üblichen Sprachgebrauch. Wenn in religionshistorischer Hinsicht etwa der Buddhismus vom Jinismus unterschieden wird, so ist zwar die Lehre das entscheidende Differenzierungsmerkmal, aber von 'Religion' wird nur deshalb gesprochen, weil es Buddhisten bzw. Jinisten gibt. Auch tote Religionen, etwa der Manichäismus, hatten zu Lebzeiten Anhänger. Eine religiöse Idee ohne Träger[1] ist keine Religion.

Während im okzidentalen Bereich wir uns daran gewöhnt haben, daß Religion sich genau bestimmbaren Gruppen zuordnet, ist es wichtig zu berücksichtigen, daß in anderen Gesellschaften sehr häufig nicht exakt angegeben werden kann, wer zu welcher Religion gehört. Trotzdem hat Religion auch in solchen Gesellschaften einen sozialen Träger, der aber nicht als ausdifferenzierte Gruppe erkennbar ist. Schon im zweiten Abschnitt im Kapitel V wurde kurz auf die Unterscheidung zwischen Volks- und Universalreligion[2] bzw. 'diffused vs. organized religion'[3] eingegangen. Diese Unterscheidung muß nun vertieft werden. Yinger sieht die Existenz von 'diffused religion' vor allem in Stammesgesellschaften, wo „man nicht einer Kirche angehört; man gehöre vielmehr zu einer Gesellschaft, welche religiöse Züge hat neben anderen Eigenschaften".[4] Diese Reduktion von 'diffused religion' auf wenig differenzierte Gesellschaften ist empirisch nicht haltbar. Es gab und gibt

---

[1] Zum Begriff des Trägers in bezug auf Glaubenssysteme vgl. Borhek and Curtis, Sociology of Belief, ²1983, Kap. 5.

[2] Vgl. Anm. 45 zu Kap. V.

[3] Vgl. Anm. 46 zu Kap. V.

[4] Ebd.

differenzierte Gesellschaften, die keine religiösen Organisationen in dem Sinne und der Wortbedeutung haben, die wir 'Kirche' nennen könnten. Auch der an gleicher Stelle von Yinger gegebene Hinweis, daß in solchen Religionen die religiöse Professionalisierung minimal sei, ist nicht richtig. Nehmen wir als Beispiel die antiken Religionen Griechenlands und Roms, also hochdifferenzierter Gesellschaften, die aber auf der einen Seite spezialisierte Priesterrollen und deren Organisation kannten, aber auf der anderen Seite insgesamt keine Sozialform ausbildeten, die in irgendeiner Weise als 'Kirche' bezeichnet werden könnte. Der Unterschied zwischen 'diffused vs. organized religion' liegt also nicht in der mangelnden Professionalisierung von Religion, sondern in einem Faktor, der am besten als Zugehörigkeitskriterium bezeichnet werden kann. Die Frage lautet: Kann man in einem konkreten Fall davon sprechen, daß man einem bestimmten religiösen Glaubenssystem angehört? Es ist offensichtlich, daß dies in der modernen okzidentalen Gesellschaft gegeben ist, für das klassische Griechenland wäre die Frage negativ zu beantworten.

Das Kriterium der Zugehörigkeit darf nicht verwechselt werden mit der Unterscheidung zwischen natürlichen bzw. spezifisch religiösen Gruppen als Träger der Religion, wie sie von Joachim Wach in seiner Religionssoziologie entwickelt wurde.[5] Auch Wach meint, daß die Identität von religiöser und sozialer Gruppe in weniger komplexen Kulturen vorherrsche und daß wachsende Differenzierung in der Gesellschaft *und* die Vertiefung des religiösen Erlebens von Einzelmenschen und Gruppen zu einem Auseinanderfallen dieser Einheit führe.[6] Dies letztlich evolutionistische Schema läßt sich durch viele Einzelbeispiele widerlegen, ganz abgesehen davon, daß eine Kategorie wie „Vertiefung des religiösen Erlebens" sich der wissenschaftlichen Erfaßbarkeit entzieht.

Die Tatsache, daß soziale Gebilde (Familien, lokale Gemeinschaften, Staaten usw.) durch Religion eine Integration erfahren, wie es oben im Kapitel III gezeigt wurde, darf nicht dazu verleiten anzunehmen, daß dies nicht auch in Gesellschaften der Fall sei, in denen Religion in spezifischen Gebilden organisiert ist. Genauso falsch ist es zu postulieren, daß in Gesellschaften, in denen keine spezifisch religiösen Gruppen und Zugehörigkeiten existieren, Religion deshalb unorganisiert sei. Wenn es Funktion von Religion ist, Gesellschaft und

---

[5] J. Wach, Religionssoziologie, 1951 (engl. zuerst: 1944), S. 60 ff. Menschings Unterscheidung geht letztlich auf Wach zurück.

[6] A. a. O., S. 123.

Gruppen zu integrieren, so kann diese Funktion von sehr unterschiedlich gestalteten Formen von Religion geleistet werden.

Es ist zweifellos richtig, daß religiöse Gruppen mit genau bezeichenbarer Zugehörigkeit – die im folgenden 'religiöse Organisationen' genannt werden sollen – erst in historisch später Zeit entstanden sind und daß ihre Entstehung und Existenz soziokulturelle Differenzierung bedeutet, ohne daß sie selbst damit Resultat dieser Differenzierung ist. Im dritten Abschnitt dieses Kapitels werden an einigen Beispielen historische Bedingungen für das Entstehen religiöser Organisationen behandelt werden. In den meisten Fällen existiert Religion in diffuser Gestalt, was bedeutet, daß sie keinen eigenen spezifischen sozialen Körper kennt, sondern Teil der Kultur der Gruppe ist. Aber auch in den Fällen, in denen ein solcher sozialer Körper existiert, muß man berücksichtigen, daß es sich häufig genug um eine bürokratische Struktur handelt, die für das sozioreligiöse Leben des Individuums nicht ausschlaggebend ist. Sofern es sich nicht um eine hochpluralisierte, religiös zerklüftete Gesellschaft handelt mit erkennbarem Wechsel zwischen den religiösen Organisationen – ein historischer Sonderfall, der meistens nur sehr kurzlebig ist –, ist religiöse Zugehörigkeit keine Frage der Entscheidung, sondern erfolgt als Rollenzuschreibung mit der Geburt. Religiöse Riten sind auch im Fall der religiösen Organisationen häufig an lebenszyklische Daten gebunden, und selbst typisch religiöse Festkalender (etwa die Feiern des christlichen Kirchenjahres) gehen auf die Dauer eine sehr enge Verbindung mit dem Volksleben ein, so daß ein Zustand eintritt, der dem der 'diffused religion' sehr nahe kommt. Religiöse Organisationen sind in reiner Form vor allem bei devianten kleinen Gruppen zu finden, die sich bewußt der Synthese von Religion und Gesellschaft entziehen.

Der gerade eingeführte Begriff 'religiöse Organisation' ist nicht frei von Möglichkeiten des Mißverständnisses. Zwar hat er sich vor allem in der amerikanischen Religionssoziologie eingebürgert, aber in seiner Abgrenzung zu 'diffused religion' könnte der Eindruck entstehen, als gäbe es außerhalb von religiösen Organisationen keine organisierte Religion.

Unter 'Organisation' soll im folgenden verstanden werden: „. . . soziale Einheiten . . ., die mit dem Zweck errichtet wurden, spezifische Ziele zu erreichen."[7] Etzioni, dessen Definition hier

---

[7] A. Etzioni, Soziologie der Organisationen, ³1971, S. 12. So ähnlich auch: R. Mayntz, Soziologie der Organisation, 1963, S. 36 ff.

übernommen wurde, sieht weitere typische Merkmale von Organisation in: Arbeitsteilung, Machtteilung und Delegation von Verantwortung. Diesem wesentlich an dem rationalsten Typus von Organisation, dem Wirtschaftsunternehmen, orientierten Begriff haftet eine starke Betonung der Zielgerichtetheit und damit der Zweckrationalität an, die nur mit Einschränkungen auf religiöse Organisationen übertragbar sind. Besonders die Betonung der „Errichtung, um spezifische Ziele zu erreichen", ist bei religiösen Organisationen nicht unmittelbar gegeben. Es wird aber im Laufe dieses Kapitels zu zeigen sein, daß vollentfaltete religiöse Organisationen die meisten Merkmale, die in der Definition genannt sind, erfüllen.

Wenn wir von religiösen Organisationen weiterhin sprechen, ist eine wesentliche Unterscheidung zu treffen. Organisation von Religion kann bedeuten, daß dadurch die Zugehörigkeit zu einem sozioreligiösen Gebilde reguliert wird, also etwa durch Kirchenmitgliedschaft u. ä. Es kann aber auch bedeuten, daß nur Teile der Religion in spezifischen Gebilden organisiert sind, etwa die Verwaltung des Kultus, während auf der anderen Seite der Teilnehmer am Kultus keine Organisationsstrukturen vorliegen. Eine verdeutlichende Analogie kann aus dem ökonomischen Bereich genommen werden. In der modernen Gesellschaft geschieht Produktion und Distribution von Konsumgütern weitgehend in Organisationen (Industriebetrieben, Warenhäusern), der Verbrauch dieser Güter jedoch größtenteils außerhalb von Organisationen, nämlich in privaten Haushalten. Der Umstand, daß der Erwerb von Konsumgütern durch den privaten Konsumenten in Organisationen (Warenhäusern, Kettenläden) geschieht, macht die Käufer noch nicht zu Mitgliedern der Organisation. Ähnliches gilt für den religiösen Sektor. Auch hier werden Güter verteilt, und auch hier müssen sehr häufig die Empfänger dieser Güter in Kontakt zur Organisation treten: Tempelbesuch u. ä., aber sie gehören damit nicht der Organisation an. Anders liegt der Fall, wenn Verteilung und Empfang religiöser Güter Teil eines organisatorischen Handelns ist, der durch Mitgliedschaftsrollen geregelt ist, also etwa die Inanspruchnahme kirchlicher Amtshandlungen (Taufe, Trauung, Bestattung), die einerseits aus der Zugehörigkeit des resultierenden Anspruches und andererseits als Ausfluß der Amtspflicht zu verstehen sind. Aber auch diese idealtypische Unterscheidung ist in der sozialen Wirklichkeit durch verschiedene Zwischenstufen aufgelöst. Dennoch ist die vorgenommene Differenzierung hilfreich, weil sie es uns ermöglicht, das bunte Bild der organisierten Religion zu gliedern

und wenigstens auf einer systematischen Ebene Ordnungsprin-
zipien aufzustellen, die – wie sich zeigen wird – der empirischen
Vielfalt nicht gänzlich unangemessen sind.

2. Religiöse Arbeitsteilung und Hierarchiebildung

Religiöse Funktionen im Bereich von Kultus und Ritus werden
in vielen Gesellschaften von Personen vorgenommen, die in den betreffenden sozialen Gruppen eine besondere Position innehaben.
Ein immer wieder herangezogenes Beispiel ist die Rolle des Pater
familias in indogermanischen Gesellschaften,[8] der zugleich Priester
seines Sippenverbandes ist. Ein anderes Beispiel ist die Identität
von religiösen und politischen Positionen, etwa im sog. sakralen
Königtum (s. Kap. V, Abschnitt 2). Diese Fälle kennzeichnen einen
Zustand ohne spezifische religiöse Arbeitsteilung, wobei die Betonung auf 'spezifisch' liegt, weil insgesamt gesehen gesellschaftliche
Arbeit nicht gleichmäßig auf alle Individuen verteilt ist.

Von religiöser Arbeitsteilung sprechen wir, sobald religiöse
Tätigkeiten von Spezialisten wahrgenommen werden, die diese nicht
als Teil von anderen definierten Rollen ausüben. Dabei braucht es
noch nicht zu einer Professionalisierung zu kommen, sondern es
kann ohne weiteres der Fall sein, daß damit keine Spezialisierung
mit Konzentration des religiösen Wissens verbunden ist. Ob man
bei der Schamanenpraxis schon von einer Professionalisierung oder
nur von Spezialisierung sprechen soll, läßt sich schwer entscheiden. Zweifellos haben wir es aber schon mit einer Ausdifferenzierung von bestimmten magisch-religiösen Praktiken zu tun, wobei
aber keineswegs alle religiösen Funktionen von den Schamanen
wahrgenommen werden.

Die Spezialisierung religiöser Funktionen und ihre Professionalisierung ist in erster Linie abhängig von der Qualität der ausge-
führten Handlungen und dem mit ihr verbundenen Ausmaß des
Wissens. Es ist deshalb nicht verwunderlich, daß vor allem magische
Praktiken von Spezialisten übernommen werden, weil der Erfolg
des magischen Handelns in erster Linie von der Korrektheit der
Sprechakte und der Handlungsabläufe abhängt, also nicht ohne

---

[8] Vgl. dazu: G. Kehrer, Religion und Familie, in: B. Gladigow und
H. G. Kippenberg (Hrsg.), Neue Ansätze in der Religionswissenschaft,
1983, S. 75-95, dort auch entsprechende Literaturhinweise.

weiteres von jedem durchgeführt werden kann.[9] – Ein weiteres Merkmal ist die Komplexität der Riten, wobei allerdings zu berücksichtigen ist, daß steigende Elaboration des Ritualwesens sehr wohl auch Ergebnis religiöser Professionalisierung sein kann. Außerdem scheint mit der Entfaltung politischer Herrschaftsformen eine Steigerung der Komplexität von Riten gegeben zu sein.[10] So ist die Existenz von Priestern im alten Indien besonders für die großen Opfer, etwa das Roßopfer, wie es im Auftrag der Rajas durchgeführt wurde, notwendig, während die lebenszyklischen Riten erst viel später unter brahmanischen Einfluß gerieten.[11]

Spezialisierung und Professionalisierung ist nur eine notwendige Bedingung für die Organisation religiöser Funktionen. Hinzukommen muß noch eine Kooperation der Funktionsträger mit interner Arbeitsteilung und Delegation von Verantwortung. Keineswegs wirkt hier eine Zwangsläufigkeit, als führe Professionalisierung automatisch zu Organisation; vielmehr scheint es in erster Linie von der Qualität der professionalisierten Tätigkeit und von dem sozialen Setting abzuhängen, in dem die Tätigkeit ausgeübt wird, ob es zur Organisationsbildung kommt.

Kooperation ist für sich allein genommen noch keine Organisation. Verweilen wir noch einen Augenblick bei dem altindischen Beispiel. Obwohl das vedische Ritual bis zu sieben verschiedene, im Rang abgestufte priesterliche Funktionen kannte, kam es nicht zu Priesterorganisationen. Vielmehr wählte sich der Opferherr aus den ihre Dienste anbietenden Brahmanen Individuen aus, die die Aufgaben eines Hotr, Udgatr oder Advaryu übernahmen.[12] Kooperation führte hier nicht zu Organisationsbildung.

Ganz anders liegt der Sachverhalt, wenn Kultgebäude vorhanden sind, die regelmäßig gepflegt werden müssen. Sieht man von den kleinen Tempeln ab, die im Familienbetrieb unterhalten wurden, wie es lange Zeit für viele Kultstätten in Griechenland gegeben war, so ist ab einer bestimmten Größe des Tempels die Familie nicht

[9] E. E. Evans-Pritchard, Hexerei, Orakel und Magie bei den Zande, 1978.

[10] Für Afrika hat A. Friedrich, Afrikanische Priestertümer, 1939 gezeigt, daß Königtum und Priestertum zusammengehen, während der Ahnenkult gewöhnlich vom Pater familias ausgeübt wird.

[11] H. Oldenberg, Die Religion des Veda, [4]1923, und J. Gonda, Die Religionen Indiens, bes. Bd. 1 (Die Religionen der Menschheit, Bd. 11), 1960.

[12] A. Hillebrandt, Ritualliteratur. Vedische Opfer und Zauber, 1897, S. 13.

mehr ausreichend, um einen kontinuierlichen Betrieb sicherzustellen. Besonders ausgeprägt ist dies bei Tempelkulturen der Fall, die in Anlehnung an zentralisierte politische Herrschaft errichtet wurden. Eines der bestdokumentierten Beispiele ist die Elaboration des Kultes in Jerusalem unter der Herrschaft Salomos. Zwar gelang die Monopolisierung nicht sofort, noch Hiskia versucht die Höhlenkulte in Juda zu unterdrücken. Mit dem allmählichen Zurückgehen der lokalen Kulte kamen die Priester dieser Heiligtümer nach Jerusalem, um dort eine gleichberechtigte Stellung mit den hauptstädtischen Priesterdynastien, vor allem den Zadokiten, zu erlangen (was ihnen nicht gelang). Sie sanken in den Rang eines clerus minor ab, was allein schon dafür spricht, daß eine interne hierarchische Arbeitsteilung im Tempel vorhanden war, also genau das, was mit dem Begriff 'Organisation' gemeint ist.[13] Eine Steigerung der internen Komplexität erfährt das Jerusalemer Tempelsystem in nachexilischer Zeit. In 1. Chronik, Kap. 23–26 werden minuziös die verschiedenen Priestertümer und Ordnungen der Leviten aufgezählt. Jeweils 24 davon teilten sich in Jerusalem den Tempeldienst nach einem genauen Zeitplan.[14] Zur Zeit Jesu schätzt man die Zahl der Priester auf 7000, die der Leviten auf 9000. Natürlich konnte nur ein kleiner Teil dieses Personenkreises von der Religion leben: In erster Linie die dauerhaft in Jerusalem ansässige Priesteraristokratie, während der große Rest auf dem Land anderen Tätigkeiten nachging. Aber das ganze System war so ausgeklügelt, daß man ohne Zögern von echten Organisationsstrukturen sprechen kann. – Dennoch kam es nicht zu einer Kirchenbildung, denn organisiert waren nur die Priesterschichten, während die 'Laien' in einer Art von Tauschbeziehungen (Opfer und Tempelsteuer) zum Tempel standen, aber nicht im Sinne einer Organisation einem strukturierten sozialen Gebilde angehörten. Judesein bestimmte sich durch Geburt, nicht nur faktisch, sondern auch rechtlich. Religiöse Organisation in einem auch die Laien umfassenden Verständnis gab es ansatzweise in der Diaspora um die Synagoge mit den entsprechenden Proselyten.

Eine ähnlich differenzierte Tempelorganisation ist auch noch für Ägypten belegt.[15] Die Priesterschaft der großen Tempel war hier-

[13] Für die gesamte Problematik s. H. Ringgren, Israelitische Religion, ²1982, bes. S. 193 ff., und A. Gunneweg, Leviten und Priester, 1965, S. 118 ff.

[14] H. H. Rowley, Worship in Ancient Israel, 1967.

[15] Als Literaturhinweis: A. Erman, Die Religion der Ägypter, 1934;

archisch gegliedert und teilte sich zudem in mehrere abwechselnd
diensttuende Priesterphylen auf. Obwohl uns Einzelheiten der
Organisation besonders aus hellenistischer Zeit bekannt sind, ist
die Vermutung gerechtfertigt, daß es sich um Strukturen handelt,
die wesentlich älter sind. So hat schon im Mittleren Reich in einem
Tempel des Totengottes Anubis nur eine Gruppe von sechs Priestern ihren Dienst permanent ausgeübt, während die restlichen
Priester (fast 50 Personen), eingeteilt in vier Phylen, alternierend
tätig wurden.[16] Daß es zu den Funktionen des Tempelpersonals
gehörte, auch die Verwaltung der berühmten Reichtümer zu gewährleisten, versteht sich von selbst. Nicht nur derKultus erzwang
so eine Organisation, sondern auch die immer weiter wachsende
Verflechtung des Tempels mit dem Wirtschaftshandel der Gesellschaft. – Vergleichbar der israelitischen Religion scheint auch in
Ägypten die Etatisierung des Landes einen Schub in Richtung auf
weitgehende Organisation der Religion bewirkt zu haben. Und
ähnlich wie in Israel hat die Erschütterung der staatlichen Struktur
– hier Verlust der politischen Selbständigkeit, dort lange Perioden
der Fremdherrschaft – in Ägypten der fortschreitenden Elaboration der religiösen Organisation keinen Abbruch getan, sondern im
Gegenteil sie noch gefördert.

Verstaatlichung der Gesellschaft zieht nicht notwendig eine organisatorische Veränderung des Kultes nach sich. Rom hat gerade
trotz einer weitgetriebenen staatlichen Organisation keine äquivalente Umformung des offiziellen Kultes erfahren. Die hohen Prie-
sterämter waren – von Ausnahmen abgesehen – keine Berufsrollen,
sondern wurden von vornehmen Römern im Zuge ihrer politischen
Laufbahn bekleidet (Cicero war beispielsweise Augur). Allerdings
gab es für die niedrigen äußerlichen Verrichtungen (Instandhaltung
der Tempel, Schlachten der Opfertiere usw.) 'Staatsdiener' – servi
publici –, die jedoch keine dem ägyptischen oder jüdischen Vorgang vergleichbare Hierarchie bildeten. Auch die in Rom üblichen
Priesterkollegien sind bestenfalls als Anfänge von Organisation zu
bezeichnen. So kannte beispielsweise das Kollegium der Pontifices,

J. Vandier, La Religion Egyptienne, 1949; S. Morenz, Ägyptische Religion, ²1977 (Die Religionen der Menschheit, Bd. 8); S. Sauneron, Les Prê-
tres de l'ancienne Egypte, 1957; W. Otto, Priester und Tempel im
Hellenistischen Ägypten, 2 Bde., 1905/8 (Fotomechanischer Nachdruck
1971).
[16] Sauneron, a. a. O., S. 54.

dem der Pontifex maximus vorstand, klar bezeichnete Kompeten-
zen, eine Geschäftsordnung, Archive und Regeln der Bestellung
neuer Mitglieder. Leider wissen wir nichts über Einzelheiten einer
möglichen internen Arbeitsteilung. – Sehr wahrscheinlich hat die
mangelhafte Professionalisierung der Organisationsbildung enge
Grenzen gesetzt. Indem man bei Vermehrung der Aufgaben den
Weg der parallelen Ämtervermehrung beschritt (Bildung neuer
Kollegien), blieb die interne hierarchisierte Arbeitsteilung – ein
wesentliches Merkmal aller Organisationen – rudimentär.[17]

Den Religionssoziologen interessieren Einzelheiten der Gestaltung von historischen Religionen nicht in erster Linie um ihrer
selbst willen, wie den Religionshistoriker, sondern in ihrer Beziehung zu konkomitanten gesellschaftlichen und sozioreligiösen
Erscheinungen. Auf der einen Seite ist mit der Organisationsbildung
eine Steigerung von Rationalität gegeben, auf der anderen Seite
jedoch läßt sich leicht zeigen, daß Organisation von Religion nicht
per se zu einer Rationalisierung des Glaubenssystems führen muß:
Die Träger der jüdischen Rationalität waren nicht in erster Linie die
Jerusalemer Priester, sondern die Synagogenlehrer. Im Hinduismus bildeten nicht die Tempelpriester eine rationale Theologie aus,
sondern eher die verschiedenen (oft heterodoxen) 'Sekten'gründer
und ihre Nachfolger. Ägypten wäre allerdings ein Gegenbeispiel.
Dies verwirrende Bild kann vielleicht insofern geordnet werden, als
unterschieden wird zwischen einer Rationalisierung des Glaubenssystems und einer des Kultus. In jedem Fall erhöht sich mit Organisation das Potential an Problembewältigung, indem jetzt arbeitstei-
lig gleichzeitig verschiedene Aufgaben bewältigt werden können
und zugleich abstrakte Kriterien für die Problemlösungen gefunden werden müssen, was in der Regel durch Elaboration der Tradition geschieht.

In bezug auf andere Teilbereiche der Gesellschaft ist besonders
die Kooperation mit der politischen Herrschaft von Bedeutung.
Dabei geht es einmal um die Garantie der permanenten Bereitstellung von Subsistenzmitteln der Religion und zum anderen um die
Leistungen, die das religiöse System für das politische erbringt.
Von einem Staat-Kirche-Konflikt kann man auf dieser Ebene noch
nicht sprechen, da es nicht um einen Gegensatz zwischen konkur-

---

[17] Zum römischen Religionswesen s. J. Marquardt, Römische Staatsver-
waltung, 3. Bd., ²1885; G. Wissowa, Religion und Kultus der Römer,
²1912; K. Latte, Römische Religionsgeschichte, ²1960.

rierenden Loyalitäten geht; eher handelt es sich um Sicherung von Einflußpositionen.

Obwohl es sich bei den in diesem Abschnitt angesprochenen Phänomenen um Organisationsbildungen handelt, muß hier jede Verwechslung mit den nun zu untersuchenden religiösen Organisationen ausgeschlossen werden. Das alles entscheidende Merkmal dieser Differenz liegt in der Beteiligung der 'Laien' an der Organisation. So wie in der modernen Gesellschaft der 'Bürger' nicht Mitglied der Organisation 'Staat' ist, so gehörte das durchschnittliche Gesellschaftsmitglied in Ägypten oder Israel nicht zu der Organisation der Religion. Diese beschränkte sich vielmehr auf die Verwaltung der religiösen Dinge und Handlungen und hatte als Mitglieder nur die damit Befaßten. Selbst bei Diversifikation von Kulten, wie sie in der Spätantike die Regel ist, bedeutet Teilnahme am organisierten Kult nicht, daß der Teilnehmer in irgendein Mitgliedschaftsverhältnis zu einer organisierten Gruppe trat. Die Ausnahme von dieser Regel, etwa die christliche Gemeinde oder der Mithraskult, eröffnet eine völlig neue Sozialgestalt von Religion, die uns in den folgenden Abschnitten beschäftigen wird.

3. Entstehung und Geschichte der religiösen Organisation

Religiöse Gruppen mit genau definierten Mitgliedschaftskriterien sind religionshistorisch eher der Ausnahmefall. Unter der Dominanz christlicher Vorstellungen hat man sich im Okzident daran gewöhnt, daß für jedes Individuum genau angebbar ist, welcher Religion es angehört. Dabei geschieht die Zuordnung nicht in erster Linie aufgrund seines beobachtbaren Verhaltens, sondern indem festgestellt wird, zu welcher religiösen *Organisation* es gehört. Ein Lutheraner ist das Mitglied einer lutherischen Kirche, auch wenn der Betreffende gar nicht weiß, daß seine Kirche zu diesem Bekenntnis zählt. Zugehörigkeit wiederum wird bestimmt durch Rekurs auf einen formalisierten Akt der Aufnahme, die Taufe.[18] Unabhängig von dem nach theologischem Verständnis unaufhebbaren Charakter der Taufe besteht aufgrund der staatlich garantierten Religionsfreiheit die Möglichkeit, die religiöse Orga-

---

[18] Auf den Sonderfall, daß auch Nichtgetaufte als Mitglieder gelten, braucht hier nicht eingegangen zu werden, da er sich aus speziellen staatskirchenrechtlichen Verhältnissen herleitet: Schweden.

nisation zu wechseln oder ohne jede religiöse Zugehörigkeit zu leben, womit ein weiteres Merkmal der Organisation erfüllt ist, nämlich die Trennung zwischen Mitgliedern und Nichtmitgliedern.

Es ist eine unter Fachleuten allgemein bekannte Information, daß die Frage der religiösen Zugehörigkeit in der uns gewohnten scharfen Weise z. B. in Ostasien nicht gestellt werden kann. Ob ein Japaner Buddhist oder Shintoist ist, läßt sich oft nicht schlüssig beantworten, da Anhängerschaft an religiöse Systeme keine Exklusivität beansprucht. Exklusivität in religiöser Zugehörigkeit scheint uns im Okzident selbstverständlich zu sein: Man kann nicht gleichzeitig Christ und Moslem sein, ja noch nicht einmal Katholik und Protestant. Es läge nahe zu denken, daß es zum Charakter der großen Universalreligionen gehöre, exklusive Anhängerschaft zu fordern, aber das Beispiel des Buddhismus macht deutlich, daß dies zumindest für die Laien nicht unbedingt der Fall zu sein braucht. Verlassen wir die Ebene der kirchenrechtlichen Betrachtung, so zeigt sich, daß auf der Stufe der praktisch gelebten Religiosität auch im Christentum und im Islam (beide klassisch exklusive Religionen) Formen von Anhängerschaft an, dem eigenen Religionssystem fremden, religiösen Momenten möglich sind, die aber nicht zu formaler Mitgliedschaft führen, sondern als Elemente der Volksreligiosität geduldet werden. Wir werden uns in diesem und den folgenden Abschnitten mit diesem interessanten Phänomen nicht beschäftigen, sondern uns auf die Struktur und Dynamik der religiösen Organisation beschränken.

Wie kommt es zur Bildung von religiösen Organisationen? Man muß von dem historischen Normalfall ausgehen, daß Religion als 'diffused religion' Teil der Kultur einer Gesellschaft ist und daß nur die Verwalter dieser Religion unter spezifischen Bedingungen Organisationsstrukturen entwickeln und daß deshalb keinerlei Nötigung besteht, die 'Laien' in irgendeiner Weise fest an die Religion zu binden, sofern gewährleistet ist, daß sie ihre Pflichten, als Teil der gesellschaftlichen Pflichten, erfüllen. – Ein wesentlicher Anstoß für die Bildung von spezifisch religiösen Organisationen scheint die Migration zu sein. Relativ gut sind wir über entsprechende Vorgänge in der Antike unterrichtet, die ein reiches religiöses Vereinsleben aufwies,[19] wobei es allerdings manchmal

[19] P. Foucart, Des Associations religieuses chez les Grecs, 1873; E. Ziebarth, Das griechische Vereinswesen, 1896; E. Poland, Geschichte des griechischen Vereinswesens, 1909; W. Liebenam, Zur Geschichte und Organi-

schwierig ist, zwischen religiösen und nichtreligiösen Vereinen zu trennen.[20] In vielen Fällen war die Teilnahme am lokalen Kult in der Antike den Vollbürgern der Städte vorbehalten, so daß die oft zahlreichen Fremden vom Kult ausgeschlossen waren. Unter der prinzipiellen, wenn auch mißtrauischen Toleranz der Behörden war es Fremden durchaus gestattet, ihre religiösen Bräuche zu pflegen, allerdings hatte dieser Kultus keine staatliche Legitimation, sondern mußte sich auf privatrechtliche Formen stützen, wenn es auch gelegentlich zu Übernahme in den staatlich regulierten Bereich kam. – Entscheidend ist vor allem, daß es keine staatlichen Mittel für den Unterhalt der Kulträume gab. Dies hatte zur Folge, daß die Kultgenossen sich selbst die Auflage machen mußten, Geld und Zeit bereitzustellen. Damit ist auch die für die Organisation so wesentliche Bestimmung erfüllt, daß die Kooperation zum Zweck der Erreichung spezifischer Ziele erfolgt. Allerdings fehlt den antiken religiösen Vereinen das Moment der Exklusivität: Man konnte ohne weiteres mehreren solcher Vereinigungen angehören, wie ja auch die bevorzugte Verehrung eines Gottes nicht die gelegentliche Verehrung eines anderen ausschloß. Eine genaue Parallele zu modernen Verhältnissen ist schon aus diesem Grund nicht gegeben, aber auch deshalb nicht, weil die Zugehörigkeit zu einem religiösen Verein niemals der Regelfall war.

Die oben erwähnte Schwierigkeit, religiöse Vereine von nichtreligiösen zu unterscheiden, wird an dem Beispiel der Bestattungsvereine, der collegia funeraticia, besonders deutlich. Primäres Ziel der Vereinsgenossen war auf jeden Fall die Sicherstellung einer würdigen Versorgung des Leichnams und eines jährlichen Gedächtnismahles. Dies war besonders wichtig für die unteren Bevölkerungsschichten, unter Einschluß der Sklaven,[21] die oft keine soziale Rückbindung in Familien- und Verwandtschaftsverbänden hatten, die traditionell diese Aufgaben übernahmen. Auch hier haben Fremde eine entscheidende Rolle gespielt. Bei diesen collegia funeraticia hat auch der Kult spezieller Gottheiten eine Rolle gespielt, aber bezeichnenderweise nicht in erster Linie der von Toten- oder Jenseitsgöttern, sondern eher berufsbezogener Götter, wie die

sation des römischen Vereinswesens, 1890; F. Cumont, Die orientalischen Religionen im römischen Heidentum, ³1927.

[20] Vgl. G. Kehrer, Organisierte Religion, 1982, Kap. 7, S. 91-100.

[21] F. Bömer, Untersuchungen über die Religion der Sklaven in Griechenland und Rom (3 Teile), 1957, 1960 und 1961.

Bestattungsvereine sehr häufig bestimmte Berufsgruppen besonders anzogen.

Diese wenigen Beispiele verdeutlichen, daß es in der Regel nicht ein primäres religiöses Anliegen war, das zur Bildung von religiösen Vereinen führte, sondern oft genug gesellige und materielle Interessen. In allen Fällen war die Migration ein ausschlaggebender Faktor. Wenn man in der Fremde seine soziokulturelle Identität bewahren will, stellt die Pflege des in der Heimat geübten Kultes ein ausgezeichnetes Mittel dazu bereit. Das antike Diasporajudentum leistete diese Aufgabe sogar ohne Kultus, der ja zu dieser Zeit schon in Jerusalem monopolisiert war. Hier erfüllten die Synagoge und die Lehre und Auslegung des Gesetzes dieselbe Funktion und zugleich auch wegen des in der prophetischen Polemik verankerten Idolatrieverbots einen exklusiven Zusammenschluß der jüdischen Diasporagemeinde, die deshalb im Vollsinn als religiöse Organisation ansprechbar ist. Neben der Exklusivität zeichnet die Diasporagemeinde des antiken Judentums auch noch eine Missionstätigkeit aus. Zwar haben auch andere Fremdkulte auf griechischem und römischem Boden versucht, Unterstützer unter Nichtvolksgenossen zu finden, und dies ist ihnen auch häufig gelungen, was sehr oft entsprechende Gegenmaßnahmen der Behörden zur Folge hatte, aber nur im Judentum wurde Mission zum Zweck der exklusiven Zugehörigkeit der Proselyten getrieben und nicht als ein religiöses Warenangebot unter vielen. Allerdings setzte das Selbstverständnis des Judentums als Religion eines bestimmten Volkes der Mission wieder Grenzen: Jude konnte man nur durch Geburt werden, der Konvertierte stand immer in einem prekären Verhältnis zum Volk Gottes.

Von weltgeschichtlicher Bedeutung wurde es, daß eine andere, aus dem Judentum hervorgegangene Gruppe die Vereinsstruktur der Antike übernahm unter Bewahrung des Exklusivitätsanspruches, aber mit Verzicht auf jede nationale Gruppenbildung: das Christentum, in seiner durch Paulus geprägten Gestalt. Auch die religiöse christliche Organisation der Antike ist durch Migration begünstigt worden. Aber es handelt sich um eine besondere Migration: Hier wandert die Idee, getragen und propagiert von Missionaren, die versuchen, in schon bestehenden organisatorischen Strukturen, vor allem der Synagoge, ihre Wirksamkeit zu entfalten. Man wird wohl nicht fehlgehen, wenn man annimmt, daß die christlichen Gruppen um die Mitte des ersten Jahrhunderts sich häufig noch im Kontext der Synagogen bewegten, so ist unbestreitbar, daß

schon knapp fünfzig Jahre später die Gemeinden sich feste organisatorische Formen gegeben hatten, mit klar definierten Ämtern,
wobei immer stärker zunächst rein administrative Funktionen,
etwa das Bischofsamt, religiöse Bedeutung bekamen, während reli-
giös-charismatisch qualifizierte Positionen (Propheten, Heiler
usw.) in den Hintergrund traten. Die Anfänge bürokratischer
Strukturen sind sehr früh gelegt,[22] keineswegs erst nach der sog.
Konstantinischen Wende. Das Grundmodell der religiösen Organisation der christlichen Religion hat sich bis heute bemerkenswert
wenig verändert, obwohl die äußeren Umstände das Festhalten an
manchen Formalien erschwerten: Territorialprinzip (das natürlich
zu völliger Geltung erst im späten dritten Jahrhundert kam),
interne Funktionsteilung mit Tendenz zur Hierarchisierung (gegen
die Ideologie der Gleichheit aller Charismen), Regulierung des
Aufnahmeverfahrens, eigene Rechtsgewalt, Regulierung der Außenbeziehungen nach Regeln u. ä. Der letzte Aspekt ist bei weitem
der wichtigste: Obgleich die christliche Gemeinde ihre Mitglieder
nicht aus den üblichen sozialen Bezügen herauslöste, sofern diese
religiös-moralisch nicht anstößig waren (Prostitution, gelegentlich
Soldatendienst), entstand doch eine Art Doppelloyalität zwischen
der bürgerlichen Anforderung und der religiösen. Daß es dabei in
der Frage des öffentlichen Opfers zu Konflikten kommen konnte,
war nicht prognostizierbar und ja auch nicht immer der Fall. Die
Doppelloyalität drückt aber immer die Möglichkeit eines Wider-
spruchs aus, der seine letzten Gründe in dem vom Judentum über-
nommenen Exklusivitäts- und Totalitätsanspruch hat.

Exklusivität und Totalität sind keine ausreichenden Motoren für
die Entstehung von religiösen Organisationen. Das beste Gegenbeispiel ist der Islam. Bekanntlich gibt es im Islam keine Kirchen
und trotz gelegentlicher Verwendung des Begriffs keine Sekten.[23]

[22] Für die alte Kirche: A. von Harnack, Entstehung und Entwicklung
der Kirchenverfassung in den ersten zwei Jahrhunderten, 1910; ders., Die
Mission und Ausbreitung des Christentums in den ersten drei Jahrhunderten, 2 Bde., ³1915; R. Sohm, Kirchenrecht I, 1892; H. Lietzmann,
Geschichte der Alten Kirche, 3 Bde., ²1936 ff.; C. Andresen, Die Kirchen
der alten Christenheit, 1971 (Die Religionen der Menschheit, Bd. 29);
E. Herrmann, Ecclesia in Re Publica, 1980.
[23] W. M. Watt und A. T. Welch, Der Islam, Bd. I, 1980 (Die Religionen
der Menschheit, Bd. 25,1); I. Goldziher, Vorlesungen über den Islam,
²1925; Shorter Encyclopaedia of Islam, 1961; W. M. Watt, Conditions of
Membership of the Islamic Community, in: C. J. Bleeker (Hrsg.), Initia-

Dabei hätte es durchaus zu der Entwicklung einer islamischen Kirche kommen können, denn vor der Flucht nach Medina hat Muhammad in Mekka individuelle Anhänger um sich geschart, also die Voraussetzungen für eine religiöse Organisation waren gegeben. Daß es nicht dazu kam, lag an der Eigentümlichkeit der Verbreitung des Islam. Schon in Medina schloß der Prophet Verträge mit einzelnen Stämmen, die damit die neue Religion übernahmen und die so zum Teil der Kultur des Stammes wurde. Die weitere Ausbreitung vollzog sich in der Erweiterung der Herrschaft der islamisierten arabischen Stämme. So wurden die eroberten Gebiete islamisiert, Teil der Umma, in der der einzelne Gläubige, sofern er nicht Anhänger der tolerierten Schriftreligionen blieb, sich durch Bekenntnis und Halten der Gebote als dazugehörig auswies. – Die Mission des Christentums in Nord- und Osteuropa ging im Mittelalter einen in manchen Zügen vergleichbaren Weg, aber zu dieser Zeit war die Organisationsstruktur der christlichen Kirche schon so verfestigt und hierarchisiert, daß das aus der Spätantike herkommende Administrationsprinzip auch auf Gesellschaften übertragen wurde, die in toto – von oben nach unten – christlich wurden.

In diesem Abschnitt wurde ein besonderer Nachdruck auf die Organisation der christlichen Religion gelegt. Der Grund für dieses Vorgehen liegt nicht nur darin, daß diese Religion bis heute bevorzugter Gegenstand religionssoziologischer Forschung ist, sondern vor allem darin, daß hier allem Anschein nach historisch ein Sonderfall vorliegt, der nicht nur religionsgeschichtlich bis heute nicht absehbare Folgen hatte. Zwar sind alle Elemente der Organisation der christlichen Religion in der Antike vorhanden (selbst die Ämterbezeichnungen haben schon ihre Vorläufer), aber die Kombination aller dieser Elemente schuf etwas historisch Einmaliges, das die Religion zu einem dynamischen Moment der sozialen Entwicklung machte.

Die Dialektik von Religion und Gesellschaft, die manche Autoren prinzipiell als gegeben ansehen,[24] erfährt im Christentum eine Steigerung, von der ich annehme, daß sie nicht zuletzt auf die singuläre Gestalt der dem Christentum zugehörigen Organisation

tion, 1965, S. 195–201; Abū-Mansūr' abd-al-Kahir ibn Tahir al-Baghdâdî, Moslem Schisms and Sects (Einleitung von K. C. Seelye), 1920.
[24] P. L. Berger, Zur Dialektik von Religion und Gesellschaft, 1973; amerik. Titel: The Sacred Canopy. Elements of a Sociological Theory of Religion, 1967.

zurückgeht. Jedes organisatorische System hat die Aufgabe zu lösen,
wie es die Austauschbeziehungen zur Umwelt gestalten kann, und
wird dabei versuchen, die eigene Identität soweit wie möglich zu
bewahren. Sofern es nicht in der Lage ist, die Austauschbeziehungen völlig nach eigenen Prinzipien zu gestalten, besteht immer die
Gefahr, daß es durch Überanpassung seine Identität verliert oder
durch Rigorismus die eigene quantitative und qualitative Bedeutung verkleinert. Beide Möglichkeiten sind schon in der Antike auf-
weisbar und führten zu erbitterten Streitigkeiten bis hin zu Schismen. Idealtypisch haben die in ihren Extrempunkten bzeichneten
Risiken, als 'Kirche' und 'Sekte' benannt, auch die religionssoziologische Literatur der letzten siebzig Jahre bestimmt.

4. Die Kirche-Sekte-Dichotomie

Schon zu Zeiten der Alten Kirche hat die christliche Religion
sehr verschiedene soziale Gestaltungen gekannt, die in modifizier-
ter Form bis heute anzutreffen sind. Es gab die relativ große, in
Frieden mit der Gesellschaft lebende Gemeinde, die nichts Außer-
gewöhnliches von ihren Mitgliedern erwartete, die das Martyrium
nicht suchte, sondern versuchte, sich ihm durch Flucht zu entziehen. Daneben gab es die eher kleine, radikale Gruppe, die ihren
Weg unbeirrt ging, Arrangements mit der Umwelt ablehnte und im
Martyrium das Siegel des wahren Glaubens erblickte. – Da sich die
erste Sozialgestalt als dominierende durchsetzte, hat man sich
daran gewöhnt, von der zweiten in pejorativen Termini zu sprechen: Häretiker, Schismatiker, Sektierer usw. Alle diese Begriffe
haben in ihrem Wortsinn zunächst keine negativen Konnotationen,
werden aber schon im frühen dritten Jahrhundert (Tertullian) zu
Waffen der innerreligiösen Polemik, die sie dann über die Jahrhunderte blieben bis hin zu handgreiflich falschen Etymologien.[25] Es
ist das Verdienst von Ernst Troeltsch, im Jahre 1912 darauf aufmerk-
sam zu machen, daß von den Texten des Neuen Testamentes an
mindestens zwei Gestaltungsmöglichkeiten für die christliche Religion bestanden: Kirche und Sekte und daß keine als defizienter

---

[25] So kann man bis heute bisweilen lesen, das Wort 'Sekte' leite sich vom
lateinischen 'sectare' (schneiden) ab; bedeute also den Abfall von der Kirche,
während es richtig von 'sequi' (folgen) herkommt und damit auch die
adäquate Übersetzung des griechischen 'hairesis' ist.

Modus der anderen verstanden werden könne.[26] Der mit ihm eng
befreundete Max Weber hat diesen Gedanken aufgegriffen – oder
gleichzeitig entwickelt. In den herrschaftssoziologischen Kapiteln
von 'Wirtschaft und Gesellschaft' führt Weber dann die soziologische Bestimmung von Kirche und Sekte konsequent durch.[27] Dabei hebt er auf eine Reihe von Merkmalen ab, die bequem in folgen-
der Tabelle (die so bei Weber nicht zu finden ist) zusammengefaßt
werden können:

Merkmale	Kirche	Sekte
Universalität	angestrebt	nicht angestrebt
Mitglieder	potentiell alle Menschen	nur religiös qualifizierte
Herrschaft	hierokratisches Amtscharisma	Herrschaft der besonders Qualifizierten
Verhältnis zur Welt	bejahend, kompromiß-bereit	ablehnend, verneinend oder bekämpfend
Kirchenzucht	lax	streng
Organisation	bürokratisch	charismatisch

Es handelt sich hier nur um die wichtigsten Merkmale, die jetzt
etwas näher erläutert werden sollen. Man kann sie in drei größere
Gruppen gliedern: (1) Außenbeziehungen, (2) Mitgliedschaftskriterien, (3) Organisationsstruktur. Zu den Außenbeziehungen zählt
in erster Linie das Problem, welchen Anteil an 'Welt' die Gruppe
abdecken will (Universalität) und inwieweit sie mit der herrschenden Kultur übereinstimmen kann und will. Universalität ist nicht
primär geographisch zu verstehen, obwohl dies für die christliche
Religion zutraf, sondern jeweils bezogen auf die betreffende Gesellschaft. Strebt die religiöse Organisation Universalität an, so ist
das Ziel, daß jedes Gesellschaftsmitglied auch Mitglied der religiösen Organisation ist. Dieser Zustand war im Mittelalter faktisch
erreicht. Allerdings ist der Preis für diese Universalität hoch. Die

[26] E. Troeltsch, Die Soziallehren der christlichen Kirchen und Gruppen,
1912, ²1922, S. 362 ff. Die dritte von Troeltsch herangezogene Gestalt, die
Mystik, braucht uns für die Religionssoziologie nicht zu interessieren.
[27] M. Weber, Wirtschaft und Gesellschaft, ⁴1956, Kap. IX, 6. Abschnitt.

Kirche muß darauf verzichten, ihre Mitglieder so zu sozialisieren, daß sie den Normen der Organisation entsprechen. Dies wird dann besonders gravierend, wenn zwischen dem kirchlichen Wertsystem und dem 'weltlichen' Differenzen bestehen, wie es in unserer Vergangenheit ja tatsächlich gegeben war. In der Realität verzichtet dann die Kirche auf Versuche, ihre Werte durchzusetzen, etwa im Bereich der Sexualmoral, der Friedfertigkeit usw. Theologien werden konzipiert, die die Diskrepanz denkerisch erträglich machen.

Entsprechend stellen auch die Mitgliedschaftskriterien sehr geringe Anforderungen. Praktisch kann jeder Mitglied werden und es auch bleiben. Die Kindertaufe ist eine logische Folge dieser Haltung, denn damit entfällt praktisch eine lange Vorbereitungszeit, das Katechumenat, wie es in der Alten Kirche oft üblich war und als Parallele zu den Einübungen in die Initiationen fungierte. Korrespondierend wurden auch die Ausschlußkriterien gehandhabt. De jure konnte man die Kirche gar nicht verlassen (character indelebilis der Taufe), aber ein Ausschluß von den Heilsgütern war möglich: die Exkommunikation, die auch Folgen für die bürgerliche Existenz der Betroffenen hatte.[28] Auch die lutherischen Kirchen kannten Kirchenzuchtmaßnahmen, die aber wie im Katholizismus eher zögernd und lax angewendet wurden. – Ganz entscheidend ist aber die Frage, wie geregelt wird, wer innerorganisatorisch Herrschaftspositionen innehaben darf. Für religiöse Organisationen läge es nahe, diese Positionen religiös besonders qualifizierten Personen zu reservieren, Individuen, die sich durch religiöse Virtuosenleistungen (Askese, Frömmigkeit, Wunderwirken usw.) auszeichnen. Es ist ein Zeichen für sehr frühe Kirchenbildung, daß schon in der Zeit der Entstehung der neutestamentlichen Texte eine Richtung zur Bürokratisierung der Organisation eingeschlagen wurde, indem das Bischofsamt auf Kosten der eher charismatischen Ämter aufgewertet wurde. Der Kirche-Sekte-Konflikt der Alten Kirche, der die verschiedenen Wellen von Schismen hervorbrachte (Montanisten, Donatisten), entzündete sich häufig gerade an diesen Problemen: Was geschieht mit den Getauften, die in offensichtliche Sünde zurückfallen (Ehebruch, Idolatrie)? Kann ein Unwürdiger die Sakramente rechtsgültig spenden? – Es ist bekannt, daß die Großkirche diese Fragen bürokratisch löste: Nach einer Buße kann auch der offensichtliche Sünder wieder zu allen Sakramenten zugelassen werden. Ein Sakrament ist gültig, wenn der Priester

---

[28] E. Vodola, Excommunication in the Middle Ages, 1986.

rechtmäßig in seinem Amt war, unabhängig von seiner persönlichen Würdigkeit. Kompetenz und bürokratische Korrektheit sind die Kennzeichen einer kirchlichen Administration.[29]

Eine Sekte hingegen löst diese Probleme, die sich natürlich auch ihr stellen, auf völlig andere Weise. Trotz oft erheblicher Missionsaktivität strebt die Sekte keine Universalität an. Nicht jeder kann Mitglied werden, vielmehr steht der Zugang nur den Qualifizierten offen, wobei die Qualifikation meistens eine religiöse und moralische ist. So wird vor der Taufe typischerweise oft der Bericht über die persönliche Bekehrung erwartet.

In ihrem Verhältnis zur dominanten Kultur können verschiedene Attitüden vorherrschen, die aber alle eine prinzipielle Kompromißbereitschaft ausschließen. Da die Sekte ihr eigenes Wertsystem absolut setzt, kann es zur Weltablehnung kommen, die sich resignativ, gleichgültig oder militant äußern kann. Diese unterschiedlichen Möglichkeiten hängen eng mit dem Glaubenssystem (Theologie) der Sekte zusammen. Betrachtet sie sich als kleine Herde, die ausersehen ist, dem unmittelbar bevorstehenden apokalyptischen Verhängnis zu entgehen, so wird eine resignative bis gleichgültige Haltung überwiegen. Sieht sie sich aber in der Aufgabe stehen, bis zur Katastrophe noch möglichst viel zu bewirken, so wird sich die militante Attitüde durchsetzen. Unabhängig davon ist die Sekte darauf angewiesen, die hohe Qualifikation der Eintrittskriterien für ihre Mitglieder durchzuhalten. Das bedeutet eine strenge Kirchenzucht, die auch die Möglichkeit des Ausschlusses aus der Gemeinschaft vorsieht. Es ist völlig verfehlt, die harte Behandlung abweichender Mitglieder in den Sekten als Ausfluß der Herrschsucht der Sektenführer interpretieren zu wollen. Diese Mechanismen sind die Bedingungen für das Überleben als Sekte, wenn sie nicht den Weg der Kirche gehen will. – Innerhalb der Sekte muß wenigstens dem Anspruch nach nicht eine bürokratische Ordnung vorherrschen, sondern eine, die im Kontext des Glaubenssystems als kongenial interpretierbar ist. Das bedeutet, daß die Ämter nach dem Maßstab der Qualifikation vergeben werden sollen. Daß hier in der Realität oft Schwierigkeiten auftreten und Kompromisse notwendig sind, versteht sich von selbst.

Die Kirche-Sekte-Gegenüberstellung, wie sie eben in knappen Strichen gezeichnet wurde, geht von einer idealtypischen Gestalt

[29] Vgl. dazu auch: Y. Spiegel, Kirche als bürokratische Organisation, 1969.

der beiden religiösen Organisationen aus, wie sie in der Wirklichkeit nur äußerst selten, wenn überhaupt, vorkommen. Dies war natürlich auch Troeltsch und Weber bewußt, aber die gewollte Überzeichnung hat eine heuristische Funktion: Sie soll den Blick für Zusammenhänge schärfen und der Forschung die Richtung weisen. Die Brauchbarkeit einer idealtypischen Begriffsbildung kann in der konkreten Forschungspraxis daran gemessen werden, ob sie sich als fruchtbar für weitere Forschungen erweist. Im Fall der Kirche-Sekte-Dichotomie kann diese Frage ohne Zögern positiv beantwortet werden. Wohl kaum eine andere Fragestellung – sieht man einmal von der Protestantismus-Kapitalismus-Kontroverse ab – hat die Religionssoziologie der letzten sechzig Jahre so inspiriert wie das Problem der Typologie religiöser Organisationen. Ausgangspunkt bei allen Ansätzen ist immer die Troeltsch-Webersche Unterscheidung zwischen Kirche und Sekte.

5. Typologie religiöser Organisationen

Wer auch nur oberflächlich mit der religiösen Landschaft der westlichen Industriegesellschaft vertraut ist, wird wissen, daß eine schlichte Einteilung der zahlreichen religiösen Organisationen in 'Kirchen' und 'Sekten' im beschriebenen Sinne völlig unzureichend ist. Diese Bemerkung stellt nicht die Gültigkeit der Troeltsch-Weberschen Unterscheidung in Frage, denn beide Forscher haben die Existenz von zahlreichen Zwischenformen nie bestritten. Zum Zweck einer der Realität besser entsprechenden Beschreibung ist das Erstellen einer Typologie religiöser Organisationen hilfreich, wobei man sich aber immer bewußt sein muß, daß auch eine solche Typologie idealtypisch konstruiert ist, aber durch Verfeinerung mehr Kriterien berücksichtigen kann.

Angeregt durch Ernst Troeltsch und Max Weber, stellte sich Richard H. Niebuhr die Frage nach den sozialen Quellen des amerikanischen Denominationalismus.[30] Entscheidend ist, daß er die zeitliche Dimension in die Gegenüberstellung von Kirche und Sekte einbrachte. Zwar ist dies auch schon bei Max Weber angelegt, und zwar vor allem in der Kategorie der Routinisierung von Charisma und dessen Überführung in ein Amtscharisma, aber Niebuhr

---

[30] R. H. Niebuhr, The Social Sources of Denominationalism, 1929 (Neuauflagen!).

trieb diese Analyse weiter. Er radikalisierte den Sektenbegriff und kam konsequent zu der Frage, ob eine Sekte überhaupt die erste Generation zu überdauern vermöge. Tritt nicht auch durch die Sozialisation der zweiten Generation eine gewisse Routinisierung ein? Etwas überspitzt formuliert Niebuhr: Eine Sekte dauert nur eine Generation, in der zweiten ist sie schon etwas anderes, eine Denomination.

Obwohl die Vorstellung, daß aus Sekten im Laufe der Entwicklung zwangsläufig Denominationen werden,[31] plausibel ist, sind doch Zweifel angebracht, ob es nicht manchen Sekten gelungen ist, ihre Sektenmerkmale im Troeltsch-Weberschen Sinne über Generationen zu bewahren. Selbstrekrutierung mit strengem Endogamiegebot, Hierarchisierung der internen Herrschaftspositionen, Aufrechterhaltung einer strengen Kirchenzucht bis hin zum Ausschluß schwankender Mitglieder können eine 'Aufweichung' in Richtung auf eine Entwicklung zur Denomination auf jeden Fall für längere Zeit aufschieben. Bryon Wilson hat die Wirksamkeit dieser Mechanismen anhand von einigen englischen Sekten (Elim Foursquare Gospel Church und Christadelphians) untersucht und konnte deutlich machen, daß keineswegs ein logischer Zwang zur Denominationswerdung besteht.[32]

Sowohl Sekte als auch Kirche und Denomination weisen eine organisatorische Struktur auf, innerhalb deren der Ort des einzelnen Mitglieds relativ sicher bestimmt werden kann. Es gibt aber auch religiöse Gruppen, die gering organisiert sind und in erster Linie aus einem religiös qualifizierten charismatischen Führer und einer wenig strukturierten Gefolgschaft bestehen. Ob es sich dabei um ausschließlich moderne Phänomene handelt oder ob es in der Antike schon ähnliche Erscheinungen gegeben hat, bedürfte zur Klärung noch genauerer Forschung. Howard Becker hat unter ausschließlicher Berücksichtigung moderner Beispiele eine Form der Religion streng privaten, persönlichen Charakters beschrieben, in der es keine formalisierte Mitgliedschaft gibt, sondern nur eine durch Akzeptanz der Lehre bestimmte Gefolgschaft. Beispiele sind die Anfangsphase der 'Christian Science Movement', Theosophische Gesellschaft und die Anfänge von Dianetics vor dem Übergang zur Scientology Church. Becker hat schon vor Jahrzehnten

[31] Zum Begriff der Denomination s.: D. A. Martin, The Denomination, in: The British Journal of Sociology 1, (1962), S. 1 ff.
[32] B. Wilson, Sects and Society, ²1978.

für diese Form der religiösen Vergesellschaftung den Begriff 'Kult' geprägt.[33] Halten wir hier einen Augenblick inne, so können wir schon folgende Typen religiöser Organisationen festhalten: Kult, Sekte im Anfangsstadium, Sekte als Dauerorganisation, Denomination, Kirche. Es ist offensichtlich, daß damit immer nur noch ein Ausschnitt aus der Realität der organisierten Religionen gewonnen ist. Immer deutlicher wird es, daß die Alltagssprache hier Zusammenhänge und Differenzen eher verschleiert als erhellt. So werden z. B. Jehovas Zeugen, Neu-Apostolische, Hare-Kṛṣṇa-Mönche in der Sprache der dominanten Kultur den Sekten zugerechnet, aber worin bestehen hier die gemeinsamen Merkmale, die eine solche Kategorisierung möglich machen? Im Verhältnis zur Welt? Das ist höchst unterschiedlich bei den einzelnen Gruppen. In der Kirchenzucht? Auch die ist durchaus verschieden. Noch überhaupt nicht berücksichtigt ist das unterschiedliche Glaubenssystem und seine Auswirkungen auf die Gestaltung der Organisation. Bryan Wilson hat darauf hingewiesen, daß die Vernachlässigung dieses Aspektes zu schwerwiegenden Fehlbeurteilungen führen kann.[34]

Aus diesen Schwierigkeiten könnte eine differenzierte Typologie führen, die versucht, alle – oder wenigstens die wesentlichen – Kriterien zu berücksichtigen, die in der soziologischen Literatur der letzten Jahrzehnte Beachtung fanden. Es ist selbstverständlich möglich, zu den vorhandenen Typologien eine neue hinzuzufügen! Ich halte diese uferlose Vermehrung von Typologien für wenig fruchtbar, sondern möchte im folgenden eine vorstellen, die einen gewissen Grad der Ausreifung erlangt hat und außerdem versucht, in der Begriffsbildung der Forschungspraxis sich anzugleichen. J. Milton Yinger hat 1970 ein Modell zur Diskussion gestellt, das drei Variablen berücksichtigt[35]: (1) Ausmaß des Einschlusses der Mitglieder einer Gesellschaft, (2) Ausmaß der Übereinstimmung mit den gesellschaftlichen Werten, (3) Ausmaß der organisatorischen Komplexität. Diese Variablen bedürfen der Erläuterung: Die erste bedeutet nichts anderes als die relative Zahl der Mitglieder des reli-

---

[33] H. Becker, Soziologie als Wissenschaft vom sozialen Handeln, o. J., und G. Nelson, The Concept of Cult, in: The Sociological Review 16 (1968), S. 351–362.
[34] B. Wilson, Typologie des Sectes dans une Perspective Dynamique et Comparative, in: Archives de Sociologie des Religions 16 (1963), S. 49 ff.
[35] Y. M. Yinger, The Scientific Study of Religion, 1970, S. 259 ff.

giösen Systems in bezug auf alle Mitglieder der Gesellschaft. Das Ausmaß der Übereinstimmung mit den gesellschaftlichen Werten bezeichnet das im vorigen Abschnitt als 'Verhältnis zur Welt' apostrophierte Kriterium. Das Ausmaß der organisierten Komplexität ist nur sehr indirekt in die Kirche-Sekte-Dichotomie eintragbar; diese Variable ist eher an der Diskussion um 'Kult' vs. 'Sekte' entstanden; außerdem muß hinzugefügt werden, daß Yinger zu dieser Variablen noch die Distinktheit der religiösen Strukturen gegenüber den sozialen hinzurechnet, ein problematisches Vorgehen, das – wie noch zu zeigen sein wird – zu einigen Schwierigkeiten führt. Auf der Grundlage dieser drei Variablen, die jeweils nicht dichotomisiert, sondern rein nominal skaliert werden, kommt Yinger zu folgendem Diagramm[36]:

I. Ausmaß des Einschlusses der Mitglieder der Gesellschaft

Hoch   Niedrig

II. Ausmaß der Übereinstimmung mit den gesellschaftlichen Werten[37]

Hoch   Niedrig

A. Universale institutionalisierte Kirche

III. Ausmaß der organisatorischen Komplexität und der Distinktheit der religiösen Strukturen				
Hoch	C. Institutionalisierte Ecclesia	E. Institutionalisierte Denomination	selten	nicht existent
	D. Diffuse Ecclesia	F. Diffuse Denomination	G. Etablierte Sekte	nicht existent
	selten	selten	H. Etablierte Laien-Sekte	I. Sekten-Bewegung
Niedrig	nicht existent	nicht existent	nicht existent	J. Charismatische Sekte

B. Universale diffuse Kirche

[36] Die Darstellung ist wegen der vermiedenen Dreidimensionalität auf den ersten Blick schwer verständlich.

[37] Bei Yinger ist die zweite Variable negativ formuliert und damit gegenläufig angeordnet.

Die jeweils skalierten Variablen sind nur an ihren Endpunkten benannt. Die Zwischenwerte (je zwei) dienen nur zur Verdeutlichung des Kontinuums.Ebenso sind die zehn benannten religiösen Organisationen nur Beispiele für eine faktisch schwer begrenzbare Zahl von Gruppen.

Die beiden mit A und B bezeichneten Typen sind in bezug auf die Variablen I und II jeweils an dem Extrempunkt 'hoch' angesiedelt, während sie gemessen an der Variablen III einmal 'hoch' sind und einmal 'niedrig'. In Anlehnung an die Dichotomie 'organized vs. diffused religion' nennt Yinger die entsprechenden Typen 'institutionelle und diffuse' Kirche, die jeweils universal sind, also de facto die gesamte Gesellschaft einschließen. 'Ecclesia' im Unterschied zur Kirche kann nicht mehr alle Mitglieder der Gesellschaft einschließen. Ein gutes Beispiel sind Staatskirchen, die in einem Zustand des rechtlichen religiösen Pluralismus existieren. – Wenn man die Typen A und B einmal vernachlässigt, entspricht die Bewegung von J zu C über H und F einem Sekten-Kirchen-Kontinuum, während die Typen D, E, G, I Weiterentwicklungen darstellen, die nur in bezug auf eine Variable erfolgen. Etwa wenn eine Sekte zwar an organisatorischer Komplexität gewinnt, also bürokratische Strukturen mit religiösen Berufsrollen entwickelt, aber in bezug auf Übereinstimmung mit den gesellschaftlichen Werten deviant bleibt (so die Zeugen Jehovas). – Es ist nicht notwendig, in allen Einzelheiten die Begrifflichkeit des dargestellten Schemas zu diskutieren. Sein unbestreitbarer Vorzug liegt darin, daß es erlaubt, in einem ersten Überblick konkrete religiöse Gruppen einzuordnen und damit einen Vergleich zu ermöglichen.

Es wurde oben angedeutet, daß die dritte Variable zwei an sich logisch und empirisch nicht zwangsläufig korrespondierende Dinge zusammenfaßt. Integration der religiösen Einheiten, Existenz religiöser Berufsrollen und bürokratische Strukturen sind zwar Kriterien für organisatorische Komplexität, sagen aber noch nichts über die Distinktheit der Organisation aus. Hier macht sich das Manko bemerkbar, daß die Variablen nur am Beispiel der modernen Gesellschaft gewonnen wurden. Wo wäre die ägyptische Religion oder die jüdische Religion zur Zeit Jesu einzuordnen? Die Einführung einer vierten Variablen entlang der Dichotomie 'organized-diffused religion' würde zwar das Schema noch mehr befrachten, es aber ermöglichen, die im 2. Abschnitt dieses Kapitels beschriebenen Phänomene zu berücksichtigen und außerdem auch Erscheinungen wie dem 'Kult' einen Platz zuzuordnen, während Yinger am liebsten den Begriff überhaupt vermieden sähe.[38]

Es wäre sehr leicht möglich, mehrere Bücher mit der Diskussion über die verschiedenen Typologien zu füllen, die bisher versucht wurden. Das Thema ist bis heute nicht zu Ende diskutiert,[39] ja, es hat sogar eine neue Aktualität gewonnen, als mit dem Erscheinen einer Vielzahl von religiösen Gruppierungen in den 70er Jahren plötzlich Sekten und Kulte in das Zentrum des öffentlichen Interesses rückten. In der polemischen Literatur, an der sich Soziologen nicht beteiligten, wurden in wilder Manier Begriffe durcheinandergewirbelt wie 'Jugendreligion', 'destruktiver Kult', 'Guruismus', als hätte es keine seriöse Forschung gegeben. Erst zögernd hat sich auch die Religionssoziologie mit dem reizvollen Thema der 'Neuen Religionen' befaßt, und dabei zeigte sich ziemlich schnell, daß die klassischen Typologien nur erste Anhaltspunkte bei der Analyse bieten konnten.[40] Dennoch waren die Bemühungen um begriffliche Klarheit nicht vergeblich, denn sie machen es unmöglich, auf einen Stand terminologischer Naivität zurückzufallen.

6. Nichtorganisierte Religion in der modernen Gesellschaft

Während fast ein Konsensus darüber besteht, daß in den sog. primitiven Gesellschaften Religion sehr häufig nicht organisiert ist, gab es lange Zeit kaum eine Diskussion, daß in der modernen Gesellschaft Religion immer in organisierter Gestalt auftritt. Erst Mitte der 60er Jahre änderte sich die Situation, als Robert N. Bellah den Begriff der 'staatsbürgerlichen Religion' (civil religion) wiederbelebte, der seit Rousseau (8. Kapitel des 4. Buches des Contrat Social) in den Hintergrund getreten war.[41] Es ist kein Zufall, daß gerade in den USA sich die Soziologie wieder diesem Konzept zuwandte. Denn dieser Staat ist klassisch pluralistisch mit dem im ersten Zusatz zu der Verfassung verankerten Verbot einer Staats-

[38] A. a. O., S. 279f.
[39] Einen guten Überblick gibt: J. A. Beckford, Religious Organizations; Nr. 2 des Bd. 21 von Current Sociology, 1974. Neuerdings: R. Wallis, The Elementary Forms of the New Religious Life, 1984.
[40] Vgl. dazu die Beiträge in: E. Barker (Hrsg.), New Religious Movements, 1982. Reiche Bibliographie, S. 359-393.
[41] R. N. Bellah, Civil Religion in America, in: Daedalus, 1967. Wiederabdruck: R. N. Bellah, Beyond Belief, 1970, S. 168-189.

kirche. Die Trennung von Kirche und Staat ist konsequent durchgeführt, und dennoch berufen sich wohl nirgends führende politische Repräsentanten häufiger auf Gott als gerade in den USA. Welche Dogmatik steht hinter diesen Anrufen? Bellah hat die Antrittsrede von John F. Kennedy einer Analyse unterzogen, um die religiösen Komponenten herauszuarbeiten, und kam zu dem Ergebnis, daß der beschworene allmächtige Gott nicht in einem besonderen Kultus verehrt wird, er bedarf keiner Altäre und keiner Priester, keine Theologen grübeln über seine Eigenschaften, er offenbart sich auch nicht. Seine unsichtbare Hand leitet aber die Geschichte der Menschen und vor allem die der amerikanischen Nation – als einer 'nation under God'. Weitere empirische Untersuchungen haben herausgefunden, daß diese 'civil religion' eindeutig einen distinkten Faktor darstellt, der zwar mit anderen religiösen Dimensionen positiv korreliert, aber empirisch unterscheidbar ist.[42] – Die Diskussion um die 'civil religion' ist noch nicht abgeschlossen. Versuche wurden unternommen, die Konzeption auch auf andere Gesellschaften zu übertragen.[43] Bei aller Aktualität der Fragestellung sollte nicht übersehen werden, daß schon 1955 Will Herberg die begründete Vermutung äußerte, daß unterhalb des amerikanischen Pluralismus eine gemeinsame religiöse Dimension zu erkennen sei, die den 'american way of life' mit religiösen Kategorien verbindet.[44]

Aber nicht nur auf dem Feld der politischen Religion wurden Versuche unternommen, nichtorganisierte Religion zu eruieren. Unter dem Stichwort 'non-doctrinal religion'[45] oder 'invisible religion'[46] entstanden eine Reihe von Arbeiten, die bisher eher als Ent-

[42] D. C. Wimberley et al., The Civil Religious Dimension: Is It There?, in: Social Forces 54 (1976), S. 890–900.

[43] R. N. Bellah and P. E. Hammond, Varieties of Civil Religion, 1980.

[44] W. Herberg, Protestant, Catholic, Jew. An Essay in American Religious Sociology, 1955.

[45] C. C. Lemert, Defining, Non-Church Religion, in: Review of Religious Research 16 (1975), S. 186–197; J. M. Yinger, A Structural Examination of Religion, in: Journal for the Scientific Study of Religion, 8 (1969), S. 88–99 und ders., The Scientific Study of Religion, 1970, S. 32–40; H. M. Nelson et al., A Test of Yinger's Measurement of Non-Doctrinal Religion, in: Journal for the Scientific Study of Religion 16 (1977), S. 395 bis 401; W. C. Roof et al., Yinger's Measurement of Non-Doctrinal Religion, in: ebd., S. 403–408.

[46] T. Luckmann, The Invisible Religion, 1967.

wicklung von Ansätzen zu betrachten sind, die weiterzuverfolgen es sich lohnt. Obwohl noch keine abschließenden Urteile möglich sind, kann so viel doch konstatiert werden, daß von einer ausschließlichen Existenz der Religion in organisierter Gestalt auch in der modernen Gesellschaft nicht gesprochen werden kann. Allerdings existiert diese nichtorganisierte Religion nicht im Gegensatz zu der organisierten, sondern sie scheint das Substrat des religiösen organisierten Pluralismus zu bilden. – Bisher hat die Forschung sich vor allem darauf konzentriert, überhaupt diese nichtorganisierte Religion sichtbar zu machen. Noch gar nicht in Angriff genommen wurde die Aufgabe, den 'sozialen Körper' dieser Religion zu bestimmen, die Bedingungen ihrer Existenz und die Modalitäten ihres überindividuellen Weiterlebens. Hier eröffnen sich weite Arbeitsfelder, die zu einer Kooperation mit Kulturwissenschaften im weiteren Sinne führen werden. Die europäische Religionssoziologie hat auf diesem Gebiet gegenüber der amerikanischen erhebliche Defizite, wenn auch schon einige Arbeiten vorliegen, die hoffen lassen, daß auch in Europa diese Aufgabe angegangen wird.[47]

[47] R. Bocock, Ritual in Industrial Society, 1974.

VII. EVOLUTION UND ZUKUNFT DER RELIGION

1. Evolution und Religion

Daß soziale und kulturelle Erscheinungen auf einer Entwicklungsachse angeordnet seien, war dem 18. und 19. Jahrhundert eine im Prinzip unbestrittene Erkenntnis, die auch für die Welt der Religion galt. Während ältere Vorstellungen von der Theorie des Verfalls ursprünglich reiner Gottesvorstellungen ausgingen und so mit der christlichen Lehre von Uroffenbarung und Sündenverfall harmonisierten, ist seit David Hume eine andere Konzeption von Bedeutung für die Religionswissenschaften: Am Anfang der Religionsgeschichte stünden Polytheismus und Idolatrie, und erst allmählich erhebe sich der Mensch zu den reineren monotheistischen Vorstellungen.[1] Sehen wir einmal von den religionswissenschaftlichen Modellen des 19. Jahrhunderts ab, die in der Tradition Hegels stehend bis zu Beginn dieses Jahrhunderts evolutionistische Modelle vertraten,[2] und beschränken wir uns auf religionssoziologische Ansätze im engeren Sinne, so ist an erster Stelle Auguste Comte zu nennen, dessen Lehre von der sozialen Dynamik ein Evolutionsmodell enthält, das anhand religionshistorischer Kategorien gebildet ist.[3] Die Lehre von der sozialen Dynamik ist die Lehre vom Fortschritt, der sich in drei Stadien (Drei-Stadien-Gesetz) entfaltet als Entwicklung des Geistes als Prinzip der gesamten menschlichen Entwicklung; denn es ist der Geist, der die soziale Dynamik vorantreibt. Entsprechend den drei Lebensaltern des Menschen: Kindheit, Jünglingsalter und Mannesalter durchlaufe der Geist drei Stadien: das theologische, das philosophische oder auch metaphysische und das positive Stadium, das das letzte und definitive ist. In dem theologischen Stadium, das von den Anfängen der Menschheit bis zum 13. Jahrhundert dauert, ist das Denken des Menschen auf

---

[1] D. Hume, The Natural History of Religion, (zuerst) 1757, und ders., Dialogues Concerning Natural Religion, (zuerst) 1779 (postum!).

[2] C. P. Tiele, Einleitung in die Religionswissenschaft, 2 Bde. 1899–1901 (aus dem Niederländischen).

[3] A. Comte, Cours de philosophie positive, 6 Bde., 1830–1842.

„unbedingte Erkenntnis, auf das innere Wesen der Erscheinungen" gerichtet und auf die Gründe ihres Entstehens. Alles wird erklärt durch Analogiebildung zur menschlichen Welt; den Dingen und den in ihnen wirksamen Mächten werden menschliche Eigenschaften zugesprochen wie Wille usw. Das theologische Stadium wird jetzt wieder durch Rekurs auf religionstypologische Kategorien in eine fetischistische, polytheistische und monotheistische Periode unterteilt, wobei die letztere schon den Verfall des theologischen Denkens und den Übergang zur Spekulation bezeichnet, wie sie im philosophischen oder metaphysischen Stadium dominiert, das charakterisiert ist durch eine zunehmende Abstraktion: An die Stelle der Götter treten die Wesenheiten (entités), personifizierte Abstraktionen. Es ist die Herrschaft der abstrakten Begriffe. Das dritte und endgültige, das positive Stadium ist dasjenige, in dem sich der menschliche Geist selbst beschränkt: Er forscht nicht mehr nach den letzten Ursachen, sondern er will nur noch die gesetzmäßigen Beziehungen der Erscheinungen untereinander beobachten. – Betrachtet man die Lehre von der sozialen Dynamik, wie Comte sie entwickelte, nur unter diesem kognitiven Aspekt, so wäre sie nichts anderes als eine der vielen Fortschrittslehren, wie sie von Joachim von Fiore über Vico bis zu Condorcet auftraten. Der soziologische Gehalt liegt in Comtes Sozialphilosophie darin, daß er diese Stadien mit konkreten sozialstrukturellen und herrschaftssoziologischen Daten verknüpfte. So entsprachen – nach Comte – der Herrschaft von theologischen Ideen die Dominanz von Priestern und Militärs, also der im aufklärerischen Bewußtsein unproduktiven Klassen par exellence, während die Produktion von Sklaven getragen wird. Im philosophischen Stadium wird die Gesellschaft dominiert von Juristen, während endlich im positiven Stadium der Ingenieur, der Wissenschaftler unter Einschluß des Soziologen eine rationale Leitung der Gesellschaft sicherstellt.

Comtes Drei-Stadien-Gesetz ist gemessen an den heutigen Standards der Erfahrungswissenschaften noch durch und durch metaphysisch determiniert. Interessant ist es für uns aber deshalb, weil es ein Modell lieferte, das die Evolution des menschlichen Geistes als Wegführung von der Religion im traditionellen Sinne verstand. – Auch die von Comte in späteren Jahren konzipierte 'Religion de l'Humanité'[4] enthielt so gut wie keine auf Transzendenz bezogenen

---

[4] Am bequemsten: A. Comte, Catéchisme positiviste ou Sommaire exposition de la religion universelle, 1852.

Bestandteile. Dieser Gedanke von der abnehmenden Religiosität behielt im Umkreis soziologischer Ansätze über viele Jahrzehnte Geltung und ist als Säkularisierungstheorie auch über den Zweiten Weltkrieg hinaus von Bedeutung. Wir werden im nächsten Abschnitt dieses Kapitels darauf zurückkommen.

Erst mit Ende des 19. Jahrhunderts gerieten die evolutionistischen Theorien in den Sozialwissenschaften ins Abseits. 1937 konstatierte Talcott Parsons [5] triumphierend: Spencer ist tot! Er meinte damit, daß der Evolutionismus in der Soziologie überwunden sei. Aber schon Ende der 50er Jahre war die Diskussion um soziale und kulturelle Evolution wieder in voller Blüte, und auch die Religionssoziologie nahm daran teil.

Vor allem ein Soziologe hat dazu beigetragen, daß der sog. Neo-Evolutionismus in der Religionssoziologie diskutiert wurde: Robert N. Bellah. Er veröffentlichte 1964 seinen umstrittenen Artikel ›Religious Evolution‹.[6] Er definiert Evolution folgendermaßen: „Evolution auf jedweder Systemebene definiere ich als Prozeß von wachsender Differenzierung und zunehmender Komplexität von Organisation, der den Organismus, das soziale System oder was immer die in Frage stehende Einheit sein mag, in die Lage versetzt, sich mit größerer Fähigkeit an die jeweilige Umwelt anzupassen, so daß es in einem gewissen Sinne autonomer gegenüber seiner Umwelt ist als seine weniger komplexen Vorfahren."[7] Dies ist in seinem Kern die von Herbert Spencer als Quintessenz der Evolution bezeichnete Formel: Zunehmende Differenzierung und zunehmende Integration. Im Unterschied zu den älteren Evolutionisten betrachtet Bellah jedoch den Prozeß der Evolution nicht als notwendig irreversibel. Religion wird in Anlehnung an die funktionalistische Schule definiert als ein Satz von „symbolischen Formen und Handlungen, die den Menschen auf die letzten Bedingungen seiner Existenz beziehen".[8] Ein stark an religionsphänomenologischen Gedanken konzipierter Religionsbegriff führt Bellah dazu zu behaupten, daß weder der Homo religiosus noch die Struktur der entscheidenden religiösen Situation sich entwickele, sondern nur die

[5] T. Parsons, The Structure of Social Action, 1937.
[6] R. N. Bellah, Religious Evolution, in: American Sociological Review 29 (1964), S. 358–374. Wiederabdruck in: R. N. Bellah, Beyond Belief, 1970, S. 20–50.
[7] Bellah, a. a. O., S. 21.
[8] Ebd.

Religion als ein Symbolsystem. Diese vorsichtigen Einschränkungen sind in der Soziologie fehl am Platze.

Den entscheidenden Bruch in der Religionsgeschichte sieht Bellah im Auftreten und in der Verbreitung weltverneinender Religionen. Diese Betonung von Weltablehnung als wichtiges sozioreligiöses Datum ist wohl von Max Weber übernommen worden. Die Entstehung von religiöser Weltverneinung datiert Bellah – hier durchaus in Übereinstimmung mit der religionssoziologischen Forschung – in das letzte vorchristliche Jahrtausend. Beispiele sind: Buddhismus, taoistischer Asketizismus, jüdische Weisheitsliteratur, die Philosophie Platons. Leider berücksichtigt er überhaupt nicht die konkreten Entstehungsbedingungen der Weltverneinung, also etwa die soziale Lage der Intelligenz. Die fünf Stufen der religiösen Evolution, die primitive, archaische, historische, frühmoderne und moderne Stufe, können anhand des Kriteriums 'Weltverneinung' folgendermaßen zugerechnet werden: Primitive und archaische Stufe sind nicht durch Weltablehnung gekennzeichnet, genausowenig wie die moderne, während die historische und frühmoderne es sind.

Die einzelnen Stufen können kurz abgehandelt werden: (1) Die primitive Stufe ist bestimmt durch eine fließende Form des Mythos, Ritus ist definiert durch Identifikation und Partizipation. Es gibt keine religiöse Organisation: "Church and society are one."[9] (2) Die archaische Stufe ist gekennzeichnet durch echten Kult und ein strukturiertes System von Göttern. Es gibt Priester, und die mythischen Wesen sind genau charakterisiert. Noch nicht vorhanden sind religiöse Organisationen. (3) Die historische Stufe: Die Bezeichnung wird gewählt, weil wir über diese Stufe meistens schriftliche Quellen haben, während die erste und die zweite Stufe nur durch archäologische Befunde und durch ethnographische Parallelen erschließbar sind. Historische Religionen haben eine ausgeprägte Vorstellung von Transzendenz, was zu einem Dualismus führen kann, während die primitive und die archaische Religion als monistische zu betrachten sind. Die Tendenzen der historischen Religionen zum Monotheismus konfrontieren Gott und Welt in scharfen Gegensätzen und kommen häufig zu einer Betonung der Wertlosigkeit der Welt. Es ist die hohe Zeit der Erlösungsreligionen. Überall tauchen religiöse Organisationen auf, die den Menschen zum Bürger zweier Welten machen: idem civis et christianus.

[9] A. a. O., S. 28.

Allerdings gibt Bellah zu, daß diese Erscheinung in den verschiedenen Religionen unterschiedlich stark ausgeprägt sei. An dieser Stufe – die für Bellah das entscheidende Stadium religiöser Evolution darstellt – argumentiert er auch in realsoziologischen Kategorien, indem er versuchsweise die Träger der historischen Religionen bestimmt: die städtische Unterschicht (Kaufleute und Handwerker). (4) Die frühmoderne Stufe ist am besten repräsentiert durch den Protestantismus der Reformationszeit und die in ihm vorgenommene Transformation der außerweltlichen Askese in eine innerweltliche. Die priesterlichen Hierarchien werden aufgegeben zugunsten des allgemeinen Priestertums. (5) Die moderne Religion ist geistesgeschichtlich seit Kant zu datieren. Sie ist gekennzeichnet durch Subjektivität. An die Stelle von Orthodoxie tritt die persönliche Reinterpretation der Dogmen. Thema der modernen Religion ist die Sinnsuche, die nicht mehr durch Teilhabe in religiösen Organisationen gelöst wird. Bellah zitiert als Belege für den typischen Ausdruck der religiösen Organisation der nahen Zukunft Thomas Paine "My mind is my church" und Thomas Jefferson "I am a sect myself".[10] Auf einer höheren Ebene ist so die moderne Religion wieder weltbejahend, es gelingt ihr, das Ich zu konstituieren und gegen die Umwelt abzugrenzen, ohne diese dabei zu verwerfen.

Bellahs Entwurf einer Evolution des Religiösen wurde etwas ausführlicher dargestellt, nicht weil er über alle Kritik erhaben ist – ganz im Gegenteil lassen sich historisch-empirisch ganz erhebliche Bedenken geltend machen –, sondern weil er ein gutes und ermutigendes Beispiel dafür ist, wie soziologische Theorien unterschiedlicher Provenienz (Max Weber, Talcott Parsons, Samuel Eisenstadt) für eine Fragestellung fruchtbar gemacht werden können, die die Weite der Perspektive des 19. Jahrhunderts wiederaufnimmt, ohne deren politisch-ideologische Engführungen zu teilen.

In der deutschen Soziologie hat der Entwurf Bellahs einen Nachfolger gefunden. 1973 hat Rainer Döbert eine Arbeit mit dem Titel ›Die Entwicklung von Religionssystemen‹ vorgelegt, wobei er ausdrücklich Bellahs Ansatz diskutiert.[11] Dabei kritisiert er m. E. mit Recht die Grundprämisse des Amerikaners, daß das Schema 'System–Umwelt' auf Religion anwendbar sei. Relevante Umwelt des religiösen Systems wäre die 'letzte Wirklichkeit' (traditionell:

---

[10] A. a. O., S. 43.
[11] R. Döbert, Systemtheorie und die Entwicklung religiöser Deutungssysteme, Teil II, 1973, S. 73–157.

Gott), und es sei schlechthin nicht einsehbar, wie gegenüber dieser Umwelt religiöse Systeme ihre adaptative Fähigkeit steigern können sollten. Döbert übersieht jedoch, daß es Bellah eigentlich um die Steigerung der adaptativen Fähigkeiten des Menschen qua Religion geht und daß es lediglich Bellahs kryptotheologische, an der Religionsphänomenologie orientierte Sprache ist, die diese Verwirrung stiftet.

Auch Döbert geht von fünf Stadien aus, die er aber im Unterschied zu Bellah nicht in Kategorien des religiösen Systems bestimmt, sondern in Anlehnung an ökonomisch-technisch determinierte Gesellschaftsformationen (Religion der Jäger und Sammler sowie der einfachen Gartenbaugesellschaften – Religion fortgeschrittener Gartenbaugesellschaften – Religion der agrarischen hochkulturellen Gesellschaften – Protestantische Reformation und der denominationale Pluralismus – Religion moderner industrieller Gesellschaften). Man sieht, daß das Grundschema Bellahs wenig modifiziert ist. – Einen weiteren Schritt zurückgehend, kann man sogar feststellen, daß die Grundstruktur des Comteschen Drei-Stadien-Gesetzes bei beiden Autoren erhalten geblieben ist: Stufe 1–3 entspricht dem theologischen Stadium; Stufe 4 dem philosophischen Stadium, das durchgängig nur als transistorisch betrachtet wird; Stufe 5 dem positiven Zeitalter.

Evolutionsmodelle haben ihren besonderen Reiz darin, daß in ihnen nicht nur etwas über die Vergangenheit mitgeteilt wird, sondern daß sie implizit auch Zukunftsprognosen enthalten. Zwar wird dies nicht offen postuliert, aber da die letzten Stadien immer unsere eigene Epoche betreffen, eröffnen sie eine Möglichkeit, darüber zu spekulieren, ob es so weitergeht, wie es sich bisher entwickelt hat.

2. Die Zukunft der Religion

Man kann Bedenken dagegen äußern, wenn sich Erfahrungswissenschaften in das prognostische Geschäft begeben. Allzuoft wurden die Voraussagen durch die Realität brutal falsifiziert. Aber das Comtesche «savoir pour prévoir» hat doch für jede Wissenschaft sein relatives Recht behalten, und die totale Abstinenz von Zukunft macht Wissenschaft langweilig. Dies gilt in besonderem Maße für das Gebiet der Religion, denn hier wie selten woanders war das Interesse an Ursprung und Entwicklung der Religion immer mitinspiriert durch die Erfahrung der eigenen Epoche und den Wunsch, die Zukunft der Religion oder ihre Zukunftslosigkeit an den Daten von Vergangenheit und Gegenwart ablesen zu können. Das wissenschaftliche Interesse an Religion fällt in die Zeit der Aufklärung, die Epoche, die zumindest durch Kritik an den religiösen Organisationen und ihres Wahrheitsanspruchs sich ihren Namen verdiente. Religionskritik und Wissenschaft von der Religion gingen ein Stück Weg gemeinsam. Wenn auch diese Allianz im 19. Jahrhundert zerbrach, so bleiben doch Elemente des gemeinsamen Lebens auch in den Religionswissenschaften zurück. Das bei weitem problematischste Erbteil ist die sog. Säkularisierungsthese.

Schon der Begriff der Säkularisierung ist so schillernd, daß eine begriffsgeschichtliche Analyse notwendig ist, um seine unterschiedlichen Konnotationen zu entwirren.[12] Ursprünglich nur verwendet als kirchenrechtlicher Terminus, wird er im Kontext der territorialen Umgestaltung Deutschlands in der Folge der Französischen Revolution für einen politischen Vorgang gebraucht, um im Verlauf des 19. Jahrhunderts sowohl positiv aufgenommen zu werden im Sinne einer von Religion freien autonomen Kulturentwicklung, als auch als düstere Metapher für Entsittlichung und Verlust der Transzendenz rezipiert zu werden. Noch einmal verkompliziert wird der Sachverhalt dadurch, daß in den Jahrzehnten nach dem Ersten Weltkrieg evangelische Theologen 'Säkularisierung' verstanden als 'Verweltlichung', die sie nicht als Verlust interpretierten, sondern als konsequente Weiterentwicklung und Entfaltung der biblischen Botschaft.[13] In dem Maße, in dem die Religionssoziologie zeitweise zu einer Hilfswissenschaft der Pastoraltheologie herabsank, wurde auch ein vulgäres Verständnis von Säkularisierung unreflektiert übernommen.

Trotz dieser wenig verlockenden Geschichte des Begriffs ist das in ihm enthaltene Problembündel für die Religionssoziologie so relevant, daß sie an den implizierten Fragen nicht vorbeigehen kann. Diese Fragen lassen sich auf den Kern bringen: Hat es in historisch greifbarer Zeit einen sozioökonomischen Wandel gegeben, der adäquat mit „Reduktion der Bedeutung von Religion in der Gesellschaft" bezeichnet werden kann? Der soziologische Laie wird zunächst geneigt sein, diese Frage unbedenklich zu bejahen, denn wir

[12] H. Lübbe, Säkularisierung. Geschichte eines ideenpolitischen Begriffs, 1965.
[13] F. Gogarten, Verhängnis und Hoffnung der Neuzeit, 1953, und D. Bonhoeffer, Widerstand und Ergebung, ⁷1956.

haben alle irgendwelche Vorstellungen von einer religiös bestimmten Vergangenheit, in der die Kirchen voll waren, religiöse Fragen die Menschen beschäftigten bis hin zu gewalttätigen Auseinandersetzungen. Angesichts dieser unproblematisierten Opinio communis ist es notwendig, sich der Bedeutungsgehalte zu versichern, die der Begriff 'Säkularisierung' in der soziologischen Literatur angenommen hat, damit wenigstens im engen Rahmen einer Wissenschaft Klarheit entstehen kann.[14]

Mindestens fünf Bedeutungen lassen sich unterscheiden:

1. *Säkularisierung als Verfall von Religion.* Religiöse Institutionen (Lehren, Werte usw.) verlieren ihren ehemaligen Einfluß auf die Gesellschaft. Endpunkt der Entwicklung ist eine total religionslose Gesellschaft. Diese Bedeutung ist die populärste und zugleich unpräziseste, da die Kriterien von 'Verfall' nicht bestimmt werden und sich vielleicht gar nicht bestimmen lassen.

2. *Säkularisierung als Übereinstimmung mit der Welt.* Diese Version nimmt ihren Ausgangspunkt von der sozialen Gruppe. Es herrscht die Vorstellung, daß eine religiöse Gruppe aufgrund eines spezifisch nichtweltlichen, religiösen Grundes sich bildet und im Laufe der Zeit die Differenz zur 'Welt' immer mehr verschwimmt. Säkularisierung ist das Schicksal von religiösen Gemeinschaften; aus einer Sekte wird eine Denomination, aus dieser eine Kirche. Die Problematik dieses Verständnisses ist schon im vorigen Kapitel angesprochen worden.

3. *Säkularisierung als Entsakralisierung der Welt.* In dieser Konzeption, die eine starke Affinität zu religionsphänomenologischen Ansätzen hat, wird eine Vergangenheit postuliert, in der ein religiös-magisches Weltverständnis dominierte, in der Hierophanien das Erleben von Welt bestimmten, während die Neuzeit durch logisch-kausale Erklärung der objektiven Zusammenhänge bestimmt ist. Die hauptsächliche Schwierigkeit liegt darin, daß durchaus nicht alle Religionen in diesem Sinne sakralisierende Tendenzen hatten (Judentum, Christentum, Islam), so daß man auch das Dominantwerden einer solchen Religion als Säkularisierung bezeichnen müßte.

4. *Säkularisierung als Absonderung der Gesellschaft von der Religion.* Dieser Bedeutungsgehalt ist dem ersten nahe verwandt,

---

[14] L. Shiner, The Meaning of Secularization, in: Internationales Jahrbuch für Religionssoziologie 3 (1967), S. 51–62. Dort auch Literaturbelege für die folgenden Bedeutungsgehalte.

nur mit der Differenz, daß hier vor allem der Bereich des öffentlichen Lebens angesprochen wird, während Religion auf die Sphäre der Innerlichkeit beschränkt wird. Der problematische Teil dieses Verständnisses ist in einer unpräzisen Beschreibung der Vergangenheit zu sehen, der es nicht gelingt zu bestimmen, worin die Determiniertheit des öffentlichen Lebens durch Religion bestand und wie stark sie war.

5. *Säkularisierung als Übertragung religiöser Inhalte in die weltliche Sphäre.* Ein gutes Beispiel dafür wäre der im vierten Kapitel dargestellte Zusammenhang von protestantischer Ethik und Geist des Kapitalismus. Ein religiöses Denkmuster löst sich aus seinem Kontext und wird zum bestimmenden Bestandteil der allgemeinen Kultur. Kann man hier ernsthaft von Säkularisierung sprechen? Wohl nur, wenn man den Blick ausschließlich auf das religiöse System fixiert.

Bei dieser verwirrenden Lage ist es nicht verwunderlich, daß viele Religionssoziologen überhaupt den Begriff 'Säkularisierung' meiden. Nimmt man noch die Kontroverse um die Religionsdefinition (s. Kap. II) hinzu, dann wird der Terminus bei einer funktionalen Definition sinnlos,[15] während bei einer substantiellen Definition er immerhin erwägenswert bleibt.[16] Insgesamt zeichnet sich die Tendenz ab, auf jeden Fall mit dieser problematischen Kategorie sparsam umzugehen, wenn sie nicht überhaupt vermieden wird.[17] Allerdings gibt es auch respektable Gegenbeispiele. Alois Hahn hält an der Verwendung fest und definiert Säkularisierung überwiegend im Sinne des oben beschriebenen vierten Bedeutungsgehalts, wobei er darauf abhebt, daß es in der modernen Gesellschaft zunehmend schwieriger werde, weltliche und religiös-kirchliche Rollenerwartungen handlungsgemäß gleichzeitig zu bewältigen.[18]

Stellt man die Frage nach der Faktizität der Säkularisierung als Prozeß, so muß das Ergebnis, das eine Durchsicht der religions-

[15] T. Luckmann, Das Problem der Religion in der modernen Gesellschaft, 1963.

[16] P. L. Berger, The Sacred Canopy, 1967.

[17] M. Hill, A Sociology of Religion, 1973, S. 228 ff.; D. Martin, The Religious and the Secular, 1969; J. Matthes, Die Emigration der Kirche aus der Gesellschaft, 1964 und ders., Religion und Gesellschaft I, 1967, S. 74 ff.; D. Savramis, Entchristlichung und Sexualisierung – Zwei Vorurteile, 1969.

[18] A. Hahn, Religion und der Verlust der Sinngebung, 1974.

soziologischen Literatur bietet, unbefriedigend bleiben. Dies liegt
nicht an der Qualität dieser Forschungen, sondern am Charakter
dieser Fragestellung selbst. Die Soziologie im allgemeinen und die
Religionssoziologie im besonderen haben kein Instrumentarium
zur Verfügung, das es erlauben würde, globale Trends zu bestimmen oder gar zu prognostizieren. Was einzig möglich ist, ist die Beobachtung von Einzelentwicklungen und der Versuch, Aussagen
über deren weiteren Verlauf zu formulieren. Mit aller gebotenen
Vorsicht kann deshalb gesagt werden, daß unter Begrenzung auf
die rein organisatorische Komponente von Religion in den Industriegesellschaften ein Disengagement zwischen religiöser Zugehörigkeit und anderen sozialen Rollen eingetreten ist. Zunächst
wurde dies auf der rechtlichen Ebene erreicht durch die Gleichstel-
lung aller Bürger unbeschadet der religiösen Zugehörigkeit. In den
folgenden Jahrzehnten erfolgte eine Ausweitung auf der sozialen
Ebene: Religionslosigkeit (im organisatorischen Sinne) ist weitgehend konsequenzlos. Selbst familiale Rollen werden kaum durch
Religion definiert. Fraglich bleibt, ob man diese Vorgänge als Säkularisierung bezeichnen soll. Bei der Beantwortung dieser Frage
hängt alles von der Tiefe der historischen Dimension ab, in der das
Problem formuliert wird. Berücksichtigt man die letzten 400 Jahre,
so ist es ohne Zweifel gerechtfertigt, von Säkularisierung zu sprechen, wenigstens in bezug auf die europäischen Gesellschaften und
ihre konfessionalisierte Vergangenheit. Man kann aber mit eben-
soviel Berechtigung die These vertreten, daß die organisatorische
Konfessionalisierung einen historischen Sonderfall darstellt, der
nur aus dem Zusammentreffen von hochorganisierter Religion und
Ausbildung eines bürokratischen Territorialstaates entstand und
der keinesfalls die historische 'Normalform' von Religion repräsentiert.

Blicken wir noch einmal auf die Modelle zurück, die zur Erklärung von religiöser Evolution entwickelt wurden, so ließe sich
ohne große Anstrengung der bei Bellah mehrmals angesprochene
Aspekt der Organisation von Religion erweitern. Bestimmte Reli-
gionstypen entwickeln eine Tendenz zu einer hohen organisatorischen Komplexität, wenn die äußeren Umstände dies begünstigen.
Für das Christentum waren beide Voraussetzungen gegeben: Weltverneinung und eine eher feindliche Umwelt. Sobald eine solche
Religion, organisatorisch gefestigt, in eine gesellschaftlich dominante Position kommt, lösen sich die ausgebildeten Strukturen
nicht auf, sondern verbinden sich mit gesellschaftlichen Erforder-

nissen. Entscheidend wird dann, ob es der religiösen Organisation gelingt, ihren universalen Anspruch mit Einfluß auf die Gesellschaft zu kombinieren. Die Geschichte der christlichen Religion läßt sich in das Evolutionsmodell insofern integrieren, als sie als historische Religion begann und im Laufe ihrer weiteren Entwicklung nicht mehr in der Lage war, durch flexible Anpassung ihr organisatorisches Eigenleben so zu reduzieren, daß das religiöse System immer mit dem sozialen und kulturellen Wandel in Übereinstimmung blieb. Der Preis für die Umweltunabhängigkeit war ein partielles Ausscheiden aus dem Gesamt des sozialen Lebens.

Dieser Prozeß ist bis heute nicht abgeschlossen. Der Rückgang an Kirchlichkeit (= organisierte Religion im gesamtgesellschaftlichen Maßstab) korrespondiert nicht notwendig mit der Reduktion von Religion überhaupt. Es ist sehr gut möglich, daß das seit Jahrzehnten beobachtete Aufleben von Formen wenig organisierter Religion in Gestalt von Kulten und freischwebender Religiosität, das neben dem Erstarken festgefügter religiöser Gruppen zu konstatieren ist, Anzeichen der Rückkehr zu einer Normalform von Religion darstellt. Zur Zeit würde dieser Trend noch überdeckt werden durch die Tatsache, daß zumindest in Europa die großen Kirchen als Verwalter einer 'civil religion' fungieren, die in stärker pluralisierten Gesellschaften eher von staatlichen Instanzen wahrgenommen wird.

REGISTER

Das Register wurde von Frau Renate Falgner erstellt.

Namen

Aberle, D. 119 FN
Aho, J. A. 91 FN
al-Baghdādī, abū-Mansūr ᶜabd-al
    Ḳāhir ibn-Ṭāhir 157 FN
Allen, W. H. 106 FN
Andresen, C. 156 FN
Antes, P. 14 FN
Aquin, T. von 102
Aristoteles 101–102. 125
Augustinus 41 FN. 47

Bammel, F. 91 FN
Barker, E. 167 FN
Barth, K. 47
Bastide, R. 1 FN
Bayle, P. 29 FN. 31 FN
Becker, H. 163. 164 FN
Beckford, J. A. 167 FN
Bellah, R. N. 93. 109–110. 167–
    168. 172–175. 179
Bellebaum, A. 11 FN
Bendix, R. 127 FN
Berger, P. 14 FN. 136–137
Berger, P. L. 19. 24 FN. 25–26. 27
    FN. 157 FN. 178 FN
Bianchi, U. 14 FN
Birnbaum, N. 122
Blankenburg, E. 90 FN
Bleeker, C. J. 156 FN
Bocock, R. 168 FN
Bömer, F. 100 FN. 154 FN
Boette, W. 119 FN
Bonhoeffer, D. 176 FN

Bonifaz VIII 83
Borhek, J. T. 143 FN
Boulard, F. 1
Brentano, L. 42
Burkert, W. 77 FN. 97 FN

Caesar, J. 77
Calvin, J. 47. 49
Cancik, H. 101
Charlton, D. G. 20 FN
Childe, V. G. 66
Childerich 84
Claessen, H. J. M. 71
Claessens, D. 139 FN
Cohn, N. 119 FN
Cohn, W. 15 FN
Comte, A. 11. 19 FN. 24. 29. 31.
    36 FN. 170–171. 175
Coser, L. A. 59 FN
Cumont, F. 121 FN. 154 FN
Curtis, R. F. 143 FN

Dahrendorf, R. 112 FN
D'Antonio, W. V. 140 FN. 141 FN
Davis, K. 124 FN
Desroche, H. 140 FN
D'Holbach, P. T. 30 FN
Diderot, D. 30 FN
Dobbelaere, K. 14 FN. 15 FN. 20.
    25
Döbert, R. 174–175
Drews, P. 120 FN
Duchardt, H. 83 FN

Dumont, L. 115 FN. 116
Dupré, W. 4 FN
Durkheim, E. 7. 9. 13. 16–20. 31–
    40. 133. 138
Dynes, R. R. 124 FN

Eder, K. 66. 70. 78 FN
Eichmann, E. 83 FN
Eisenstadt, S. N. 52. 174
Ejerfeldt, L. 83 FN
Eliade, M. 6. 19. 27
Engels, F. 42 FN. 46. 66. 94 FN.
    98. 121 FN
Engnell, I. 78 FN
Erman, A. 149 FN
Etzioni, A. 145
Evans-Pritchard, E. E. 33. 37. 148
    FN

Ferré, F. 14 FN
Feuerbach, L. 28
Findeisen, H.-V. 128 FN
Fiore, J. von 171
Firth, R. 98 FN
Fischer, K. 43. 50
Fominzewa, L. 2 FN
Fontenrose, J. 37 FN
Foucart, P. 153 FN
Frankfort, H. 78 FN
Franklin, B. 45
Freud, S. 28. 32. 35
Freytag, J. 2 FN
Friedrich II. von Preußen 41
Friedrich, A. 148 FN
Fürstenberg, F. 28
Fustel de Coulanges, N. D. 31. 133–
    134. 137

Gartner, M. 140 FN
Geiger, L. P. 128 FN
Gladigow, B. 75 FN
Goddijn, W. 114 FN
Gogarten, F. 176 FN
Goldziher, I. 156 FN
Gonda, J. 148 FN

Goode, W. J. 70
Greinacher, N. 2 FN
Groot, J. J. M. de 82 FN
Grundmann, H. 103 FN
Gumplowicz, L. 66
Gunneweg, A. 149 FN

Hadfield, P. 74 FN
Hahn, A. 178
Hammond, P. E. 168 FN
Harnack, A. von 121 FN. 156 FN
Hegel, G. W. F. 8. 63. 170
Herberg, W. 168
Hermann, W. 103 FN
Herrmann, E. 82 FN. 156 FN
Hill, M. 55 FN. 178 FN
Hillebrandt, A. 148 FN
Hine, V. H. 128 FN
Hobbes, T. 28
Homans, G. 59 FN
Hoult, T. F. 126 FN
Houtart, F. 96 FN. 98–99. 103 FN
Hubert, H. 7 FN
Hume, D. 170

Iribarren, J. 1 FN
Isambert, F. A. 31 FN

Jablokow, I. N. 3 FN
Jefferson, T. 174
Johnson, B. 128 FN
Johnstone, R. L. 83 FN. 89 FN
Joseph II. 45
Juynball, T. W. 106 FN

Kant, I. 174
Kantner, R. M. 140 FN
Kantorowicz, E. H. 83 FN
Kautsky, K. 16
Kehrer, G. 43 FN. 53 FN. 79 FN.
    135 FN. 147 FN. 154 FN
Kennedy, J. F. 168
Kippenberg, H. G. 91 FN. 100
    FN
Kluckhohn, C. 37 FN

Kluth, H. 114 FN
König, R. 55 FN
Köster, R. 2 FN
Kovalevsky, P. 109 FN
Kroker, E. J. M. 91 FN
Kruijit, J. P. 114 FN

Laslett, P. 132 FN
Latte, K. 80 FN. 151 FN
Laube, A. 122 FN
Laubscher, M. 74 FN. 91 FN
Lauwers, J. 14 FN. 15 FN. 20. 25
Le Bras, G. 1 FN
Lemercinier, G. 98 FN
Lemert, C. C. 168 FN
Lenski, G. 90 FN. 111. 127 FN. 141
Leplae, C. 2 FN
Le Play, F. 133–134
Leroi-Gourhan, A. 69 FN
Lévi-Strauss, C. 68 FN. 97 FN
Levy, M. J. 58 FN
Liebenam, W. 153 FN
Lietzmann, H. 156 FN
Lincoln, C. E. 110 FN
Linton, R. 131 FN
Lipset, S. M. 87 FN. 127 FN
Locke, J. 29
Luckmann, T. 2 FN. 25 FN. 168 FN. 178 FN
Lübbe, H. 176 FN
Luhmann, N. 62
Lukes, S. 31 FN
Luther, M. 47. 126

Machalek, R. 14 FN
Mack, R. 127 FN
MacLaren, A. A. 123 FN
Madan, T. N. 134 FN
Malinowski, B. 9. 39. 58. 135
Marquardt, J. 151 FN
Martin, D. 178 FN
Martin, D. A. 163 FN
Marx, K. 27–28. 42 FN. 43. 45–46. 50. 94 FN. 96. 99

Matthes, J. 6 FN. 8 FN. 178 FN
Mauss, M. 7 FN. 35
Mayer, A. C. 138 FN
Mayntz, R. 145 FN
Mensching, G. 7 FN. 8 FN. 16–18. 76. 134. 144 FN
Merkelbach, R. 121 FN
Merton, R. K. 40. 61 FN
Meuli, K. 97
Meyer, Th. 83 FN
Mitchell, G. D. 12 FN. 112 FN
Mol, H. 23 FN. 24–25. 60. 134 FN
Montesquieu, C. L. 29–30. 31 FN
Moore, W. E. 57 FN. 125 FN
Morenz, S. 150 FN
Morgan, L. H. 66
Muchin, A. 2 FN
Mühlmann, W. E. 91 FN. 119 FN
Murphy, R. 127 FN
Myrdal, G. 114 FN

Nakane, C. 131 FN
Napoleon I. 31
Nash, D. 136–137
Nelson, G. 164 FN
Nelson, H. M. 168 FN
Neu, R. 59 FN
Newman, W. M. 140 FN
Niebuhr, R. H. 162–163
Nisbet, R. A. 31 FN

O'Dea, T. 10
Oldenberg, H. 148 FN
Oliver, D. L. 72 FN
Oppenheimer, F. 66
Origenes 47
Otto, R. 6. 18–19. 27
Otto, W. 150 FN

Paine, T. 174
Pannenberg, W. 6 FN
Parsons, T. 9 FN. 38–39. 52–53. 56–58. 63. 93. 110. 112 FN. 125 FN. 136–137. 172. 174

Paulus 73. 101. 139. 155
Pfautz, H. W. 125 FN
Poland, E. 153 FN
Pope, L. 123 FN. 128
Preston, J. J. 108 FN

Rachfahl, F. 43. 50
Radin, P. 74 FN
Rammstedt, O. 119 FN
Rappaport, R. 104
Rau, W. 105 FN
Rex, J. 59 FN
Ribeiro, D. 66
Ringgren, H. 77 FN. 149 FN
Röllig, W. 78 FN
Roof, W. C. 168 FN
Rosenblatt, P. C. 134 FN
Rougier, L. 83 FN
Rousseau, J. J. 29–30. 167
Rowley, H. H. 77 FN. 106 FN.
    149 FN

Sabourin, L. 77 FN
Saint-Simon, C.-H. 31
Santillana, D. 106 FN
Sauneron, S. 150 FN
Savramis, D. 2 FN. 178 FN
Schleiermacher, F. 8. 47
Schluchter, W. 109 FN
Schmidtchen, G. 112 FN
Schmoller, G. 42. 47 FN
Schreiner, P. 115 FN
Schreuder, O. 2 FN
Schürer, E. 106 FN
Schwind, M. 4 FN
Seelye, K. C. 157 FN
Seiwert, H. 14 FN
Seneviratne, H. L. 103 FN
Service, E. R. 66. 68
Sharpe, E. J. 7 FN
Shiner, L. 177 FN
Shorter, E. 132 FN
Sicard, H. von 74 FN
Skalnik, P. 71
Smirin, M. M. 121 FN

Smith, D. E. 81 FN. 91 FN
Smith, W. R. 31–32. 35. 133
Sohm, R. 73. 156 FN
Sombart, W. 42
Sorokin, P. A. 129 FN
Spencer, H. 24. 172
Spiegel, Y. 161 FN
Spiro, M. E. 14 FN. 21–23. 26–27
Sprondel, W. M. 42 FN. 43 FN
Stal, F. 33 FN
Stein, L. von 63
Steinmetz, M. 122 FN
Swanson, G. 87–88

Tawney, R. H. 122
Thrupp, S. L. 119 FN
Tiele, C. P. 170 FN
Tillich, P. 25
Tokarev, S. H. 96 FN
Troeltsch, E. 158. 159 FN. 162–
    163
Tylor, E. B. 22–23

Ugrinowič, D. M. 98 FN
Ullmann, W. 83 FN
Upadhyaya, S. A. 115 FN. 129 FN

Van der Leeuw, G. 5 FN. 27. 75
    FN. 134
Vandier, J. 150 FN
Varro 41
Vernon, G. M. 55 FN
Vierkandt, A. 7 FN
Vodola, E. 160 FN
Vogler, G. 122 FN

Waal Malefijt, A. de 4 FN. 69 FN.
    98 FN
Waardenburg, J. 5 FN
Wach, J. 7 FN. 10. 16–17. 55 FN.
    134. 144
Wallace, A. 23 FN
Wallis, R. 119 FN. 167 FN
Warner, W. L. 116
Watt, W. M. 156 FN

Sachen   185

Weber, M. 3 FN. 9–10. 12 FN. 13.
42–51. 64. 72. 74 FN. 96. 103.
108–111. 117–119. 122. 127. 159.
162–163. 173–174
Welch, A. T. 156 FN
Wertheim, W. F. 110 FN
Whaling, F. 7 FN
Widengren, G. 78 FN
Wilson, B. 119 FN. 163–164
Wimberly, D. C. 168 FN
Wiskemann, H. 47 FN
Wissowa, G. 80 FN. 107 FN. 151 FN

Wittfogel, K. A. 66
Worsley, P. 119 FN
Wright, St. A. 140 FN

Yang, C. K. 76 FN
Yellin, S. 127 FN
Yinger, Y. M. 23 FN. 24. 40 FN.
55 FN. 76 FN. 104 FN. 143–
144. 164–167. 168 FN

Ziebarth, E. 153 FN
Zimmer, H. 105 FN

Sachen

Abendmahl 84. 135
Absolutismus 88
Abstammung 75. 130. 132. 138
Abtreibung 140–141
Adel 87. 118. 130
Administration 74. 80. 106. 156–
157. 161
Adoleszenz 137
Adoption 140
Ägypten 71. 79–80. 105. 114. 149–
152. 166
Afrika 71. 74
AGIL-Schema 57–58. 60
Agnostiker 32. 41
Ahnen 69. 73–74. 84. 138–139
Altamerikanistik 66
Altes Testament, alttestamentlich
52. 84. 100. 133
Amerika, s. u. USA
Anglikanismus, anglikanisch 87
Angsthypothese 69
Animismus, animistisch 22
Anthropologie, anthropologisch
21. 23. 25. 40. 65–66
Antike 29. 31. 41. 52. 78. 85. 92.
100. 107. 121. 126. 133. 144.
152–155. 157–158. 163
Anubis 150
Apokalypse 161

Arabien, arabisch 44. 133. 157
Arbeit 108. 110–111
Arbeitsteilung 95. 97. 99. 104–
105. 131. 146–152
Archäologie, archäologisch 66. 78.
173
Armutsideal 107
Asien, asiatisch 95. 99. 109
Ost-Asien 110. 153
Süd-Asien 92
Südost-Asien 81
Askese 46–47. 49–50. 110. 117.
160. 174
Atheismus, atheistisch 2–3. 11. 29.
32. 41
Aufklärung 28–29. 36. 45. 171. 176
Australien 120

Baptisten 123
Bauer, bäuerlich 102. 118. 120
Beamtenschaft 79
Bestattung 69. 97. 133. 136. 139.
146. 154–155
Bhagavad-Gita 92
Big-man-System 72–73
Bilinearität 132
Bindestrich-Soziologie 1. 9
Bischof 82. 84. 130. 156. 160
Bistum 85. 102

Black Muslims 110. 128
Boddhisattvaideal 118
Bourgeoisie 46
Brahmane 79. 105. 115–117. 148
Buddha 22. 103
Buddhismus 15. 76. 81–82. 92.
    106. 108. 110. 118. 126. 140. 143.
    153. 173
    Theravada-Buddhismus 22. 81.
    103. 107
Bürger, bürgerlich 86. 88. 90. 96.
    118. 121–123. 152. 154. 156. 160.
    179
Bürgerkrieg der USA 100
Bürokratie 88. 110. 118. 124. 145.
    156. 159–161. 166. 179
Burma 81–82
Byzanz 82. 84

Cäsaropapismus 82
Calvinismus 47–48. 87. 109. 126
CDU 90
Charisma 60. 72–73. 84. 156. 159–
    160. 162–163
Chiliasmus 119
China 79–80. 82
Christadelphians 163
Christentum 7–8. 14. 20. 29. 53.
    76. 81–82. 84–87. 91–92. 102–
    104. 106. 109. 118. 121. 125–126.
    129. 134–135. 139–140. 145.
    152–153. 155–159. 170. 177.
    179–180
Christian Science Movement 163
Church of Scotland 123
Clan 35. 138

Dämon 20. 22
Deismus 93
Demokraten 91
Demokratie 87
Denomination 124. 163–165. 175.
    177
Denominationalismus 121. 162
Deprivationstheorie, relative 119

Deutschland, deutsch 119–120. 176
    Bundesrepublik 90–91. 112.
    120. 128
    DDR 2 FN
Diaspora 149. 155
DNVP 91
Dogma 48. 53. 132. 134. 174
Donatisten 160
Drei-Stadien-Gesetz 170–171. 175

Egalität 69. 72. 116. 125
Ehe 22. 115. 131. 138. 140. 160
    Ehescheidung 140–141
    Eheschließung 68. 134–136.
    138. 146
    Mischehe 140–141
Ekstase, ekstatisch 77
~, Techniker 73
Elim Foursquare Gospel Church
    163
Empirie, empirisch 8. 11. 15. 20–
    22. 59–60. 74. 111. 113. 138–
    139. 143. 147. 166. 168. 174
Endogamiegebot 115. 163
England 45. 88. 103. 116. 120–123.
    163
Entmythologisierung 52
Enzyklopädisten 8. 30
Erbfolge 74. 77
Erklärungshypothese 69
Erlösung 119
Erziehung, atheistische 2
~, religiöse 90
Eskimo 35
Ethnik 42. 51. 59. 68. 109. 178
    Wirtschaftsethik 109
Ethnologie 37. 67. 72. 134. 173
Europa 2. 81. 83–87. 107–108.
    114. 129. 157. 168. 179–180
Evolutionismus, evolutionistisch 9.
    32. 52–53. 66–67. 144. 170–
    172
Exchange-Theorie 59
Exil 52. 149
Exkommunikation 160

face-to-face-relations 68
Familie 12. 14. 19. 55. 58. 77. 85.
  97. 101. 106. 109. 130–142. 144.
  148. 154. 179
Familienlosigkeit 139
Fetischismus, fetischistisch 171
Feudalismus 95. 100. 102 –103
Frankenreich 82
Frankfurter Schule 59
Frankreich 90
  Dritte Republik 36
Frömmigkeit 160
Fürst 106. 116. 122

Geburt 135
Geister 20. 69. 98
Genealogie 129. 138
Germanen, germanisch 83–84
Geschwister 67. 131. 138
Götter 20. 22. 74. 79. 99. 171. 173
  Halbgötter 20
Gott 5–6. 11. 14. 20. 29–30. 47.
  53. 79. 87. 126. 132. 155. 168.
  170. 173. 175
Gottesdienst 135
Gottheit 32. 98. 103. 154
Griechenland 52–53. 72. 77. 105.
  144. 148. 150. 155
Grundrecht 88
Guruismus 167

Häretiker 158
Häuptlingstum 72–75. 84. 99
Heiler 156
Heilige, heilig 6. 16–20. 22–23.
  25. 30. 32–34. 81. 103
Heirat, s. u. Eheschließung
Heroen 20
Herrschaft 12. 69. 71. 73–83. 85.
  87–90. 99–100. 122. 148–149.
  151. 157. 159–161. 163. 171
  Herrschaftslos 67–69. 71
  Herrschaftsverteilung 116
Heuristik, heuristisch 60. 162
Hierokratie 159

Hierophanie 19. 177
Hinduismus 15. 103. 108. 117.
  151
Hoanghotal 71

Idolatrie 155. 160. 170
Immanenz 15. 20. 87
Imperialismus 92
Indien 44. 79. 92. 98. 105. 108.
  115–118. 125. 129. 148
Industal 71–72
Integrationstheorie 34. 37
Integrationsthese 28. 31. 40
Investiturstreit 85
Iran 90–91
Irland 90–91
Islam 20. 80. 85. 92. 106. 114. 129.
  153. 156–157. 177
Israel, israelitisch 51–53. 78. 100.
  105. 150. 152
Italien 87. 91

Jahwe 52
Japan 110. 153
jāti 115
Jenseits 32
Jerusalem 52. 77. 149. 151. 155
Jinismus 143
Judentum, jüdisch 8. 33. 53. 78.
  108. 114. 118. 129. 139. 141. 149–
  151. 155–156. 166. 173. 177

Kaiser 82–85. 102
Kaisertum, lateinisches 84
Kalifat 85
Kanada 120
Kannibalismus 69
Kapitalismus 42–47. 49–51. 95–
  97. 100. 103–104. 108–109. 111.
  122. 162. 178
Karma 126
Karolinger 84
Kasten 115–117. 125. 129
  Kastenordnung 115–117
Katechumenat 160

188 Register

Katholiken 29. 91. 111. 114. 123. 127. 141. 153
Katholizismus 31. 45. 83. 87. 89–90. 102. 129–130. 133–134. 142. 160
Kelten, keltisch 77
Ketzerbewegung 103
Kind 67. 130–132. 136. 138–139. 141
Kirche, kirchlich 1–2. 17. 29. 33–34. 49. 53. 64–65. 81–86. 89–90. 93. 102. 104. 108. 111. 123–124. 129–130. 135–137. 140–145. 149. 151. 156–166. 168. 177–178. 180
Freikirche 121
Friedenskirche 92
Staatskirche 88–89. 123. 166–167
Volkskirche 135
Kirchengeschichte 5
Kirchenjahr 145
Kirchenkunde 120
Kirchenlehre 47
Kirchenrechtsgeschichte 73
Kirchenstaat 45
Klassengesellschaft 98
Klassenkampf 104
Klerikalisierung 10
Klerus 45. 84
Kloster 45. 81. 102. 105
König 74. 78. 82. 84–85
~ der Franken 84
~ der Merowinger 84
Königreich Christi 126
Königszeit 78. 80
Königtum 74. 83–84. 89. 99. 147
~, sakrales 74. 78
Kolonialismus 71. 92
Kommunismus 3. 26
Kompensationsthese 28
Konflikttheorie 59
Konfuzianismus 108–110
Konnubium, s. u. Ehe
Konstantinopel 82

Kontemplation 49
Konversion 60. 129
Konzil, Zweites Vatikanisches 89
Kopten 114
Kosmos 20. 25. 70
Kreuzzug 92
Krieg 65. 91–92
gerechter Krieg 92
Heiliger Krieg 92
Kriegszug 100–101
Krönung 84–85
Kult 52. 77. 80. 86. 99–100. 117. 121. 133. 135. 145. 147–150. 152. 154–155. 164–168. 173. 180
Familienkult 138
Heiligenkult 103
Kaiserkult 102
Mitraskult 121. 152
Kultstätte 77. 148
Kultur, kulturell 12. 38. 50. 57. 60. 63. 69. 129. 133. 135. 141. 144–145. 153. 155. 157. 159. 161. 164. 170. 172. 176. 178. 180
Kulturwissenschaft 5–6. 19. 169

Lehnssystem 102–103. 106
Leviten 149
Libanon 120
Lineage 138
Lohnarbeiter 97
Luthertum, lutherisch 87. 152. 160

Macht 12. 74–75. 116
Machtlosigkeit 137
Machtstruktur 116
Machtteilung 146
Magie, magisch 23. 39. 69. 73. 77. 98. 147. 177
Manichäismus 143
Manu 70
Martyrium 158
Marxismus, marxistisch 16. 93. 95–96. 100. 121–122
Matrilinearität 132. 135
Meiji-Periode 110

Mennoniten 92
Merowinger 82. 84
Mesoamerika 71
Mesopotamien 71. 78
Metaphysik, metaphysisch 170–171
Methode der Religionssoziologie 1.
3–4. 7–8. 10. 12
Methodologie, methodologisch 6.
11. 21–22
Mexiko 79
Migration 120–121. 124. 127. 153.
155
Militär 99. 171
Minderheiten, religiöse 110. 114
Mission 155. 157. 161
Missionare 33. 155
Missionierungstendenz 120
Missionsgebiete 85
Missionstätigkeit 155
Mittelalter 67. 75. 82–85. 89. 102–
103. 107. 126. 129. 140. 157. 159
Mittelmeerraum 72. 133
Mobilität, soziale 113. 126–130.
141
Mönch 53. 81. 106. 140
Hare-Kṛṣṇa-Mönch 164
Jina-Mönch 44
Monarchie, monarchisch 79. 85.
87
Monismus, monistisch 173
Montanisten 160
Moral, moralisch 30. 34. 112
Moschee 106
Moslem 153
Muhammad 157
Mutter 67–68. 130–132. 137. 139
Mythos 8. 37. 69–71. 73–75. 173

Nationalismus 89
Nationalökonomie 42. 95
Neo-Evolutionismus 66. 172
Neues Testament 101. 158. 160
Neu-Guinea 70
Niederlande 45. 114. 120
Nomos 25

Österreich 45
Offenbarung 5. 170
Okzident, okzidental 1. 4. 8. 28.
41. 51. 64. 75. 86. 88–89. 102–
103. 109. 116. 132. 135. 143–144.
152–153
Ontologie, ontologisch 30. 63
Opfer 97. 105–106. 148–150. 156
Orient, orientalisch 76
Alter Orient 78. 84. 105
Orientalistik 32. 133
Altorientalistik 66

Palast 77. 80
Pantheon 79. 102
Papst 82–85. 129
Pastoralbriefe 140
Patrilinearität 130. 132
Pazifismus 92
Peru 71–72. 79
Pfarrer 129
Pfingstbewegung 128
Phänomene, religiöse 9. 11. 26
Pharao 79
Philologie 4–6. 97
Philosophie 53. 59. 63. 112. 170–
171. 173. 175
Pietät 109
Pietismus, württembergischer 128
Polen 2 FN. 91
Portugal 115
positives Stadium 170–171. 175
Positivismus 36 FN
Praxis, pastorale 3
Presbyterian Church 137
Priester 77–80. 105–106. 116. 144.
147–151. 160. 168. 171. 173–174
Priestermangel 130
Priestertum 77. 129. 149. 174
Profane, profan 18–20. 23. 32–33.
36
Professionalisierung der Religion
144. 147–148
Professionalisierung der Soziologie
3. 11

Proletarier 45
Prophet 156–157
Prophetie 51–52. 155
Proselyt 155
Protestanten 111. 114. 127. 141.
153. 176
Protestantismus, protestantisch
42. 45. 47. 51. 87. 89. 96. 109.
140. 162. 174–175. 178
Puritanismus 47. 49–50. 122

Quäker 92

Rangordnung 113
Recht, römisches 130
Rechtssystem 51
Reformation 28. 45. 49. 86–87.
89. 121–122. 126. 174–175
Religiösität, Erlösungsreligiösität
118–119. 139–140. 173
~, Verheißungsreligiösität 119
religion, civil 30. 93. 167–168. 180
invisible religion 168
non-doctrinal religion 168
Religion, Definition von 10. 13–
27. 32–33. 57. 93. 178
~, gestiftete 80
~, staatsbürgerliche 167
Jugendreligion 167
Staatsreligion 81. 91
Religionsethnologie 4–5. 7. 37
Religionsfreiheit 152
Religionsgeographie 4
Religionsgeschichte 4–5. 7. 16. 46.
96. 157. 170. 173
Religionskritiker 14. 176
Religionsphänomenologie 5. 18.
26. 133. 172. 175. 177
Religionspsychologie 4
Religionswissenschaft 4–5. 7–9.
13. 15–16. 27 FN. 170. 176
Revolution
~, französische 31. 36. 88. 176
~, industrielle 43
~, neolithische 43. 67–68

Ritenmonopolisierung 117
Ritual 70–71. 79–80. 97–98. 104–
105. 124. 148
Ritualisierung 97. 136
Ritus 8. 34. 37. 69–70. 72. 93.
104. 134–136. 138. 145. 147–
148. 173
Bestattungsritus 135
Hochzeitsritus 134
Initiationsritus 39. 160
Passageritus 134. 137
Reinigungsritus 32
Totenritus 136
Rom, römisch 33. 75. 80. 82–86.
92. 101. 107. 130. 133. 144. 150.
155
Rußland 99. 109., s. auch Sowjet-
union

Säkularisierung 28. 134. 172. 176–
179
Sakrale, sakral 17–18. 22–23. 74–
75. 78. 116. 125. 134. 138. 147
Sakralisierung 24. 60. 135–136.
138. 177
Sakralwesen 80
Sakrament 160
Samurai 110
sangha 81. 140
Sanskritisierung 129
Schamane 105. 147
Schiiten 85
Schismatiker 158
Scholastik 102. 126
Schottland 123
Schuldknechtschaft 100
Scientology Church 163
Sekte 117–118. 124. 128–129. 151.
156. 158–159. 161–167. 177
Sexualität 46. 131. 140. 160
Shaker 140
Shia 91
Shingaku-Bewegung 110
Shintoismus 15. 110. 153
Sinnproblematik 23

Sippe 109. 147
Skandinavien 88
Sklaven 100–101. 107. 171
  Sklavenhaltergesellschaft 95.
  100. 101
  Sklavenwirtschaft 100
Sowjetunion, sowjetisch 2–3. 15.
  26. 93. 96. 98
Soziabilisierung 139
Sozialanthropologie 39. 50. 64
Sozialdarwinismus 66
Sozialforschung 111
Sozialforschungsinstitute 2–3
Sozialisation 65. 137. 139. 141. 160.
  163
Sozialismus, sozialistisch 2–3. 89
Sozialität 11–12
Soziallehre 102. 126
Sozialwissenschaft 4–5. 7. 19. 31.
  58. 66. 172
Spanien 45. 87
Sprachhypothese 69
Sri Lanka (Ceylon) 81. 103
Staat 28–30. 43. 51. 63–67. 71–72.
  74–86. 88–93. 102. 107–108.
  110. 144. 150–152. 154. 167–
  168. 180
  Nationalstaat 89
  Staatskirchenländer 88
  Territorialstaat 83. 86. 120. 179
Stadt 79. 85. 121
Stadt-Land-Differenzierung 127
Statistik, statistisch 12. 65. 110. 135
Status 74. 114. 116. 125
Struktur-Funktionalismus 52. 56.
  59
Subsidiaritätsprinzip 102
Sünde 160. 170
Sumer 80
Symbol, religiöses 138. 172–173
Symbolisation 10
Synagoge 149. 151. 155

Tabu 74
  Inzest-Tabu 131

Täufling 84
Taoismus 108. 173
Taufe 136. 146. 152. 160–161
Technologie 94–96. 108
Tempel 78–80. 105. 107. 146. 148.
  150–151
  Jerusalemer Tempel 106. 149
  Tempelkultur 149
  Tempelschatz 106
  Tempelstadt 78
Thailand 81
Theismus 52
  Monotheismus 102. 170–171.
  173
  Polytheismus 102. 170–171
Theodizee-Frage 24. 38
Theokratie 78. 83
Theologie, theologisch 4–6. 18.
  21. 25–26. 47. 53. 76. 80. 92.
  102–103. 120–122. 135. 151–
  152. 160–161. 168. 170–171. 175–
  176
  Exodustheologie 93
  Sozialtheologie 126
Theosophische Gesellschaft 163
Tod 24. 38–39. 127. 135–136
Toleranzedikt 82
Totem 33–34. 98
Tradition, religiöse 91
  ~, marxistische 112
  Traditionsweitergabe 79
Transzendenz 10–11. 15. 20. 34.
  52. 59. 87. 110. 171. 173–176
Tribut 99–100
Tsembaga 104

Umma 157
Universalität 159. 161. 165–166. 180
Universalreligion (organized reli-
  gion) 76. 80–82. 134. 143–144.
  153. 166
Unreinheit 116–117
Unsterblichkeit 30
Ureinwohner, australische 33. 35. 37
Urvertrauen 139

USA 25. 59. 71. 74. 90–91. 93. 100.
110–112. 114. 120. 123. 127–128.
137. 140. 145. 162. 167–169

varna 115
Vater 67–68. 131–132. 139–140
Veda, vedisch 117. 148
Verbrechen 79
Verfassung 89. 120. 167
Verwandtschaft 68–69. 73–74. 79.
97–98. 132. 136. 141. 154
Volkskunde, religiöse 119
Volksreligion (diffused religion) 76.

79–81. 91. 100. 139. 143–145.
153. 166

Wallfahrt 49
Waqf 106–107
Wirtschaft 94–112. 146. 150. 159
Wunderwirken 160

Zadokiten 149
Zentrumspartei 90
Zeugen Jehovas 164. 166
Zölibat 129–130
Zürich 122